D0353033

À Jeanne et Denise,
qui me font l'hon-
neur de compter
parmi mes lecteurs
fidèles...

Christian

La collection
ROMANICHELS
est dirigée par
André Vanasse

La moitié d'étoile

Catalogage avant publication de Bibliothèque et Archives nationales du Québec et Bibliothèque et Archives Canada

Tourangeau, Pierre, 1951-

La moitié d'étoile : roman

(Romanichels)

ISBN 978-2-89261-492-3

I. Titre. II. Collection.

PS8589.O68M64 2007 C843'.54 C2007-941129-0

PS9589.O68M64 2007

La publication de cet ouvrage a été rendue possible grâce à l'aide financière du ministère du Patrimoine canadien par l'entremise du Programme d'aide au développement de l'industrie de l'édition (PADIÉ), du Conseil des Arts du Canada (CAC), du ministère de la Culture et des Communications du Québec (MCCQ) par l'entremise de la Société de développement des entreprises culturelles (SODEC).

XYZ éditeur
1781, rue Saint-Hubert
Montréal (Québec)
H2L 3Z1
Téléphone : 514.525.21.70
Télécopieur : 514.525.75.37
Courriel : info@xyzedit.qc.ca
Site Internet : www.xyzedit.qc.ca

et

Pierre Tourangeau

Dépôt légal : 3e trimestre 2007
Bibliothèque et Archives Canada
Bibliothèque et Archives nationales du Québec
ISBN 978-2-89261-492-3

Distribution en librairie :

Au Canada :
Dimedia inc.
539, boulevard Lebeau
Ville Saint-Laurent (Québec)
H4N 1S2
Téléphone : 514.336.39.41
Télécopieur : 514.331.39.16
Courriel : general@dimedia.qc.ca

En Europe :
D.E.Q.
30, rue Gay-Lussac
75005 Paris, France
Téléphone : 1.43.54.49.02
Télécopieur : 1.43.54.39.15
Courriel : liquebec@noos.fr

Droits internationaux : André Vanasse, 514.525.21.70, poste 25
andre.vanasse@xyzedit.qc.ca

Conception typographique et montage : Édiscript enr.
Maquette de la couverture : Zirval Design
Photographie de l'auteur : Société Radio-Canada
Illustration de la couverture et des pages de garde : Vincent Van Gogh, *Café, le soir*, 1888 (détail)

Pierre Tourangeau

La moitié d'étoile

roman

Romanichels

Chapitre 1

Mira. Étoile très froide dont l'éclat variable est dû à son instabilité. Supergéante rouge dans la constellation de la Baleine. Du mot latin qui signifie « La Merveilleuse ».

Je les connais par cœur, les étoiles, les galaxies, les nébuleuses. Je les ai tant observées qu'il me suffit de les évoquer pour qu'elles apparaissent. Toutes, sauf cette moitié d'étoile que j'ai fini par baptiser « Calamité » à force de l'imaginer sans jamais l'atteindre ni la voir, un minuscule caillou manquant au firmament des honneurs qui me sont rendus.

C'est tout ce que je veux, cette traînée dans le ciel, qu'elle soit la dernière, celle qui m'étourdira tout à fait. Ce n'est pas la fin du monde et c'est peu demander pour un écrivain adulé qui a déjà tout raflé côté gloire. Mais elle ne se laisse pas lever facilement et elle se défile dans tout ce bataclan cosmique.

Mon dernier roman m'a valu la note habituelle : quatre étoiles et demie au tribunal de l'*Écho des lettres*, un truc prétentieux comme son fondateur, Gilbert Tracemot, grand censeur des littérateurs. Autoproclamé, il faut bien le rappeler, mais il l'a tant répété au fil des années, sur toutes les tribunes qu'il a trouvées, qu'on a fini par le croire, et sa feuille est devenue la Bible qui fait et défait les écrivains sur ce côté-ci de la planète. Tracemot peut vous couper de l'Olympe et du Panthéon, vous rayer de la carte du ciel d'un simple trait de sa légendaire Mont-Blanc, il vous l'agite sous le nez dès qu'il en a l'occasion.

« *Ariane, ma sœur...* : le dernier Letendre est un long, très long ouvrage un peu convenu, a-t-il osé écrire. Mais ça demeure du Letendre. On ne s'en lasse pas... encore. ****1/2. » Non seulement le vieil arrogant me refusait-il de nouveau la note parfaite, ces cinq étoiles qui m'obnubilent et me tourmentent, mais le scélérat annonçait déjà mon déclin, ma mise au rancart, me sacrait romancier en sursis, en instance de décrépitude, m'éloignait de la lumière de cette maudite Calamité.

Je lui montrerai qu'il se trompe : je la trouverai bien, tapie là-bas quelque part près de Mizar, dans la Grande Ourse, ou dans la bouche de Cassiopée, ou alors ce sera SS433, une supergéante suicidaire qui s'est mise en couple avec un trou noir. Peu importe, cet astre pâle et insignifiant qui me gâche la vie finira pourtant par l'illuminer, comme ces petites étoiles scintillantes que l'institutrice collait jadis dans mes cahiers, gages de mes jeunes prouesses et de mon talent précoce. Un jour, il sera l'auréole boréale au zénith de mon ciel, la langue de feu au-dessus de ma tête.

« De quoi vous plaignez-vous donc, Jérôme ? J'ai toujours accordé ma meilleure note à vos romans. Quatre étoiles et demie. Vous savez bien que je ne donne jamais plus. La perfection n'est pas de ce monde. »

Je fais semblant d'accepter l'argument qui n'en est pas un, de ne pas être révulsé par le sophisme, de ne pas avoir l'air de protester, je fais violence au mépris qu'il m'inspire. Parce que, en effet, comment pourrais-je m'indigner d'une marque pareille et des éloges qui l'accompagnent ? Il ne comprendrait pas. Je ne le lui dirai jamais, mais je ne peux supporter que d'autres aient reçu, eux aussi, sa « meilleure note », qu'il me place sur le même piédestal qu'eux. La reconnaissance que je réclame ne souffre pas d'être partagée. Je ne suis comme personne et je suis entier. Je suis tout ou je ne suis rien, héros ou zéro. Je suis ou je ne suis pas, comme dans *être ou ne pas être*, comme dirait l'autre. Et il n'y a pas d'entre-deux.

Je puise en moi pour ne pas grincer, pour m'inventer un sens de l'humour : « Cette perfection, elle existe pourtant pour les restos du Michelin, non ? On en trouve toujours quelques-uns qui les ont, leurs cinq étoiles… »

Il répond que la littérature est plus complexe que la bouffe, que chaque mot est un ingrédient distinct, ce qui rend infinies les combinaisons de saveurs. J'écoute, attentif, l'oraison du funèbre Tracemot. Mais, inébranlable et très souriant, je lui répète qu'il se trompe, que je demeure convaincu de l'existence ici-bas de cette perfection qu'il refuse d'admettre et de la présence là-haut de cette obsédante Calamité.

« Maudit jésuite ! Je finirai bien par vous montrer que vous avez tort. Ce jour-là, Gilbert Tracemot, je vous éblouirai tout à fait. Et du haut de votre grandeur, vous devrez bien vous incliner et me le remettre, ce bout d'étoile… »

Alors il rigole de ce rituel oiseux cent fois répété. S'il s'en lasse, il ne le montre pas. Je l'aurai à l'usure. Et lorsqu'il sera vaincu, lorsque enfin l'insigne fragment de soleil me sera donné, il fera ma grâce et ma gloire, mon bonheur et ma liesse.

Il est comme la plupart des gens, Tracemot, ignorant du cosmos qui le porte, inconscient des destins qui s'y jouent, comme les fourmis ne perçoivent que leur fourmilière. Mais moi, j'ai vu ce qui se trame dans cette fournaise incommensurable et je sais que, dans tout ce fatras, il y a une route qui s'ouvre, infiniment minuscule en regard du Grand Reste, une voie qu'il m'incombe de suivre, un chemin ténu qui justifie à la fois mon existence et la Création tout entière, un univers où se cache une étoile folle appelée Calamité.

Tout à côté, dans le portique, j'entends Mira discuter avec Gaudin venu prendre de mes nouvelles. Des siennes surtout. Il n'entre pas, se contente de s'inquiéter un peu de ma personne pour mieux plonger dans les yeux de ma femme. Qui l'en blâmerait ? Pas moi, qui connais bien ces lacs, ces océans, ces pouponnières d'étoiles dont ma traîtresse sait faire si bon usage. Pourtant, elle jure sur ma tête que je suffis à remplir sa vie et feint d'ignorer que je n'arrive pas à sa si fine, à sa si douce cheville. Je ne suis pas dupe, juste fou d'elle. Mira me manque en permanence, de la tête au cul, et je ne peux accepter qu'elle se disperse, que d'autres hommes respirent l'air qu'elle exhale, s'émerveillent de sa beauté, s'émeuvent de sa présence, s'abreuvent de ses formes. Je ne suis pas tolérant.

J'ignorerai toujours si l'amour de ma Mira est véritable ou feint. Elle m'est trop redevable. On ne peut croire aux sentiments de qui s'imagine vous devoir la vie. Elle s'effeuillait toutes les nuits à *La Planète du Sexe* pour nourrir des vespidés des quatre coins de la galaxie ; à force, ne lui est plus resté que l'écorce, toute mitée par les aiguillons qui l'empoisonnaient. Ils ont fini par la jeter, elle s'est retrouvée à la rue à quémander son maudit venin. Jour après jour, soir après soir, je l'ai portée et sortie des bas-fonds où elle dérivait.

Elle parle à voix basse, je la devine lui soufflant à l'oreille ces mots qui m'appartiennent et ne devraient griser que moi. Je m'approche sur la pointe des pieds pour saisir leurs doucereux bavardages. Elle s'en sera rendu compte et enterre ses susurrements onctueux sous des inquiétudes convenues : je l'entends raconter à mon ami le professeur Gaudin que je ne bouge plus du divan, ne décolle plus de l'écran de la télé et passe mes journées entières rivé à tout ce qu'elle crache de romans-savons, de tribunes téléphoniques, de cinéma ; même les info-publicités n'échappent pas à mon intérêt.

— Tu connais la chanson, ce n'est pas la première fois : manque d'inspiration, besoin de la nourrir. Ça le ronge. Il dit que la télé, c'est ce qu'il y a de plus facile pour les idées, les situations, les sentiments, qu'il finira bien par y trouver la matière première de son maudit roman cinq étoiles. Il est retombé, Phil. Il n'est plus lui-même. C'est pire cette fois-ci. Je ne l'ai jamais vu comme ça. Il est plus jaloux que jamais, il devient mesquin et soupçonneux à propos de tout. Il coule.

Mais Gaudin ne se laisse pas convaincre. Cela lui permet d'entretenir la conversation et de me voler plus longtemps l'odeur de ma Mira. Il ferait bien d'en profiter, car moi vivant, il n'aura rien de plus ! Quinze ans plus tôt, alors qu'enjôlés par cet ange échoué en enfer nous allions nous enivrer de ses déhanchements maladroits, il aurait bien pu, lui, grand universitaire en devenir, champion des lettres anciennes, se mettre en quatre et à genoux aux pieds de cette pauvre fille égarée pour lui redonner vie. Il n'a pas osé, a préféré rester debout pour avancer sans dévier ni dériver sur la voie de l'honneur et de la consécration. Moi, petit écrivain poussif, je n'avais rien à perdre, et j'avais à gagner l'amour de quelques vies.

— Tu t'en fais trop, dit-il. Tu sais qu'il s'enferme quand il prépare quelque chose. C'est plutôt bon signe, il est à la veille de nous pondre une autre histoire géniale.

Elle soupire d'impatience.

— Facile à dire, Philippe Gaudin ! Vous êtes tous les mêmes, les savants professeurs, les critiques, les éditeurs.

Vous vous foutez pas mal de ce que Jérôme va endurer pour vous le fabriquer, votre chef-d'œuvre. Et moi aussi, par conséquent. Tu ne vis pas avec lui. Je le connais, je sais trop bien ce qui va se passer : un soir, je rentrerai et il ne sera plus là, il aura pris le bord. Ce qu'il ne trouvera pas en fin de compte dans sa maudite télé, il voudra le chercher dans les rues. Des mois d'itinérance, de marginalité, de délire, de tourment, de folie, appelle ça comme tu voudras. Et pour moi, la mesquinerie et l'inquiétude.

Gaudin tente de la consoler. « Ce ne sera pas si grave, tu peux compter sur moi et ses autres amis, nous t'aiderons… »

— Je vais parler à Bérulier, dit-il. Après tout, c'est son éditeur. Et avec tout le fric que Jérôme lui rapporte, il peut bien s'occuper de lui un peu. Nous lui trouverons des activités. Nous le ferons tourner dans les salons et les foires de livres. Ça va l'occuper.

Quelle comédie ! Quel jeu pour masquer leurs cajoleries ! L'ami Gaudin sait mettre sa science à profit : depuis le temps qu'il enseigne les grands maîtres du théâtre classique, il a appris par cœur tous leurs vieux trucs.

Je les ai rejoints dans le vestibule. Ils ne s'étonnent pas de me voir arriver. Affable et empressé, j'invite Gaudin à entrer un moment.

— Viens t'asseoir. Il y a une série américaine qui joue à la télé, ça se passe à l'urgence d'un hôpital. Un truc plein de grandes leçons de vie, de beaux et bons sentiments déjà tout mâchés. Pour un romancier en mal d'idées, c'est génial. Il n'y a qu'à se servir.

Ils me suivent. Mira boude. C'est vrai qu'elle me connaît, mais pas encore assez pour savoir quel chat je veux sortir de mon sac. Nous nous asseyons dans les fauteuils de cuir, tous les trois tournés vers le petit écran, attentifs aux échanges entre les personnages qui baignent dans le sirop. Un médecin noir en blouse verte tachée de rouge se tourne vers une jeune interne en pâmoison et lui montre du doigt le patient qu'il a laissé se transformer en cadavre. Et il dit, sentencieux: «Ce n'est pas lâcher prise qui fait mal, c'est retenir.»

— Génial! que je dis. Tu as entendu ça, Gaudin? Avoue que, dans la bouche d'un médecin, ce n'est quand même pas banal. Et que crois-tu donc que Mira pense de cette belle conclusion, elle qui s'obstine à demeurer auprès de moi, même si elle ne m'aime pas?

Ma douce ne s'insurge pas, elle se contente de lever les yeux au plafond. Mais Gaudin, fourbe et courageux, se pose en fidèle de Mira pour monter aux barricades, le doigt accusateur, glapissant et sermonnant:

— Comment peux-tu dire une chose pareille? Cette femme t'aime, Jérôme. Il n'y a que toi pour en douter!

Je fais l'effort de croire qu'il a raison, sinon, pourquoi resterait-elle? Mais le doute ne se contrôle pas. À l'instar de la malaria, une fois qu'il s'insinue en vous, il est là pour toujours et il suffit de peu pour le réveiller. Et puis, nous sommes des animaux après tout, l'amour n'y change rien, ne freine pas nos envies ni nos élans, ni la sécrétion des phéromones, je le sais bien, tout le monde le sait. Et elle est si prodigieuse, ma Mira, que l'univers est à ses pieds, elle n'a qu'à se pencher et à se servir. Alors pourquoi renoncerait-elle à tout ça? Moi, à sa place, je ne me priverais de rien. On n'a pas deux vies, on ne tourne pas le dos à la richesse ou à la gloire lorsqu'elles se présentent, pourquoi donc refuser l'attention, l'amour, le désir, les caresses, la jouissance, tout ce qui fait la vie? Et puis je sais bien, moi, et Gaudin aussi, que cette femme ni prude ni timide.

— Tu as beau former des maîtres et des docteurs ès lettres, Philippe, tu n'en demeures pas moins con. Elle peut bien m'aimer, qu'est-ce que ça change? On a beau aimer son chien, ça ne nous empêche pas de lui botter le cul ni de flatter celui du voisin…

Il n'insiste pas, son cirque est terminé pour cette fois. On s'attendrait presque à ce qu'il salue. Au lieu de la courbette, j'ai droit à son habituel haussement d'épaules. Je me tourne vers ma douce infidèle. Mais elle, n'en a que pour la télé.

❑

J'aimerais qu'elle ne s'éloigne pas, qu'elle ne voie personne et ne pense qu'à moi. Lorsqu'elle part, je crains qu'elle ne s'encanaille comme jadis avec le premier venu et ne revienne jamais. Je la voudrais à moi tout le temps, disposer en exclusivité de ce frisson que sa simple évocation fait courir sur ma peau. Mira est toutes les femmes qui poseront jamais l'œil sur moi, et je l'enfermerais pour la soustraire au regard des autres, je veux qu'elle ne soit regardée, perçue, ressentie que par moi. Il n'y a rien de Mira que je tolère partager. Il lui faudrait le tchador, mieux, la burqa, comme les femmes de ces pays où les hommes ne supportent pas plus que moi que leurs femelles soient vues. Comme je les comprends ! Je ne mérite pas cette souffrance que m'infligent tous ces affamés par tant de sublime. Comment ne pas s'effondrer devant pareille vénusté, devant tant d'insupportable grâce, sachant, de plus, que d'autres puisent impunément du regard dans ce gouffre de concupiscence ? Je la prendrais inanimée, s'il le fallait, pour que rien d'elle ne m'échappe jamais, je voudrais qu'elle soit ma perle, et moi être l'huître qui la couve.

Pourtant, plus elle me manque et plus je me rapproche de cette autre qui n'a pas encore de nom ni de forme bien qu'elle squatte déjà mes nuits, celle qui me conduira peut-être vers cet astre insolent qui me nargue et m'empoisonne la vie à dix milliards d'années-lumière de moi. Celle-là sera père et mère de tous mes excès, sœur de mes angoisses, fille de ma folie, je me brûlerai les doigts sur son corps de comète, la cervelle aussi peut-être, qui s'éparpillera dans ma nuit intérieure comme une nébuleuse. Une phrase, un mot, un son, une image, c'est tout ce que je demande, je n'ai pas besoin de plus pour créer cette glaciale déesse, m'élancer vers elle. Elle sera… elle sera…

J'ai fermé la télé et me suis arraché du fauteuil dans lequel je m'incruste depuis des jours. Pour faire mentir Mira, pour me prouver qu'elle a tort de me voir tel qu'elle me voit. Et pour la retrouver avant qu'elle ne me glisse entre les doigts. Je l'ai rejointe à ce vernissage au Musée des beaux-arts dont elle assure la couverture photo, l'exposition d'un artiste multidisciplinaire renommé de qui j'ignore tout — je ne suis pas une référence.

Dès que j'entre dans la salle, je l'aperçois, tache noire dans cette foule multicolore, ombre discrète louvoyant au cœur de cette jungle exubérante. Mira glisse entre les invités avec l'agilité d'une once qui, quand elle a trouvé sa proie, se plante à deux ou trois mètres et l'enferme dans son champ de vision. Les reins légèrement cambrés, l'appareil photo sur l'œil et les bras pliés au coude qui s'appuient sur sa poitrine pour assurer la pose, elle tire en vitesse puis change de cible ou d'angle d'une courte giration des hanches qui font saillir ses fesses, tendre son pantalon noir et celui des hommes à la hauteur du pelvis. Puis l'appareil retombe au bout du bras et elle se déplace, presque secrète, derrière un sourire de marbre qui ne se dément jamais. Comme quelqu'un qui se sait admiré, désiré à la ronde.

Mira les allume tous et ils n'ont plus d'yeux que pour elle. Ils ne savent pas qu'un sablon si fin s'infiltre partout, que la moindre brise peut le porter jusqu'au cœur et vous l'enrayer comme le plus traître des infarctus. S'ils se rendaient compte, ils feraient le vide autour d'elle, fuiraient cette arène où elle s'active à saisir leur âme. Mira, femme mouvante d'une si tranchante douceur, si déterminée dans sa démarche, si volontaire dans ses gestes, de la dureté de la pierre, de la finesse de l'eau. L'éclat de Bellatrix, le teint de Mirzam, la force ahurissante de Bételgeuse. Fascinante, intolérable Mira. Une sale garce, oui !

Elle m'aperçoit, fait mine de s'en réjouir en élargissant son sourire. Elle pointe son appareil sur moi et prend quelques photos. Je déteste ça, elle le sait. Je détourne la tête. Puis elle quitte le brouhaha du milieu de la salle pour me rejoindre derrière une sculpture grotesque, vaguement maorie, où je me suis réfugié. Comme de raison, elle accroche au passage tous les regards qui croisent sa route, et nous voilà soudain au centre de l'attention générale. Elle m'embrasse. J'en ressens de la fierté, mais aussi de la colère que je m'explique mal. Je m'entends penser : « Arrête ton cirque, Mira ! Tu n'arrêtes pas de me tromper. »

— Tu m'espionnes ? demande-t-elle en riant.

Je secoue l'obscurité qui m'enveloppe.

— J'avais envie de te voir, envie de toi tout court.

Je n'ai pas besoin de lui dire la vérité, elle la connaît déjà. Que ça tourne constamment dans ma tête, que la jalousie, le doute, le vide me grugent. Elle sait.

— Viens, me dit-elle.

Et elle m'entraîne jusque sur la terrasse qui flotte au-dessus du centre-ville illuminé comme le pont d'un paquebot sur la mer. La nuit est froide, il n'y a pas grand monde. Elle me prend dans ses bras, je sens son corps entrer par tous les pores du mien, le désir est instantané, le sentiment de trahison, immédiat. Je dis :

— Pardonne-moi. Tu as raison, je replonge. Tu devrais en profiter pendant que j'ai encore quelques orteils au sol.

Elle n'abandonne pas son sourire de madone malgré le voile de tristesse qui l'enveloppe tout à coup. Cette femme est une artiste de l'illusion, une fieffée comédienne. Ses yeux débordent de tendresse, sa voix se fait de miel :

— Je t'aiderai à ne pas te perdre, mon fou d'amour. Et je serai là quand tu referas surface, où que tu sois.

— Jure-le !

— Je te le jure sur tout ce que tu veux, maudit jaloux. Je serai là comme toujours. Je suis là depuis si longtemps !

— Justement…

— Arrête !

— Je mourrais sans toi. Je me tuerais pour être sûr de mourir.

— Ça suffit, je t'ai dit ! Maudit épais d'amour…

J'ai arrêté. Je connais la longueur de ma laisse. Nous avons quitté le musée. Elle s'est accrochée à mon bras comme si c'était elle qui craignait que je m'envole. Nous avons marché jusqu'à la maison, attentifs aux bruits de la ville, riant de ses gargouillis et de ses bruits de ventre. Mais au travers, des voix me parlaient, que Mira n'entendait pas, des voix rauques et menaçantes qui chuchotaient des mots incompréhensibles. Et il y avait ces ombres sur le côté des maisons ou derrière les voitures rangées le long des trottoirs, des silhouettes basses, courtes, qui semblaient nous filer le train. Une fois ou deux, j'ai même cru voir une espèce de nain, une sorte de gnome. Je faisais des efforts énormes pour rester avec Mira, qui prenait en photo des passants dont l'allure l'amusait, mais ma tête bondissait dans tous les sens et j'ai eu soudain très hâte d'arriver. J'ai fait le reste du chemin presque au pas de course, sous prétexte d'une irrépressible envie de pisser.

Maintenant, j'ai retrouvé mon divan et la télé. Les avortons sont restés dehors, mais les murmures m'ont suivi au salon. Mira s'est étendue sur moi et elle invente tout ce qu'elle peut pour me faire perdre la tête. Le paradoxe, c'est que ça m'aide plutôt à retrouver mes esprits parce qu'il me les faut au complet pour que ma douce en vienne à perdre les siens. Puis, comme d'habitude, nous nous arrachons nos vêtements avec application, et très vite la maison s'emplit de ses plaintes et de ses gémissements selon un cérémonial établi par des années d'expérience. Ma Mira a toujours eu l'amour sonore et expressif ; moi, c'est dans ma tête que je hurle. En temps ordinaire, je suis discret et silencieux, pas du tout flamboyant comme type, tout à fait inintéressant pour une fille comme Mira qui mérite un abonnement à vie au septième ciel. Elle sait y grimper toute seule. Heureusement d'ailleurs, parce que ces hauteurs-là me donnent le vertige. Ce n'est pas moi qui saurais l'y accompagner. En tout cas, pas sur le moment. Pour atteindre ces sommets où elle gambade avec aisance, je dois refaire le chemin plus tard, avec piolet, corde et mousquetons, regarder à chaque pas où je pose le pied. C'est pour ça que j'ai plus de plaisir à évoquer la jouissance qu'à la vivre, à me remémorer mes baises qu'à baiser les filles. Je ne suis pas le genre *carpe diem*. Trop cérébral, pas assez animal.

Mira fait un boucan terrible et se débat comme un enfant chatouilleux sous les doigts malicieux d'un parent sadique. À mon humble avis, notre divan arrivera bientôt au terme de sa vie utile. Que son plaisir semble intense et réel ! Mira, ma Mira, se pourrait-il que tu sois vraiment mienne ? Et ce plaisir qui te tord, est-il mimé ou ressenti ? Comment me croire à l'origine d'une éruption pareille ? Et comment imaginer que pareil appétit puisse être nourri par un seul homme ?

Les petites voix reviennent gâcher le plaisir que j'éprouve à provoquer le sien, des ricanements pointus qui me piquent et creusent au milieu de mon ventre un abîme dans lequel je bascule. Elle ment, elle ment toujours, insistentelles dans une langue inconnue que je n'ai plus aucune difficulté à saisir : « Vois par toi-même. Tu mériterais donc pareille sylphide ? Tant de passion... Regarde-toi, et dis-nous que tu es ce surhomme. »

— Mira ! Mira ! Sois honnête pour une fois et dis-moi que tu les entends, toi aussi. Elles ont raison, tu le sais bien : tu fais semblant, depuis toujours tu te moques du minable que je suis. Cela s'entend à tes cris trop forts, à tes hennissements impossibles, à cette épilepsie qui te secoue alors que la pièce s'emplit du parfum de civette que tu atomises en cachette pour mimer l'odeur de ton plaisir. Je te surprendrai bien un jour, le flacon à la main, je finirai par découvrir ton pot aux roses, celui où tu caches tes ronces et tes astuces de roncière. Je ne suis pas aimable, tu ne me convaincras jamais du contraire. Alors, comment toi, femme d'entre les femmes, canon de magnificence, pourrais-tu éprouver ne serait-ce qu'un semblant d'attirance et d'affection pour le nabot que je suis, pour ce pédicule, fût-il surmonté d'un super Q.I. ? On n'aime pas un cerveau, Mira. À la rigueur, on le flatte parfois pour s'en imprégner, mais le génie n'est rien à côté de la beauté qui est tout...

Elle ne bouge plus, m'étreint au point que j'étouffe. Je sens des larmes couler dans mon cou et ce ne sont pas les miennes, celles-là viendront plus tard avec les regrets, le remords, la tristesse, quand ma tête sera rentrée au bercail, la cervelle à sa place. Puis Mira s'écarte brusquement et file vers notre chambre, m'offrant cette chute de reins fuyante dont la vue vaut bien celle d'une galaxie. J'entends la porte claquer et ses cris derrière, mais les voix dans mes oreilles m'empêchent de comprendre ce qu'elle dit.

— Partez ! Laissez-moi !

Elles ne m'obéissent pas. Et les ombres réapparaissent, se glissent partout, sur les murs, sous les meubles, s'immiscent sous mes paupières fermées, même quand je les presse des deux mains en tournant dans tous les sens. Je cours rejoindre Mira qui sanglote dans le lit, je nous enfouis sous les couvertures et presse ma tête entre ses seins. Les battements de son cœur enterrent un peu tous ces bruits parasites qui me grugent la cervelle, son corps redevient un instant mon île au milieu de l'océan et la planche de salut qui m'y mène.

— Tu devrais avoir honte de moi, Mira. Me larguer, me jeter une bonne fois pour toutes. Tu m'oublieras vite, que tu m'aimes ou pas, tu changeras tes habitudes et tu passeras à autre chose, à quelqu'un d'autre surtout. Je ne connais pas un homme qui ne s'aplatirait pas à tes pieds pour le simple privilège de te servir de carpette. Tu es une merveille, Mira, mirifique comme ton nom l'indique. Veux-tu bien me dire ce que je fais dans ta vie ?

Ses bras autour de moi se desserrent un peu et ses poumons se gonflent. Je la connais, elle se donne la force de parler et de me dire ce que je veux entendre. De nous deux, je ne sais pas qui est le plus manipulateur.

— Tu y passes et tu la remplis, tu y fais la pluie et le beau temps, mon fou d'amour. Ces temps-ci, c'est plutôt la pluie, et mon baromètre me dit que demain ça va virer à l'orage. Je connais ta météo par cœur, je lis en toi comme dans un almanach. Tant pis pour toi si tu ne t'aimes pas, mais tu ne peux pas empêcher mon cœur de battre pour qui il veut.

— Tu parles bien, tu parles simple. C'est beau ce que tu dis.

— Je n'ai pas de mérite, j'ai appris de toi à force de te lire.

Ma tête se soulève de nouveau sous sa poitrine qui s'enfle d'un autre grand respir. Elle a autre chose à dire.

— Tu partiras où tu voudras, quand tu voudras, Jérôme. Ne t'occupe pas de moi, va-t'en courir après tes mots, laisse-les t'entraîner, je serai toujours là quand tu les auras trouvés. Cette fois-ci, je ne me battrai pas pour te retenir. Quelqu'un d'autre va avoir besoin de moi…

Mon sang se fige. Je n'avais jamais cru que la vérité arriverait ainsi, sans drame et sans s'annoncer. Mira, qui m'informe par la même occasion qu'elle n'est plus ma Mira, pourrait me faire languir pour me punir, me laisser macérer dans la douleur où je m'enfonce, mais elle n'est pas rancunière. Elle se dépêche d'ajouter :

— Je suis enceinte, Jérôme.

Me voilà estomaqué, estourbi, essoufflé sur mes jambes ramollies, à faire les cent pas autour du lit sous le regard inquiet de Mira attentive à mon énervement, les seins agités par son souffle raccourci et belle, mais belle comme un ruisseau sous la lune, l'arc-en-ciel de la truite, le voile bleu de Neptune.

Et moi, je marche encore, sur des œufs, sous ses yeux, pendant que le mot me roule dans la bouche et me tourne dans la tête : enceinte, enceinte comme bébé, comme petit de l'Homme et de sa compagne, ma compagne Mira, comme papa maman fils et fille, comme mon sang ton sang notre chair, enceinte comme clôture, enclos, enfermement, comme pourvoyeur, protecteur, gardien, enceinte comme de qui comment pourquoi…

Je m'approche d'elle, m'assieds sur le bord du lit.

— Un petit dans ton ventre ? dis-je en posant la main dessus.

— Ton petit dans mon ventre. Notre enfant…

Vite, vite alors. Il me faut vite cette moitié d'étoile, satisfaire l'ahuri, en faire un auteur achevé, impeccable et comblé et ainsi libéré de son obsession pour qu'il puisse faire un père meilleur, un père parfait pour le bébé parfait d'un écrivain parfait. Je suis de nouveau debout et je re-marche de long en large. Pauvre moi, pauvre petit, pauvre

Mira, ma Mira. Il y a tellement de bruit dans ma tête, et ces ombres qui ressurgissent…

— Mira, Mira, il faut…

— Je sais, Jérôme.

— Je dois… Je n'ai pas le choix.

— Fais ce que tu dois faire.

« Es-tu ma Mira ou Mira qui fait semblant, qui joue, qui se joue ou qui se perd ? Mira de feu ou Mira de glace sous son habit de flammes ? Et ce petit, un petit moi ou un avorton de Gaudin, de Bérulier, de qui que ce soit ? »

Je ne sais pas si elle me tue ou m'anime, me salope la vie ou me l'illumine, Mira dans ma tête comme au ciel la Vierge Marie, omniprésente mais inaccessible, mienne et néanmoins offerte à tous, astre ou désastre.

Je sors de la chambre à reculons, avec rien dans l'âme sinon l'irrépressible envie de trouver l'autre qui fera l'œuvre de ma vie. Il faut bien qu'il y en ait une avant que l'enfant ne vienne tout chambouler. Après, il sera trop tard, il aura pris toute la place et il n'en restera plus pour rien.

Je déambule maintenant rue Rachel, vers l'ouest. Les ombres ont finalement pris forme. Ce sont des homoncules tordus et hideux que personne d'autre ne semble voir. Ils sont deux, identiques en tous points, avec une sorte de queue de rat tressée dans la longue toison qui les couvre de la tête aux pieds et une autre, vraie celle-là, qui leur descend jusqu'aux genoux, roulée comme un ressort. Leurs jambes sont courtes et massives, leurs bras très longs traîneraient par terre s'ils ne les pliaient au coude. Une corne émoussée surmonte leur crâne dégarni au-dessus d'un gros œil de cyclope. Les voix, les leurs sans doute, m'ont fait comprendre de les suivre, et je m'exécute à distance. Étonnamment, les voir me rassure.

La rue vient mourir dans le grand parc au pied du mont Royal. Mes deux bestioles font du surplace en fouinant dans les buissons. Elles ont l'air d'attendre quelqu'un ou quelque chose. Je m'étends sur un banc. Dans le ciel, il y a quelques étoiles pâlottes que les lumières de la ville n'ont pas effacées tout à fait. Véga, Arcturus, Altaïr et quelques autres.

La nuit m'absorbe si bien parfois que je fais corps avec elle. Dans ces moments d'extase, je me projette vers les bras spiralés de galaxies âgées de dix milliards d'années, vers des amas globulaires où s'agitent cent mille jeunes soleils. Où trouverai-je la paix ? Où oublierai-je le tourment que j'éprouve à aimer cette femme objet de désir qui tourne sous tous ses angles dans tant de cerveaux inondés de testostérone ? Dans l'infini du ciel ? Dans les méandres de l'esprit ou dans la profondeur des mots ? Dans le ventre même de Mira ou dans ses yeux éternels ? Sans doute là où se dissimulent aussi toutes les terreurs qui ressurgissent alors même que je cherche leurs contraires, la paix, la sérénité, l'harmonie.

J'ai dû m'endormir il y a longtemps en parcourant la voûte céleste. Et je crois bien que je ne me suis jamais réveillé. Parfois, j'ai les deux pieds sur terre, parfois, je marche dans des contrées du ciel que l'esprit humain n'a jamais visitées, dans des nuages d'étoiles qui ressemblent à des champs de fleurs. Il y en a des pourpres et des orangées, on dirait à l'infini des prairies tachées d'épervières et de pavots. Il m'arrive aussi de foncer dans l'espace à des vitesses si insensées que mon corps se désagrège et que mes atomes s'éparpillent aux vents d'un trillion de novæ. Et mon âme, qui devrait se perdre, se retrouve dans chacune d'entre elles et me voilà démultiplié : d'un coup, j'occupe la moitié d'une galaxie géante et je suis Dieu sur la multitude de mondes qu'elle abrite, des mondes plus étranges les uns que les autres, moins pourtant que celui d'où je viens, que cette Terre qui m'a enfanté. Mais je ne suis Dieu que pour moi-même, car les étoiles ne se laissent pas brider. Elles me narguent, me disent que je n'ai pas ma place dans cet univers ou dans un autre, ni ceux de mon espèce, que nous sommes de trop petits êtres, si dérisoires, si éphémères à la surface du temps que, de toute façon, même l'éternité ne nous sauverait pas de notre modicité. Alors, comme une amante cruelle, elles rient de me voir si épris d'elles, se moquent de mon regard extatique et inquisiteur tourné vers le ciel dont il n'égratigne même pas la surface.

Il commence à faire froid. Je me secoue un peu, je fais quelques pas autour du banc. Je ne vois plus les deux horreurs. Des couples se promènent sous les arbres. Une femme s'approche, lentement. Elle porte les cheveux courts et un blouson de cuir. Rouges. Sa démarche un peu garçonne me paraît familière. Elle marche dans ma direction, s'assied sur le banc où j'ai repris place. Son regard est d'acier, ses pommettes sont saillantes, elle est jolie. En fait, elle est très belle sous des allures de Jeanne d'Arc, et je ne suis plus maître de mes yeux qui glissent sans arrêt vers elle et qu'en désespoir de cause je m'applique à poser sur le sol pour les enfermer dans les limites de la bienséance. Quand je les relève, c'est pour voir les deux pygmées poilus accourir vers nous ventre à terre, toutes cornes déployées, dents sorties, babines retroussées. Je saute sur mes pieds.

— Attention!

Trop tard, ils sont déjà sur elle. Mais là où je les voyais la dévorer, ils sont plutôt à lui lécher le visage comme deux chiots trop longtemps privés de leur maîtresse. Moi qui étais débout, prêt à défendre la belle, me voici penaud et confus d'avoir osé cet éclat.

— Au pied, les monstres!

Et les deux bêtes de s'écraser par terre comme de bons toutous alors que la fille se tourne vers moi.

— Voilà Jérôme. C'est nous, c'est moi, quoi. Depuis le temps que tu me cherches... Je suis Stella Porrima et voici Algol et Logla. Ce sont des ogres de Persée. Une espèce protégée. On n'en trouve presque plus dans toute la galaxie. Et en plus, ceux-là sont jumeaux.

Je ne sais trop sur quel pied danser, je ne sais même pas si je devrais. Je pense à Mira qui porte notre enfant. Ou celui de je ne sais qui... Je devrais être auprès d'elle, où qu'elle soit.

— Et vous êtes quoi, au juste ?

— Bandit de grand chemin, chasseresse d'étoiles. J'écume les galaxies à la recherche de la singularité première, la source de tout, l'ancêtre originel. Je veux comprendre.

— Comprendre quoi ?

— Tout. Tout ce qu'il y a à comprendre, dit-elle avec une sécheresse dans la voix qui me somme de me contenter de cette courte explication.

Je trouve qu'elle me regarde d'un peu haut pour une fille que je connais si peu.

— Et moi ?

— Toi, tu t'intéresses moins à la vérité qu'à la reconnaissance qui te serait due. Alors, tu seras mon scribe, celui qui rendra compte de mes aventures pour la postérité et ma nombreuse descendance. Mon histoire t'aidera à trouver la Calamité qui te bloque le chemin vers ton drôle de bonheur. Et tu seras aussi mon sigisbée.

— Votre quoi ?

— Tu ne manques pas un peu de vocabulaire pour un écrivain ? Mon béni-oui-oui, mon godillot, si tu préfères, mon consort, mon chevalier servant, errant et erratique, mon paladin palabreur, mon fou de la reine, je serai ton Clyde et tu seras ma bonniche... J'arrête là ?

J'ai besoin de m'asseoir. Si j'étais assis, je ressentirais celui de m'étendre. Le voilà donc enfin, cet autre objet de mes rêves, la voilà, cette héroïne dont je ne peux déjà plus me passer. Elle me laisse la regarder maintenant sous toutes ses coutures. Il n'y a pas de raison de se gêner avec les corps célestes, ils sont là pour qu'on les observe. Stella est aérienne, divine, cosmique, ça va de soi. Pour célébrer son arrivée, je lui compose sur-le-champ une super constellation en piquant quelques étoiles au Corbeau, à la Vierge et à l'Hydre femelle, une région du ciel où se cachent des milliers de galaxies, les plus anciennes qu'on connaisse. C'est là aussi qu'on trouve l'astre double à son nom. Stella appartient à une race de nymphes dont la planète natale orbite autour de Porrima, un système de deux étoiles en tous points semblables situé à trente-neuf années-lumière d'ici.

Les deux créatures à ses pieds roucoulent comme des pigeons sous ses doigts qu'elle porte long. Elle les flatte affectueusement mais, l'instant d'après, c'est à coups de pied qu'elle les sort de leur torpeur. Elle se lève.

— Alors, Jérôme, tu es prêt pour une petite virée ?

— J'imagine que je devrais te suivre.

— Tu imagines bien. Par ici, les monstres !

Les jumeaux se sont approchés, l'air méfiant, en se tenant à distance des pieds de Stella. À bien y regarder, celui qui s'appelle Algol est un peu plus petit que son frère.

Stella tend les bras vers le ciel. Il y a comme un grand scintillement, et toutes les lumières à perte de vue vacillent. À présent, la ville au complet s'est éteinte et les étoiles au-dessus se sont allumées alors qu'une gigantesque cascade de couleurs s'empare de l'horizon jusqu'au zénith.

— Des aurores ! Magnifique ! Et cette nuit !

Un noir d'encre percé d'innombrables points, les taches des nébuleuses, le grand nuage blanchâtre de notre Voie lactée. L'Homme privé de ses artifices de grandeur, ramené à sa juste taille, remis à sa place.

Stella balaye de la main la voûte étoilée qu'elle vient de faire apparaître.

— Maintenant, dit-elle, tu n'as qu'à choisir ta destination.

Chapitre 2

Porrima. Système à deux étoiles jaunes au centre de la constellation de la Vierge. Nommé d'après une divinité romaine de l'enfantement.

Les services publics blâment le Bouclier canadien qui est, comme chacun sait, la plus vieille masse rocheuse de la planète. Il paraît que la roche n'absorbe pas les électrons que lui envoie le Soleil quand il tousse. Alors, ils restent à la surface et s'y promènent en grimpant sur tout ce qu'il y a dessus, y compris les pylônes des lignes de transport. Alors, bonjour la surcharge, les coupe-circuits s'en mêlent et s'ensuit un bordel colossal.

Les Américains sont furieux: la chute du réseau électrique québécois a provoqué des pannes en cascade jusqu'à Boston et New York. L'interruption de courant a duré une dizaine d'heures et touché tout le nord-est du continent. En éditorial, le *New York Times* écrit que les États-Unis ne doivent plus compter sur leurs très peu fiables voisins du Nord pour s'approvisionner en courant électrique, que les gouverneurs ont été imprudents, ces dernières années, en signant des contrats à long terme avec des réseaux si fragiles que de simples aurores polaires peuvent les faire tomber, que c'est n'importe quoi cette histoire de tempête magnétique causée par un hoquet du Soleil.

Il faudrait que de temps en temps quelqu'un le sorte de New York, le *New York Times*, qu'il s'élève un peu au-dessus de l'Empire State Building, qu'on lui explique ce qui arrive quand une étoile explose, juste pour lui donner une idée de ce qui pourrait se passer, de ce qui va arriver un jour à l'Amérique, aux États-Unis, au *New York Times*. *Hiccup*, « hoquet », c'est bien le mot qu'il a choisi pour parler d'une éruption solaire, d'un spasme équivalant à l'explosion simultanée de quarante MILLIARDS de bombes atomiques !

— Tu te rends compte, Bérulier ? Et c'est le souffle de ce hoquet qui nous est arrivé dessus à mille kilomètres par seconde, un immense nuage de plasma. Et il faudrait que ce soit sans conséquence ? Il mériterait de recevoir une météorite sur la gueule par la fenêtre de son bureau, cet abruti d'éditorialiste, histoire de lui faire comprendre un peu que Times Square n'est pas le centre de l'univers et de le sensibiliser à la fragilité de la vie.

Mais Bérulier se contente de grogner de l'autre côté de mon salon. Il n'en a rien à foutre et il n'en penserait rien si la panne n'avait pas retardé l'impression du futur best-seller de son dernier écrivain à la mode, une poulette printanière qui raconte mal des histoires de cœur et de cul qu'elle n'a pas encore eu le temps de vivre. Mais elle se rattrape, qu'elle a dit à Bérulier qui me l'a répété, l'air de ne pas vouloir en profiter. La phrase lui est tombée dans l'oreille, il en a fait le titre de son grand livre de cucul.

Il faut lui donner ça, le patron des Éditions des Imbuvables a toujours eu le sens de la formule. Cela m'a bien aidé au commencement, alors que nous débutions l'un et l'autre dans nos carrières respectives. Mes romans étaient plus tapageurs et tape-à-l'œil à l'époque, je ne voulais pas rater mon coup. Ça lui convenait parfaitement, son don certain pour le marketing et la vente a fait le reste. Mais j'ai vite compris que la littérature l'intéressait bien moins que la réussite et l'argent. Il s'est mis à publier beaucoup plus d'essais aguicheurs et de pamphlets que de romans, et plus de romans roses et noirs que d'œuvres d'auteurs. Mes livres se sont toujours très bien vendus, j'ai contribué à la notoriété de sa maison d'édition, alors il m'a gardé. Mais je suis un des rares écrivains établis qui soit resté dans son écurie.

Bérulier peste après l'imprimeur, après la compagnie d'électricité, après le soleil et ceux qui lui trouvent des excuses.

— La campagne de promotion va être retardée ! Je vais perdre une semaine de ventes en pleine rentrée littéraire, des dizaines et des dizaines de milliers de dollars à cause de ces maudites folies-là !

Il exagère, c'est sa marque de commerce. Je ricane.

— Arrête, je vais verser une larme. Si tu veux mon avis, tu n'aurais jamais dû publier cette bouffissure de nymphette un peu simplette.

Bérulier se laisse tout le temps de virer au cramoisi avant d'éclater.

— Tu devrais descendre de ton piédestal, Jérôme Letendre ! Cette nymphette, comme tu l'appelles, me rapporte plus de fric que la moitié de mes écrivains, ce qui me permet de publier des gens très talentueux portés aux nues par tous les Tracemot de ce monde mais que personne ne veut lire. Bien sûr, les critiques ne peuvent pas la blairer, en fait, ils ne prennent même pas la peine d'ouvrir ses bouquins. Pas comme le public : lui, il en redemande. Tu aurais d'ailleurs intérêt à lui emprunter sa recette, tes ventes ne s'en porteraient que mieux.

— Quoi ? Quelles recettes ? Et qu'est-ce qu'elles ont, mes ventes ? Tu n'as rien à redire là-dessus, j'apporte pas mal de fric à ta cagnotte, moi aussi. Ça fait un bout de temps que ça dure et ce n'est pas près de s'arrêter.

Il ne répond pas immédiatement, prend tout le temps de décolérer en gigotant sur le divan.

— Oui, bon. Je n'ai jamais eu à me plaindre. Mais tu devrais commencer à y voir. Tu ne vends plus comme avant. Tes deux derniers romans... Tu es trop sombre, Jérôme. Trop lourd. Trop... culpabilisant. Le cynisme, le sarcasme, ça peut toujours passer, mais toute cette détresse et cette désespérance... Tu devrais essayer de mettre un peu de fantaisie dans tes histoires. Crois-moi, les gens aiment mieux rêver que réfléchir, mon vieux. Sois plus léger, moins cérébral. Plus conteur que moralisateur.

Le salaud a toujours eu la vengeance vicieuse. Il sait exactement où porter ses coups, comment déclencher l'angoisse dans le cœur de ses créateurs.

— Quoi ?! Tu déconnes ! Je fais la morale, moi ?

Je m'en veux de l'avoir laissé m'entraîner dans cette discussion. Je manque d'air tout à coup, d'espace et de temps, je manque de tout ce qui peut manquer à un écrivain qui a raté le bateau, de courage et de force pour se jeter à l'eau et nager à contre-courant, je manque d'amour et Mira me manque, Stella me manque, je me manque à moi-même, je suis complètement démuni. Je ne suis plus grand, plus romancier, plus le génie des pages, je suis une merde qui ne plaît encore qu'à quelques vieilles barbes décrépites, à d'anciens jésuites déconnectés et, comme Tracemot dont l'admiration sévère me laisse constamment sur ma faim, à une génération vieillissante de presbytes qui m'achètent par habitude pour garnir les rayons poussiéreux de leur bibliothèque avant d'oublier de me lire — « Jérôme Letendre, quand tu en as lu un, tu les as tous lus. »

— Alors, si je comprends bien, tu me traites de curé et tu me trouves barbant ?

Il entend bien que ma voix tremble. Il pourrait retraiter un peu maintenant qu'il a fait son œuvre de fossoyeur, qu'il m'a mis dans le trou et sur la liste des auteurs en voie de disparition. Par pitié sinon par magnanimité. Mais c'est trop espérer de cet homme qui jalouse ses auteurs depuis que Tracemot, un jour, il y a vingt ans, décréta du haut de sa Mont-Blanc: « Maurice Bérulier, ce jeune crack de l'édition, sera promis à un bel avenir pour peu qu'il évite de publier ses propres romans. » Alors, au contraire, il en remet:

— Tu dramatises, Jérôme. Dans tes romans aussi d'ailleurs. Tu mets tellement d'efforts à décomposer la vie, à la regarder sous toutes ses coutures, que tu en deviens sinistre. Ne te vexe pas, mais tu devrais y mettre un peu de joie de temps en temps, moins de rage et de névrose, plus de rose et moins de noir, moins de sang, moins de merde et moins de mort, plus d'amour et de bonbon, plus de jolies filles et moins de putes, tu vois ? De la peau, pas de la chair. Je crois que les lecteurs commencent à en avoir un peu ras le bol de tes horreurs. De toute façon, je regrette de devoir te le dire, tu te répètes, ce sont toujours les mêmes saloperies.

J'espère de tout mon cœur avoir rêvé, que mon éditeur et ami ne m'a jamais dit que j'écrivais des saloperies sordides et débilitantes à répétition. Je me penche vers lui et lui pince la joue. Il gueule:

— Tu me fais mal ! Qu'est-ce qui te prend ?

— Merde, je n'ai pas rêvé.

— Quoi ? C'est toi que tu devrais pincer, abruti.

— Je n'ai pas rêvé, tu m'as bien dit toutes ces obscénités ! C'est pour ça que tu es venu me voir ? Tu voulais me remonter le moral ?

Il frétille encore un peu, joue avec sa cravate en se palpant la joue.

— Bon, oublie ça. Je suis de mauvaise humeur. J'étais seulement venu te dire que je t'ai pris des engagements pour le Salon du livre de l'Abitibi-Témiscamingue, à La Sarre, dans trois semaines.

Un coup de Mira, c'est évident. Sous prétexte de m'occuper, elle cherche à m'éloigner. D'elle, de son ventre, de tous ces jolis cœurs qui lui tournent autour...

— Tu n'as rien trouvé de plus loin ?

— Ne joue pas tout le temps les divas. On vous traite aux petits oignons en région, tu le sais bien. Et les gens sont tellement heureux d'avoir les auteurs chez eux qu'ils viennent tous les voir. Le cachet est pas mal et les ventes sont bonnes.

Les ventes, toujours les ventes. Il dit qu'il y sera, lui aussi. Pour accompagner sa nymphette à succès qui a besoin d'être un peu encadrée. Qu'on va bien s'amuser, qu'on n'a pas souvent l'occasion de se retrouver entre collègues parce que dans les grandes foires il y a tellement de monde qu'on ne fait que se croiser, tandis que là-bas...

— Ça va te changer les idées.

— Je n'ai pas besoin de me les changer, au contraire, je dois les garder, les ruminer, les épouser, les caresser, il me faut aller au bout, au fond, les nourrir, tu comprends ? Tu ne devrais pas te laisser influencer par Mira. Tu n'as pas intérêt de toute façon. Plus vite je l'aurai écrit, ce roman, plus tôt tu pourras le vendre.

Bérulier se tord en grimaces. Il joue les déchirés mais, au fond, nous savons tous les deux que c'est ce qu'il souhaite. Il se lève, se dirige vers la porte, sa mission accomplie, avant de tirer sa salve d'adieu :

— Pourquoi faut-il donc que tu sois si tordu, Jérôme ? Est-il bien nécessaire que tu te transformes en loup-garou chaque fois que tu plonges dans un nouveau roman ? Je connais plein d'écrivains qui font du neuf à cinq, poussent leur crayon ou tapent sur leur clavier avec application, sans drame ni passion. Tu devrais faire un peu attention à ta pauvre Mira. Elle est si adorable. Et elle a l'air de vraiment t'aimer — je me suis toujours demandé ce qu'elle te trouvait et, surtout, comment elle pouvait bien tolérer ta jalousie maladive. Tu es exécrable, mon vieux, tu ne te rends pas compte. Vraiment, cette femme est un ange…

Oui, pauvre Mira, Mira si douce, si bienveillante qu'elle ne me tient aucunement rigueur ni rancune de la souffrance qu'elle m'inflige. Elle m'endure sans se plaindre et ne comprend pas que je ne lui en sois pas toujours reconnaissant.

« Nous sommes ensemble depuis quinze ans, Jérôme. Tu crois vraiment que je serais encore là si je ne t'aimais pas ? que je suis si démunie que je resterais aux côtés d'un homme jaloux, possessif et parano plutôt que de tomber dans des bras choisis parmi les innombrables qui me sont tendus ? Je t'aime, épais d'amour. Je ne comprends pas que tu puisses en douter. Tu te tiens donc en si piètre estime ? Tu es l'être le plus sensible et le plus généreux que je connaisse. Je serais morte sans toi, n'essaie pas de me le faire oublier. Mais ce n'est pas pour ça que je suis restée auprès de toi. L'amour, ça ne se commande pas. En tout cas, pas ce genre d'amour. Je te connais mieux que je ne me connais moi-même, que tu ne te connais toi-même. Lorsque tu écris, tu ne t'appartiens plus, tu ne m'appartiens plus, c'est autre chose qui te possède. »

Je les vois tous à ses pieds, éblouis, bavant d'admiration et d'envie, Gaudin le premier, qui la voit nue comme aux premiers jours sur sa scène de malheur et qui fond sous son regard de soie. Ma Mira me rabâche qu'elle ne le fait pas exprès d'avoir des yeux soyeux au naturel, qu'elle n'y peut rien, ne va tout de même pas s'inventer des yeux de vache et un air de bœuf pour me faire plaisir. Que mon imagination me mène par le bout du cœur parce que ma jalousie s'en empare et la met à sa main.

Mais ce n'est pas ma jalousie qui rend Gaudin catatonique, ce sont bel et bien les yeux de Mira. Je le comprends, je les comprends tous. Ce sont des merveilles qui vous enjôlent, des aigues-marines par où passe le feu de toute la Création. Dans les profondeurs où elles vous entraînent, elles embrasent l'espace d'un feu si ardent que rien ne lui échappe. Comme ces étoiles bleues, des phénomènes si démesurés, des monstres qui font cinq mille, dix mille soleils, des fournaises nucléaires qui consumeraient la Terre et toutes les autres planètes en moins de temps qu'il n'en faut pour imaginer la scène. Et pourtant, elles sont nulles, ces supergéantes, elles n'ont aucun pouvoir sur leur destinée, pas un gramme d'intelligence, pas un nanogramme de conscience dans toute leur masse hurlante. Alors, imaginez un peu la force et le pouvoir de ces yeux-là.

Je sors presque tout de suite après Bérulier, avant que Mira ne rentre de son studio. Le soir est déjà là. Il fait encore bon malgré l'automne avancé. Je marche longtemps, accompagné par les voix d'Algol et de Logla — je sais les reconnaître maintenant. Elles me poussent jusqu'au fond de la ville, un endroit familier de grottes et de troglodytes éclairés aux néons où des types vont se coller aux filles qui dansent à poil ou acheter les faveurs de celles qui ont encore la force de les vendre. Une sorte de refuge où âmes et consciences se laissent au vestiaire, quelques rues formant cloaque, un charnier où les morts s'accrochent, les veines branchées aux caniveaux, puisant pour s'en nourrir les empyreumes et les miasmes dont les vivants se soulagent.

Au beau milieu de l'enfilade de bouges, *La Planète du Sexe* s'affiche en lettres rouges sur une devanture criarde qui fait office de phare. Sur le trottoir, accrochées aux réverbères, dans des bouts de ruelles où elles tiennent boutique, les habituelles gagneuses se déhanchent et se cambrent pour attirer des acheteurs qui en ont vu d'autres.

Apparemment bien intentionnés, quelques agents sociaux rebaptisés « travailleurs de rue » parce qu'ils portent des habits de misère tournent autour des filles. Il y a un monde fou dans cette Bourse où tout se négocie sur la gueule du roi-client, des gens qui ne se regardent pas mais se sondent, veulent savoir ce que vous offrez ou cherchez.

C'est là qu'elle se tortillait à les rendre fous, magnifique corps à la dérive dans le flux des stroboscopes, et par ici qu'elle a traîné quand elle n'a plus eu la force de danser. Dulcinée des pervers et des pauvres assoiffés, elle errait plus morte que vivante sur les trottoirs de ce quartier bas, à baiser pour trois fois rien, pour le prix d'une dose de quelque chose, elle si belle, une aubaine pour les prédateurs à la petite semaine qui n'avaient jamais imaginé se payer pareille déesse. Je l'ai sortie de la dèche, cent fois je l'ai ramenée chez moi en la portant sur mon dos, lui payant son temps pour l'arracher aux griffes de ses habituels. À force d'acharnement, j'ai réussi à lui enlever le vin de la bouche et le venin des veines. Je l'ai nourrie à la cuiller pendant des semaines pour qu'elle ne meure pas de faim. Je l'ai couvée, soignée, réchauffée. Et comme de raison, à mesure qu'elle sortait de la mort, je n'ai plus su me passer d'elle. À vrai dire, je dois bien admettre qu'elle m'avait obsédé dès ce jour où elle était apparue dans mon champ de vision, nue et chancelante sur sa scène inondée de lumière noire.

Elle n'est plus retournée dans son bout de rue, dans sa géhenne du bas de la ville. Mira s'est remise au monde en silence, à sa manière, incrustée dans mon divan et dans ma vie à feuilleter des magazines, des tonnes de magazines que je lui fournissais par boîtes entières. Pour les photos, qui la fascinaient.

« Les images trichent, disait-elle, jouent avec la vérité, les portraits surtout qui réinventent le destin de leur sujet. Toi, tu travailles avec des mots, tu les assembles, tu en fais des milliers de phrases que tu découpes et réécris pour trouver la bonne combinaison, puis ce sont des chapitres, et des romans. Pour les photos, c'est la même chose, chacune de ces images-là est une histoire, un monde inventé... »

Je n'avais guère apprécié ce rapprochement, il me rappelait brusquement la futilité de l'œuvre littéraire et la fatuité des écrivains, l'absurdité de consacrer tout ce temps et ces efforts à une création dont la seule fin consiste à remplir de sens la vie de son créateur. Mais voilà : cette fille perdue que je contribuais à réinventer, par le seul fait d'être emplissait désormais mon existence.

Quelque temps plus tard, je lui ai apporté son premier appareil photo, un truc simple, un polaroïd qui vous imprimait le résultat sur-le-champ. Pendant des jours, elle a photographié l'image que lui renvoyait le grand miroir de ma salle à manger : elle se redécouvrait, se fabriquait à nouveau. Comme les mots qui avaient eu pour moi cette bonté, la photo la mettait au monde.

Je lui avais offert gîte et couvert, chaleur et affection, et cet appareil photo qui lui a sauvé la vie. Je ne lui ai rien demandé en retour, mais elle ne pouvait ignorer à quel point j'étais épris d'elle. Mira s'est laissé conquérir et prendre à mon jeu, elle m'a aimé tout naturellement, comme si cela allait de soi. J'ai voulu croire à sa sincérité, mais j'ai toujours craint de n'être que sa planche de salut. Cette femme avait pu se vendre pour payer sa drogue, elle pourrait tout aussi bien choisir de s'accrocher pour se tailler une vie confortable, à l'abri des émotions fortes qui la poussaient dans les bras de la mort.

Je suis devenu un écrivain reconnu et Mira, une grande photographe. Elle n'est jamais retombée ni repartie. Elle aurait bien pu prendre un chemin de traverse et poursuivre sa route autrement. Son amitié aurait suffi pour établir sa reconnaissance. Depuis quinze ans, je deviens chaque jour un peu plus fou de ma Mira et elle, est toujours là, aimable, aimante et amante dévouée.

— Je m'appelle Maggie. Viens avec moi, mon chou, viens donc. Je te ferai tous tes trucs. Ça ne sera pas long…

Pas long, bien sûr, puisque le temps, c'est de l'argent. Mais moi, j'ai besoin de temps pour bien faire les choses.

— Du temps, mon ange noir. Est-ce que tu vends du temps ?

Elle ne fait pas l'effort de répondre, elle me tourne le dos et m'envoie paître d'un coup de hanche dédaigneux, puis file vers quelques lurons attroupés autour de deux de ses copines. Comme elle arrive, elle pousse un cri. Par terre, dans la forêt de jambes agitées, les deux démons de Persée troussent les filles en gloussant sous le regard hilare des chalands éméchés. C'est drôle jusqu'à ce qu'ils décident de mordiller les filles aux mollets, créant un grotesque ballet d'échasses apprécié d'eux seuls.

— Algol ! Logla ! Ici, mes monstres !

Stella émerge du coin de la ruelle, le toupet au vent, la poitrine en avant. Les bestioles s'excitent encore un peu avant de s'amener en maugréant, au grand bonheur des filles qui leur rouspètent après.

❑

Les sbires se rangent de chaque côté de Stella Porrima, aussi nommée Gamma de la Vierge, prophétesse, reine des oracles, déesse de la procréation. Stella s'approche, les clients s'écartent, admiratifs. Maggie et ses consœurs la regardent de travers. Je leur dis :

— Ne craignez rien, mes grâces, elle ne fait que passer.

— Ouais, fait Maggie. C'est bien gentil, toute cette agitation, mais ça dérange la clientèle. Pourquoi tu n'allongerais pas quelques piastres, mon chou, pour compenser un peu ?

Stella s'arrête et lui fait face, ses cerbères sur leurs ergots. Les filles reculent, impressionnées.

— C'est pas la peine de s'énerver, dit Maggie à l'adresse de Stella. Ils ne me font pas peur, tes nounours. Je les connais bien, tu sais. Le plus petit, là, surtout.

Algol veut s'approcher, mais il tâte du pied de sa maîtresse.

— Une autre fois, démon.

Puis, à elle :

— Tu viendras me les amuser un soir, à la maison.

— Comme tu voudras, ma jolie. Je connais le chemin...

Stella m'attrape par le bras, je n'ai pas le temps de cligner des yeux que la rue disparaît dans l'obscurité et que se met à rouler dans le ciel le feu coloré des aurores. Tout à coup, nous ne touchons plus terre, nous voilà pris dans une sorte de gros éclair en suspension, le temps d'une éternité d'à peine quelques secondes. Stel et ses deux molosses nagent eux aussi dans cette bulle de clarté intense. Puis la lumière éclate en millions de paillettes étincelantes et nous nous retrouvons debout sur un rocher battu par les vagues d'un océan parsemé d'îles qui s'étend à perte de vue sous le feu d'un immense soleil rouge.

— Bételgeuse, fait Stella en me montrant l'astre du doigt.

Bételgeuse ! L'épaule droite d'Orion, le grand guerrier dont la constellation perce sur la Terre le ciel de l'hiver boréal, la sixième étoile du ciel terrien pour sa luminosité. Et pour cause, son diamètre de supergéante fait huit cents fois celui du Soleil, une étoile pourtant à l'agonie qui n'en a plus que pour quelques millions d'années. Et qui finira en supernova dans une explosion si gigantesque qu'elle produira autant de lumière qu'une galaxie entière !

— Du calme, Terrien, me lance Stella qui s'énerve de mon émerveillement. Je sais tout ça, je n'ai pas besoin de tes enseignements. Pense en silence.

Pas moyen de cogiter tranquille avec cette fille qui lit dans les têtes. Dans le ciel rougeoyant, des dizaines de montgolfières aux formes diverses circulent dans tous les sens en traînant sous elles d'énormes filets qui touchent presque l'eau. Le spectacle fascine tellement Algol et son frère qu'ils ne lâchent pas les ballons de l'œil.

— Qu'est-ce qu'on fait ici, Stella ?

— Un type à rencontrer. Un chasseur dont on m'a parlé qui aurait observé un drôle de phénomène dans une très vieille galaxie, un genre de jet de matière et d'énergie sorti de nulle part.

— Et ici, c'est quoi ?

— Nous sommes sur une grande planète presque entièrement recouverte d'eau qui fait environ quatre fois la surface de ta Terre. Pas de continent, que des îles. La seule vie autochtone qu'on y trouve est végétale. Les espèces animales ont toutes été implantées pour le plaisir des chasseurs des quatre coins de la galaxie. C'est Algol et Logla qui me l'ont fait découvrir. Ils adorent la chasse. Regarde !

Devant nous, à une centaine de mètres à peine, un poisson ailé gros comme un thon géant bondit hors de l'eau et vole jusque dans le filet d'un des ballons. Les petites bêtes de Stella sautent sur place en poussant des cris rauques tellement elles sont excitées. L'aérostat prend de l'altitude en se dirigeant vers l'îlot le plus près pendant que le filet s'enroule autour du poisson qui se débat.

Mais Stella se désintéresse très vite de cet étrange tableau de chasse. Son regard se perd sur l'horizon liquide. Et sans qu'elle ouvre la bouche, je l'entends se demander si la vie est autre chose qu'un long tunnel s'ouvrant sur le néant. J'ignorais que les divinités avaient des angoisses existentielles, je les croyais insouciantes par nature, comme l'imaginaire humain les a fabriquées au fil des siècles. Je ne me doutais pas non plus qu'il était si facile de lire dans les pensées des déesses. Mais est bien lu qui croyait lire : Stella se tourne vers moi et répond à ma propre méditation.

— Je suis d'une espèce qui n'a pas besoin de support matériel pour exister. Pour simplifier, disons que je suis un esprit affranchi de son enveloppe charnelle, mais qui s'incarne à volonté, comme tous ceux de ma race. Nous avons vu le jour sur une planète du système double de Porrima. Depuis que nous nous sommes libérés de nos corps, nous avons déserté notre monde et essaimé dans l'univers. Mais le corps a des sensations que la raison, seule, ignore. Et je suis avide de sensations. Et puis je rêve de peupler le cosmos entier de petits morceaux de moi-même. En fait, je serais tout à fait lasse de cette vie qui s'étire maintenant depuis des milliers de tes millénaires s'il n'y avait encore ces deux choses pour m'animer : la conviction que je trouverai cette singularité à la source de tout, et ce désir inapaisable de proliférer.

— Tu es donc immortelle ?

— Je ne meurs pas, mais vais-je mourir ? L'angoisse de la mort est toujours présente en moi. Le poisson ne peut survivre quand le lac se vide de son eau. Tu comprends ? Les espèces peuvent vaincre la mort. L'humanité y arrivera bien, elle aussi. Et plus vite que tu ne peux le croire. Mais qu'en est-il des mondes où elles évoluent ? L'univers finira-t-il ? Et peut-on survivre à sa fin ?

Les monstres filent en douce, pressés d'observer de près le dépeçage d'une capture qu'un ballon vient de déposer sur la plage de galets.

— Le sang les excite, dit Stella. Ce sont des bêtes à l'esprit rudimentaire.

Elle me raconte que la forme humaine lui permet une gamme de sensations qu'elle n'a jamais éprouvées dans d'autres incarnations. Et que lorsqu'il regarde les étoiles, l'être humain est prisonnier d'obsessions semblables aux siennes.

— Je sais très bien, dit-elle, ce que tu cherches quand tu scrutes le ciel, ce qui se cache vraiment derrière la quête de cet astre qui t'emplit la tête. Tu veux connaître, apprendre, découvrir. Et à travers tout ça, évidemment, trouver la recette de l'immortalité, entretenir le secret espoir que tu iras si loin de tout et si près de rien que la mort finira par t'oublier, par s'épuiser à te suivre à travers les méandres perdus du cosmos.

En bas, sur la plage, avides, les jumeaux de Persée attrapent au vol les morceaux de chair sanguinolente que leur lancent trois chasseurs aux formes extravagantes. Gloutons, ils avalent tout rond.

— Écris ce que je vais te dire, me lance soudain Stella. Je veux que ce soit dans la relation que tu feras de nos voyages. Voilà. Les espèces peuvent évoluer jusqu'à acquérir des pouvoirs que tu qualifierais de surnaturels, mais aucune encore n'est arrivée au niveau de ce Dieu que vous et bien d'autres imaginez. Ça viendra peut-être un jour, mais il faudra parvenir à transcender l'univers. Alors moi, je cherche cette chose quelque part qui a tout provoqué. Et je crois qu'elle se trouve au centre des trous noirs super-massifs, là où la matière est si dense qu'on ne peut plus être certain de sa forme, de son état ; si concentrée, si comprimée qu'en théorie cent milliards de soleils tiendraient dans l'équivalent d'un dé à coudre. C'est cette singularité-là que je veux découvrir, une matière qui est à l'opposée du big bang, qui est tout le contraire d'éclatée, une matière qui fait le chemin de la Création en sens inverse. Si on la trouve, on trouve aussi comment tout a commencé, l'origine... Tu saisis, Cro-Magnon ? N'écris pas ça, c'était juste pour toi.

Elle m'a planté là pendant deux heures au moins. Je suis resté assis à regarder la mer et le chassé-croisé des montgolfières avaleuses de poissons volants. Bételgeuse a à peine bougé dans le ciel, mais son rouge a viré à l'ocre. Plus que repus, les ogres nains dorment sur la plage, étendus près de la carcasse de l'exocet, leur énorme paupière fermée tressautant sur l'œil excité par le souvenir de chasses miraculeuses.

Puis elle réapparaît, sans que rien l'annonce.

— Alors ?

— Intéressant. Nous irons voir ça de plus près. Mais c'est plus compliqué quand je dois sortir de la Voie lactée. Pour aller dans une autre galaxie, il faut trouver un de ces passages qui relient certains types de trous noirs à des trous blancs ; enfin, c'est un peu complexe. Mais j'y arriverai. Et tu viendras avec moi.

Elle se tourne vers ses monstres :

— Algol ! Logla ! Venez. On rentre. J'ai une petite faim.

Nous réapparaissons dans le grand parc du mont Royal qui surplombe la ville malgré son manque d'élévation. Montréal est encore dans le noir, et plein de gens partout s'émerveillent en groupe du spectacle des aurores. Nous regardons un peu, nous aussi, mais Stella se lasse et met fin à la représentation en ramenant la lumière. Juste au pied de la montagne que nous dégringolons sur les fesses pour aller plus vite, une vieille charcuterie nous lance ses effluves de zébu fumé. Il y a foule, c'est un des rares trucs restés ouverts durant la panne. Les deux monstres, grognant et mordant, tentent bien de nous frayer un chemin mais, parmi la faune éclatée de l'endroit, ils n'impressionnent guère, et nous devons jouer des coudes sur quelques cages thoraciques pour réussir à nous asseoir au comptoir sur les deux seuls tabourets encore libres. Les jumeaux restent derrière et se font gardes de nos corps, l'estomac trop bourré de poisson volant pour nous accompagner. Stella est en mal de confidences :

— Tu sais ce que je préfère de ce corps ? C'est son appareil reproducteur. Je l'ai d'ailleurs un peu trafiqué pour l'améliorer. Je me suis déjà inventé une quinzaine de rejetons. J'éprouve une immense satisfaction à procréer. C'est unique. Grâce à ce corps et à ces enfants, je connais maintenant ce sentiment que les tiens appellent l'amour, même si je ne suis pas certaine d'en ressentir toutes les nuances, ni tous les ressorts…

Elle s'interrompt lorsque le garçon derrière le comptoir, austère et blanc sous les néons, nous apporte nos plats. Stella saute sur le sandwich. Dans le grand miroir d'en face qui me renvoie son image, ma déesse mange avec un plaisir évident. La viande épicée fond dans la bouche, ça sent bon le barbecue. Ses narines frétillent, ses yeux se ferment à demi.

— Il y a tant de sensations dans ce corps, dit-elle, la voix pleine d'étonnement.

Elle me regarde dans les yeux par l'intermédiaire du miroir, d'un regard qui me fait bouillir le sang tellement est fort le désir qu'il déclenche.

— Après, je te ramène dans mon antre. J'ai un pied-à-terre. Il faut bien ranger ce corps et tous ces marmots quelque part.

Ce n'est pas très loin, une sorte de hangar derrière une maison désaffectée, une ancienne résidence bourgeoise abîmée par un incendie en face du parc Jeanne-Mance, le lieu de notre première rencontre. On y accède par une petite ruelle que personne n'emprunte tellement elle est sombre et encombrée.

La vieille porte poussée par Stella grince sur le seul gond qui la retient encore. Un escalier nous mène dans une pièce mal éclairée par une ampoule pendant au bout d'un fil. Ça sent très mauvais. Il n'y a pas de fenêtre, et plus de meubles que de place pour les mettre. Dans le fond, près d'un lavabo, une cuisinière crasseuse et un frigo rouillé séparés par un bout de comptoir. Ailleurs, des boîtes empilées et des divans déglingués, tous occupés par une multitude de petits corps qui semblent dormir.

— Mes bébés! dit fièrement Stella en désignant les petites bêtes qu'Algol et Logla reniflent l'une après l'autre.

Au son de sa voix, la progéniture au grand complet se réveille. Bientôt, une quinzaine de bambins de tailles diverses et aux configurations singulières s'agglutinent aux jambes de Stella, qui leur caresse distraitement la tête ou ce qui en tient lieu. Dans le lot, j'en reconnais quelques-uns qui ressemblent vaguement aux jumeaux de Persée; quant aux autres, c'est n'importe quoi: des visages félins, des cyclopes, des court-sur-pattes, des peaux translucides qui laissent voir les organes internes, des gueules d'insectes et des troncs sans membres. La frénésie et le pépiement intense de cette basse-cour poussent vite à sa limite le nouveau sentiment maternel de Stella Porrima.

— Assez! fait-elle en confiant sa progéniture aux ogres jumeaux, qui remettent tout ce petit monde à sa place avec vigueur et force grognements.

Malgré l'impatience, son visage ne peut cacher un certain attendrissement devant toutes ces bestioles sorties de son ventre.

— Je suis comblée. Ils me perpétuent et me font connaître l'amour. Mais je ne suis pas encore suffisamment instruite de ce corps pour en tirer toutes les délices qu'il peut procurer. Ainsi, je n'ai jamais trouvé de plaisir dans le fait de concevoir. Aucun mâle, toutes espèces confondues, n'a pu à ce jour provoquer en moi cette félicité qu'ils viennent pour eux-mêmes quêter dans mon lit.

Et c'est justement là qu'elle m'entraîne, dans ce lit immense occupant presque toute la chambre, de l'autre côté d'une porte dissimulée derrière une pile de boîtes. D'un claquement de mains bien senti, elle fait fuir les trois ou quatre machins sur pattes qui s'étaient blottis sous les draps. Puis elle est nue, étendue, offerte à mon regard vorace, à mes mains enthousiastes et à tout le reste. J'ai un défi de taille à relever et à faire lever après ce qu'elle vient de me confier, mais il est facile de se laisser convaincre par semblable sylphide. Je déploie tous mes artifices et tout mon arsenal, le cœur battant, la tête au ciel, rivée sur ce corps céleste, mais j'ai beau remuer dans tous les sens, onduler, bêcher, pétrir, touiller, exploser, rien n'y fait, elle reste de glace, immobile et ennuyée que je n'aie rien fait fondre. Je suis déçu, ça se sent, ça se comprend et ça finit par s'entendre.

— Bon, dis-je. Moi, j'ai quand même pris mon pied. Je devrais te remercier, je suppose.

— Je sais ce que tu voudrais. C'est cette étincelle, cette flamme allumée dans le fond de l'œil, ce spasme immense qui s'empare des femmes quand elles sont bien manipulées et qui vous fait croire un instant, à vous, les mâles, que vous êtes des dieux. Mais ce corps n'y arrive pas et je commence à croire qu'il n'est pas si parfait.

Pauvre Stella, pauvre petite déesse qui n'a pas compris que la jouissance pas plus que la béatitude ne sont l'affaire du corps, que le cul ne se pratique pas la tête froide, qu'on baise d'abord avec l'esprit. J'ignore si elle a lu cette pensée-là, en tout cas elle ne la commente pas. Sauf qu'elle m'invite sèchement à prendre mon autre pied pour foutre le camp.

❑

Les rares étoiles qui ornent encore le ciel perdent leur éclat à mesure que la nuit se dissipe. Le jour se sera bientôt refermé sur elles. Au-dessus de nos têtes, elles brilleront encore sans qu'on les voie. La lumière nous illusionne. Elle nous fait croire que nous sommes seuls, elle efface nos peurs et en même temps l'immensité qui nous entoure. Mais dès que la nuit revient, la réalité nous apparaît, la Terre se refait petite et perdue dans l'espace au milieu de tous ces astres menaçants, nous revoilà grain de poussière dans la tempête, et notre peur de ce terrible chaos, de ce tourbillon tonitruant, ressuscite. Rien d'étonnant à ce que les hommes aient toujours été effrayés par le noir, ils craignent ce qui peut en surgir, les abominations qui s'y cachent et cherchent à les ramener dans le néant d'où ils viennent.

Mira me remanque. Dès que j'ai ma dose de Mira, j'en suis déjà en manque. Il faudrait que je me branche en permanence sur ma Mira, qu'on la transfuse en moi constamment, qu'elle soit, comme dans l'amour, soudée à mon corps, jusqu'à la fin de notre temps, que je sois toujours et partout en elle, qu'elle n'ait plus jamais l'occasion de me tromper, de me mentir, de me trahir, même pas en pensée parce que alors sa raison s'installerait dans la mienne et nous finirions bien par ne faire qu'un et qu'une.

Je me déshabille dans le salon, je marche sur la pointe des orteils et me glisse très lentement sous les draps à ses côtés. Elle se réveille tout de même. Dormait-elle vraiment ? Sur la table de chevet, elle a posé son appareil photo qu'elle prend pourtant toujours bien soin de ranger.

Je la regarde ouvrir les yeux, Mira ma Mira d'une beauté meurtrière avec ce regard qui vous plonge en pleine détresse et ces lèvres auxquelles on voudrait s'abreuver pour l'éternité, lèvres puits, lèvres source de mon humanité et en même temps de ma mort, puisqu'on les laisserait nous avaler infiniment. Cette femme entretient mon délire comme le plus fort des alcools.

— Tu rentres ? demande-t-elle en s'ébrouant.

— Je ne voulais pas te réveiller…

Elle m'attire dans ses bras. Je la laisse faire.

— Avec quel genre de fée as-tu passé la nuit, mon fou d'amour ? En as-tu profité ? M'as-tu trompée au moins ?

Mira est donc en moi, cette femme m'habite bel et bien. Je ne peux pas me cacher, me soustraire à sa vue.

— Pourquoi voudrais-tu que je te trompe ?

— Comme ça. Juste un peu, juste assez pour que tu ne me quittes jamais.

Je la vois venir avec ses pas de louve. Mine de rien, elle agrandit les murs de ma cage. Mais c'est pour mieux s'écarter de moi, mon enfant. Je ne suis pas dupe de ses gros sabots de canidé.

— Si jamais je te triche, ce sera avec une petite blonde, du genre très salope, sans aucune inhibition. Une affaire de cul toute crue où on ne s'enfargerait pas dans les fleurs du tapis parce qu'on baiserait dessus. Mais si jamais par malheur je te quittais, ce serait pour une grande chose noire dans ton genre qui n'aurait pas besoin de jouer les amoureuses parce qu'elle le serait vraiment, une fille que j'aimerais jusque dans la profondeur de son tourment et qui me suivrait dans le mien sans poser de questions du genre : « Avec qui as-tu passé la nuit, mon fou d'amour ? »

Elle dit que je le prends mal, qu'elle tient à moi, ne veut pas me perdre, qu'elle sait par où je passe.

— Tu es chanceuse parce que moi, je n'en sais rien. Même quand je reviens à la maison, je ne me rappelle pas le chemin que j'ai pris. Au moins, je rentre, mes pieds ne savent pas me mener ailleurs. Je suis comme un vieux cheval qui retrouve toujours le chemin de l'écurie, même les yeux bandés. Après toutes ces années, je n'ai pas encore réussi à me convaincre une fois pour toutes que tu m'aimes pour de vrai. Au mieux, ton amour sera resté le même qu'aux premiers jours, alors que le mien n'a jamais cessé de grandir jusqu'à devenir incontrôlable, tels ces trous noirs jamais assouvis qui hantent le ciel et bouffent des galaxies.

Elle proteste, évidemment, rouspète et répète avec énergie qu'elle m'aime et m'aimera, que je ne suis qu'un idiot, un parano fini, surtout quand j'écris parce que je ne sais plus distinguer le vrai du faux, que je devrais me le rappeler d'un roman à l'autre, qu'elle fait tout ce qu'elle peut pour ne pas me prendre au sérieux le temps que ça durera.

— Je t'aime, mon fou d'amour, je t'aime. Je ne suis pas romancière ni poète, je n'ai pas les mots qu'il faut ni la manière d'un génie. Et moi aussi, c'est « plus qu'hier et moins que demain », comme disent les petites médailles qu'on vend aux amoureux dans mon genre qui ne connaissent rien aux mots d'amour. Est-ce que tu veux que je te le chante ? Sur quel ton ? Dis-moi ce que je dois faire pour t'en convaincre. Veux-tu que je fasse publier une petite annonce dans le journal ? Veux-tu que je te mange ? Dis-moi vite par quel bout. Que je te fouette ? Que je te masse ? Que je te massacre ?

Elle se dresse sur ses fesses et s'assied sur moi à califourchon en frottant sa croupe sur mon ventre. Puis elle se penche et glisse sa langue dans mon oreille. Elle sait y faire pour me rendre fou.

— Tu n'as pas de mérite, que je réussis à lui dire en me tortillant de plaisir, je suis déjà fou à attacher. Toi aussi, tu es folle si tu crois que je ne vois pas clair dans ton jeu de langue. Tu fais trop bien semblant pour être sincère. Tu crois que j'ignore comment tu joues à être heureuse pour me faire croire que je te mérite ? Tu es trop belle et trop propre pour moi. Tu te salis en me touchant, tu te salis juste en m'approchant parce que je suis couvert de bactéries sauteuses. Ce sont les pires, celles-là se ramassent dans la rue, elles vous sautent dessus comme la gale sur le monde sale, comme le vice sur les pervers. Tu ne devrais même pas me regarder, tu vas les exciter. Surtout dans ton état. Tu devrais faire attention.

Mira continue sa gymnastique sans se laisser distraire par mes exhortations. Elle est si habile à ce jeu qu'elle parvient toujours à mes fins. Et alors que j'exulte et m'exhale, je l'entends me dire que son seul état, c'est le bonheur profond qui la porte vers moi et grandit en elle, un bonheur qui m'appartient aussi et dont elle conserve ma part au chaud jusqu'à ce que je sois en mesure de la prendre. Pourtant, le trou creusé par mon accoutumance démente à Mira s'est déjà rouvert et j'y rechute en cherchant les mots qui pourraient le combler pour de bon, ces lettres parfaitement alignées dans la bouche de personnages absolus, cette histoire prodigieuse et admirée qui me mettra sur la trace de Calamité, ma singularité à moi.

— Je ne compte pas, Mira. Et plus rien ne compte non plus que ces lignes que je n'ai pas encore imaginées. Les mots à écrire me dévorent, je négocie âprement avec chacun d'eux, je n'arrive à rien et je ne vais nulle part…

Mira ma Mira s'est rendormie, le cœur léger, la conscience apaisée par sa profession d'amour. Elle me pense rassuré, de nouveau persuadé de sa fidélité. Le croit-elle vraiment ? Se pourrait-il donc qu'elle soit si naïve ? qu'elle ait oublié d'où elle vient et que je l'y ai vue ? Dans la position où je l'imagine, saillie par la moitié de la ville avec mes amis au premier plan, excitée jusqu'à l'extase, riant et criant de plaisir, la bouche engluée par tant de verges folles, il n'y a pas de loyauté possible. Il ne devrait pas y avoir de compromis non plus, mais je suis un lâche. Alors, je la laisse toujours se convaincre que tout ça n'est que mauvais fantasmes, visions et ruminations. Je préfère encore cet enfer où elle me plonge à la vie sans elle. Si Mira savait à quel point je vois clair dans son jeu, elle s'enfuirait au bout du monde et ne reviendrait jamais. Et j'en mourrais. Alors, elle peut bien s'envoyer en l'air autant qu'elle le veut, je garde ma rage pour moi et camoufle mes certitudes sous des soupçons qui évoluent, si je puis dire, dans les limites du déraisonnable.

Je sors du lit doucement, puis de la chambre en prenant au passage son appareil photo. J'appuie sur un bouton pour voir sa dernière prise. Je ne suis pas surpris ni déçu de voir apparaître mon image dans la petite fenêtre numérique. J'y suis assis sur un conteneur à déchets, dans une ruelle traversée par quelques éclairs de néons, le regard absent, les yeux tournés vers la nuit. En arrière-plan, Maggie l'échassière et ses copines discutent avec une de ces travailleuses de rue aux allures de punk. Au bout de la laisse que celle-ci tient mollement, deux molosses à peu près bouviers roupillent, le museau sur les pattes.

Il paraît qu'il y a maintenant plusieurs univers. Ça vient d'une nouvelle théorie qu'ils appellent « inflationniste ». Que ces univers se sont créés en même temps que le nôtre, à trente millionièmes de seconde après le big bang, au moment où naissaient les quarks, ou quelque chose de ce genre. Vous vous rendez compte ? Ça nous fait une belle jambe d'être aussi minables.

Chapitre 3

NGC1068. Galaxie spirale active de taille moyenne située à 50 millions d'années-lumière. Son centre est occupé par un trou noir dont la masse équivaut à celle d'environ 100 millions de soleils.

Mira s'est mise en frais pour me distraire et m'attacher au nid. Il y a du champagne et des canapés ; dans la salle à manger, un énorme gâteau couvert de trop nombreuses bougies alourdit la table en son centre. J'avais oublié, elle pas. Un anniversaire de plus.

Ils sont tous là, ceux qu'elle considère comme mes amis, elle a pris le risque de les inviter, comme si j'avais toute ma tête pour les divertir et les laisser me célébrer. Gaudin, ça va de soi, n'a d'yeux que pour elle, de faux yeux de basset battu pour camoufler son envie de la dévorer, comme au temps jadis où elle s'offrait aux carnassiers dont nous étions, lui et moi. Bérulier bâille à s'en décrocher la mâchoire pour bien montrer qu'il voudrait être ailleurs, comme toujours, et surtout quel sacrifice il est prêt à consentir pour soutenir le moral bancal de ses écrivains lorsqu'ils sont comme moi contristés et marris, moroses et monomanes. Même Tracemot y est, ce père de ma Némésis, dépositaire et dispensateur d'inaccessibles étoiles, fier d'être et d'être là, dans l'antre du fou d'écrivain assujetti à son mauvais vouloir, à son bon pouvoir.

Mira en a placé quelques autres dans les fauteuils et sur les chaises, des « amis » dont les visages me sont vaguement familiers. Tiens, là, cette beauté en microjupe, la dernière trouvaille de Bérulier, la nymphette qui a pondu sur l'amour un essai si bien vendu, et qui répond au joli prénom de Myrtille. Myrtille Lapierre...

— Myrtille, c'est un nom de plume ? demande Tracemot, soudain rubicond et si mielleux qu'il en bave sur les genoux de la belle.

Émue, troublée d'éveiller ainsi l'intérêt du grand échotier de la littérature, la pauvre de répondre en bafouillant :

— Euh... non, c'est plutôt un nom de fruit.

Évidemment, tout le monde s'esclaffe et Tracemot s'empresse de conclure au bon mot pour mieux tapoter d'une main sournoisement paternelle les superbes cuisses de la belle qui, ravissante et ravie, se soucie peu de connaître la cause de toute cette bonne humeur.

Bérulier jubile et encourage de l'œil sa jeune protégée à se rapprocher du critique dont le visage menace d'éclater tellement il est vultueux.

Gaudin veut ajouter son grain de poivre :

— Ainsi, mademoiselle, vous écrivez...

— Oh ! Vous pouvez me tutoyer, je serais moins intimidée ! l'interrompt la jeune femme sans remarquer le regard noir que Bérulier pose sur l'éminent professeur, convaincu qu'il prépare quelque vacherie pour tourner sa brebis en bourrique.

— D'accord, Myrtille, à condition bien sûr que tu en fasses autant. Je disais donc : tu écris sur la mourre, si je ne me trompe. Il paraît que c'est un jeu où il faut être très habile de ses doigts et rapide à les dresser pour jouir du plaisir de gagner sur l'autre, un jeu de hasard complet où l'un et l'autre perdent aussi souvent qu'ils gagnent. Un jeu, à ce qu'on dit, où les Italiens plus que les autres excellent.

Myrtille devient sérieuse. Un petit pli se creuse entre ses sourcils. Et c'est d'autorité qu'elle dit en se tortillant :

— Vous avez absolument raison. Tout passe par le jeu des doigts. Mais pour ce qui est des Italiens, si vous voulez mon avis, leur réputation est nettement surfaite.

Bérulier grimace. Même si sa culture littéraire ne lui permet pas de saisir le quiproquo volontaire de Gaudin — et il n'est pas le seul —, il est suffisamment sagace et connaît trop bien l'agrégé de littérature pour ne pas savoir qu'il s'amuse aux dépens de sa pouliche.

Alors que l'éditeur se demande comment intervenir pour l'empêcher de galoper dans les prés du ridicule, Tracemot vole à sa rescousse en grondant Gaudin devant le public qui s'est rapproché, absorbé par la joute :

— Voyons, Philippe, vous trichez, mon vieux. Ce vilain jeu de mots ne se comprend bien que lorsqu'on le lit, convenez-en !

Puis se tournant vers l'essayiste interloquée :

— Voyez-vous, Myrtille, la mourre, qui s'écrit M-O-U-R-R-E, est un jeu qui se joue entre deux personnes. Une version ancienne du roche-papier-ciseau auquel s'amusent les enfants d'aujourd'hui dans les cours d'école et qui se pratique depuis très longtemps en Italie. De façon simultanée, les joueurs face à face se tendent la main, mais en variant chaque fois le nombre de doigts qu'ils montrent à leur adversaire. Le premier qui annonce la somme exacte des doigts exhibés est le vainqueur de la joute. Notre ami Phil, je le regrette, s'est payé votre tête, jeune fille. Mais il n'a guère de mérite, cet homme possède une connaissance encyclopédique des mots et de la littérature. Je ne connais guère qu'un texte où ce mot apparaisse, finit-il en se tournant vers Gaudin, amusé.

— Apollinaire, n'est-ce pas Philippe ?

Myrtille roule aller-retour de Gaudin à Tracemot de grands yeux remplis d'admiration et de crainte, pendue comme nous tous aux lèvres du professeur Gaudin qui se laisse désirer, bien entendu.

— Oui. Apollinaire. Un très beau, très long et absolument délirant poème intitulé *L'ermite* qui commence comme ceci :

Un ermite déchaux près d'un crâne blanchi
Cria Je vous maudis martyres et détresses
Trop de tentations malgré moi me caressent
Tentations de lune et de logomachies...

Et puis, plus loin, ces quatre vers sur l'amour... et la mourre :

Les humains savent tant de jeux l'amour la mourre
L'amour jeu des nombrils ou jeu de la grande oie
La mourre jeu du nombre illusoire des doigts
Saigneur faites Seigneur qu'un jour je m'énamoure...

Tous s'amusent de cet étalage d'érudition. Myrtille, en particulier, en applaudit d'excitation et se pâme pour Tracemot sous le regard bienveillant de Bérulier.

— Vous êtes fort ! s'exclame-t-elle avec un enthousiasme qui l'a tellement rapprochée du vieux critique qu'il jette de petits coups d'œil gênés à la ronde avant de se lever, mû par une soif soudaine.

— Quelqu'un veut du champagne ? Je fais le service.

— Je vous accompagne, dit Mira. Je m'occupe des canapés.

Maintenant que Tracemot et Gaudin ont fini de se donner en spectacle, les conversations reprennent leur cours autour de la pièce.

« Ces pannes, quand même, ça commence à être inquiétant... »

« Il paraît qu'hier, à New York, les gens sont descendus dans les rues par centaines de milliers pour regarder les aurores... »

« La moitié des États-Unis, tu te rends compte... »

« Cette fois, ils ne pourront pas accuser le réseau québécois... »

Depuis deux jours, la planète entière ne parle plus que de ça. Les journaux en sont pleins, de ces énormes pannes qui surviennent un peu partout, de l'instabilité des réseaux qui retombent aussitôt qu'on les relance. Ils disent que la Terre a perdu le nord, que le Soleil lui fait tourner la tête. Ils ont encore le cœur d'en faire de l'humour, mais ils sont inquiets, c'est à la une des gazettes et en tête de tous les bulletins de télé.

Mira ma Mira, souriante, armée d'un bon mot pour tous, déambule d'un invité à l'autre avec le plateau de bouchées, doublée par Tracemot qui s'empresse de remplir les verres, tout à son impatience de retrouver la place que Bérulier lui garde chaude auprès de l'irrésistible Myrtille.

Mais malgré l'attrait exercé par l'affriolante ingénue, c'est ma Mira que les hommes observent à la sauvette, que les femmes regardent avec envie. Mon doux tortionnaire a déposé le plateau vide et pris son appareil photo. Elle tourne, discrète, autour de la pièce, saisissant les regards et les moues, arrêtant un geste, prenant par surprise un rire, une attitude, une posture. C'est son habitude, un caprice d'hôtesse que tout le monde apprécie. Demain, elle enverra des photos à tous les convives. Que de légèreté, de finesse dans le mouvement de ce corps aérien, de cet astre dont je suis la capture ! Et comment ne pas transpirer la fierté par tous les pores de ma peau, comment ne pas mourir de jalousie, l'âme rongée par la rage et le ressentiment du mâle dépossédé de sa femelle quand je surprends les yeux que Gaudin, ayant baissé sa garde et abandonné sa réserve une seule seconde, pose une fois de plus sur ma Mira ? Des yeux fondant de tendresse, des yeux qui implorent l'amour, des yeux qui violent et me volent le souffle de ma vie. Il cache de plus en plus mal son jeu et son malaise, on ne résiste pas longtemps à Mira, il suffit qu'elle soit là pour que les grandes marées se déchaînent, elle est comme la pleine lune aux solstices et nous inonde le cœur de sa lumière crue, on ne peut pas souffrir en cachette de la faim qu'elle provoque.

Je me détourne de Mira, puisque son éclat m'aveugle, et je me réfugie sur le divan, près de Tracemot, pour chasser la colère qui m'envahit. Le vieux critique ne remarque plus du tout ma présence, hypnotisé par la poupée de Bérulier qui joue de tous ses charmes pour l'embobiner. S'il finit par m'apercevoir, c'est que nos regards se croisent sur le chemin de la donzelle qui file vers la salle de bain, son petit sac en croco sur l'épaule, sa petite jupe retroussée sur ses fesses qui ondulent comme la mer par un soir de pleine lune.

— Elle a beaucoup de talent, cette petite, n'est-ce pas Gilbert ? Je ne sais pas combien d'étoiles vous lui donneriez, à sa littérature, mais elle, à l'évidence, vous en fait voir quelques-unes.

Le vieux bonhomme rigole, un peu jaune tout de même.

— À mon âge, Jérôme, il ne me reste que le plaisir des yeux et le pouvoir du rêve. Mais des étoiles, je lui en donnerais plus qu'il n'en existe dans toutes ces galaxies que vous affectionnez tant. Et sans même lire sa prose.

— Et dire que, avec moi, vous rechignez pour une toute petite moitié.

— Votre talent a beau être immense, Jérôme, il n'est rien au regard de cet être parfaitement sublime ! dit-il, tout sourire, les yeux ronds fixés sur Myrtille qui revient prendre sa place auprès de lui.

Je ne vois plus Mira. Où te caches-tu, femme infidèle qui tourne la tête et dans la tête de tant de mâles assoiffés de perfection? Comme Tracemot, là, qui voit l'infini, l'absolu dans les yeux de cette fille superbe, mais qui n'est que ça, superbe. Tandis que Mira ma Mira, elle est bien plus que splendide, sa grandeur ne tient pas qu'à son corps, à son allure, pas même à son esprit exceptionnel. Après toutes ces années à ses côtés, je n'ai pas encore compris à quel point ma vie sans Mira serait différente. C'est comme imaginer l'univers sans la Voie lactée ou sans Andromède. Ce ne sont pourtant que de petites galaxies parmi des centaines de milliards, plus peut-être, on ne sait trop. Mais sans elles, rien ne serait plus pareil, le temps, le parcours des astres, la courbure de l'espace...

Mira réapparaît dans l'embrasure de notre chambre, ange vacillant dans le flou de ma vie. Elle sourit, ou pas, difficile à dire, il y a toujours cette expression délicate à la surface de ses lèvres, peu importe l'émotion qui l'habite. Je surprends Gaudin qui s'accroche de nouveau à ce délicieux rictus, attendri comme une bavette de vieux cheval ramollie à coup de marteau, un attendrissement douloureux qui naît dans la grandeur du sujet observé, dans son énorme beauté. Démasqué, il fait face en crânant:

— Tu ne mérites pas cette femme, lance-t-il à la ronde, sautant sur ses pieds et montrant du doigt Mira à nos hôtes amusés. Aucun d'entre nous, personne sur cette Terre ne peut mériter une extravagance pareille!

Les mots sont là, formés dans ma tête et tout prêts à se laisser cracher au milieu du haut-le-cœur que Gaudin m'inspire: «Surtout pas toi, mon ami, surtout pas toi...» Mais il me prend de vitesse et ajoute, dans un faux élan d'outrage pour le plaisir de son public:

— Et, par-dessus le marché, il paraît que tu lui fais des misères, sale grand écrivain de merde? que tu l'abandonnes pour courir les landes de l'imaginaire et te vautrer Dieu seul sait dans quel monde innommable à la recherche de l'œuvre parfaite? Alors tu n'y échapperas pas: raconte un peu qu'on juge si ça en vaut la peine!

Évidemment, je me fais prier, mais ils insistent en chœur, comme il se doit. Même Bérulier se met de la partie, il ne détesterait pas savoir ce que je lui mijote, se faire une tête sur ce que ça risque de lui rapporter. Ou de lui coûter. Mira a retrouvé son appareil photo qu'elle braque sur moi, et Tracemot délaisse un instant les melons de la Myrtille pour donner toute la mesure de son intérêt.

Alors, je plonge et leur raconte: les champs d'étoiles, Stella, mon lare incarné, ses monstres, son omnipotence, sa froideur et sa frigidité, sa quête de la singularité originelle, nos voyages astraux et sidérants, nos départs qui font vomir le Soleil et plongent la Terre dans l'obscurité…

— Ah! Les pannes! fait Tracemot.

— Intéressant, réfléchit Bérulier à voix haute, ce lien avec l'actualité…

Ils n'ont pas compris, pas saisi que c'est elle, elle pour de vrai. Je leur dis:

— Vous ne saisissez pas. Je ne suis que le rapporteur, celui qui rend compte, qui suit et qui récite. On n'invente pas une entité semblable.

Ils s'imaginent que je joue jusqu'au bout la comédie du créateur déconnecté. Après tout, c'est le rôle qu'ils m'ont attribué. Ils s'émerveillent en silence de ce qu'ils prennent pour de la folie consciente et acceptée, de la douce démence. Ils attendent la suite, accrochés à mes délires.

— Cette Stella se complaît dans son incarnation humaine, se délecte de ce corps de femelle qui la bouleverse et l'émeut, la ravit et l'excite sans qu'elle comprenne la nature même de ces émotions, et surtout lui permet de se multiplier. Stella fabrique des petits comme une chatte : treize à la douzaine en un seul coup de cuiller à pot, mais toujours sans plaisir malgré sa volonté et ses efforts, nombreux, vous vous en doutez bien. Cet esprit fait femme pourrait tout aussi bien peupler l'univers à elle seule. Elle est la mère de toutes les mères, la pierre d'où jaillit le feu, le bouillon, la compote originelle, le nuage de poussières où se fabrique la vie. Elle porte d'ailleurs un nom de déesse, et pas de n'importe laquelle, celui d'une déesse de l'enfantement, une sibylle qui lit l'avenir des enfants dans les placentas des parturientes : Porrima, Stella Porrima...

Et pendant que je chante ses louanges et célèbre ses exploits, je m'entends me demander si c'est un hasard ou un présage que cette héroïne me choisisse le jour même où Mira m'apprend qu'elle est enceinte. Mira enceinte, d'un petiot de Gaudin ou de Bérulier ou du boulanger si ça se trouve, qui l'en blâmerait ? Je suis si invivable, la route sur laquelle je l'entraîne est si peu viable, quoi qu'elle prétende à grands renforts de serments et de jurons quand elle n'en peut plus de m'entendre douter. Elle s'en sera lassée en fin de compte, et de jouer l'amour, jour après jour, de servir de couronne de lauriers au grand homme, d'attendre que ma semence trouve le temps de faire son œuvre dans son ventre fertile.

— ... et de monde en monde, Stella s'envoie en l'air avec tout ce qu'elle peut trouver de formes de vie, dans l'espoir de faire vibrer ce corps de femme qui lui procure tant de plaisirs, mais lui refuse toujours celui de la jouissance. Et je la suis à la trace, marchant sur ses talons, accroché à ses mamelles, scribe dévoué, amant dévoyé, fou de son corps de marbre et prisonnier de ses ahurissants caprices, je me débats pour garder mon rang de premier parmi la cour de ses monstres. Voilà...

— Prometteur, fait Tracemot, prudent.

Bérulier, lui, ne cache pas son dédain :

— Je n'aime pas les contes de fées, dit-il. C'est banal et usé. Personne ne lit ça, ce qui fait que plus personne n'en écrit.

Je me prépare à répliquer, mais Myrtille me prend de vitesse :

— Mais non, voyons. Ça n'a rien à voir avec un conte de fées, Maurice. Où vas-tu chercher ça ? C'est de la science-fiction. C'est très moderne, au contraire. Les jeunes adorent la science-fiction !

L'éditeur lui jette un regard noir que sa protégée ne remarque même pas.

— Conte de fées, science-fiction, tout ça est beaucoup trop compliqué. Et je te passe le fait, mon pauvre Jérôme, que tu sembles t'être mis en couple avec ta vestale stellaire. On dirait les aventures de Stella et Jérôme. Tiens, ça ferait un bon titre, ça.

Je m'emporte un peu pour lui expliquer que, puisqu'il est éditeur, le mien en l'occurrence, il devrait savoir que les écrivains sont mythomanes, moi en particulier, que s'ils ne l'étaient pas ils ne pourraient rien écrire, et lui n'aurait rien à publier.

— Pour les fins de la discussion, dis-je, et pour sauver la vertu de la sainte fiction, disons qu'il s'appellera Jérémie, le Jérôme de Stella. J'ajoute que mes œuvres ne sont jamais simples, à l'instar de la vie qu'elles se mêlent de dépeindre et qui est l'essence même du complexe, que l'esprit l'est encore plus. Alors, imaginez un peu un esprit fait femme !

Ils la trouvent bien bonne, sauf Bérulier qui n'a aucun sens de l'humour et qui est vraiment de mauvais poil :

— J'ai beau les publier, je ne comprends rien à tes histoires parce qu'il y a trop à comprendre, que tout y est à comprendre. On dirait des recueils de charades. C'est éreintant. Il n'y a que les Gaudin et Tracemot de ce monde pour apprécier ton charabia métaphysique. Et puis cette histoire de Graal cosmique, c'est d'un éculé, mon pauvre Jérôme ! Et d'abord, c'est quoi, une singularité ?

J'essaie de lui résumer les lois de l'astrophysique et de la gravité et la gravité de leurs conséquences sur l'avenir du cosmos, les questions qu'elles soulèvent quand on les pousse à leurs limites, là où plus rien ne s'explique.

— La singularité, c'est ce qui se trouve au cœur d'un trou noir, Maurice, un de ces trucs comme on en trouve dans tous ces mondes extraordinaires qui s'observent à des dizaines, à des centaines de millions d'exemplaires à des années-lumière d'ici. Un endroit où tout disparaît. Imagine un peu un soleil qui fait cinq fois et plus la masse du nôtre. Sa force d'attraction est si grande que la matière qu'il consume n'est pas expulsée dans l'espace mais se concentre en son milieu. Il devient donc encore plus massif, au point qu'il capture tout ce qui passe à proximité, même la lumière. Lorsqu'il a fini de brûler, cet astre qui faisait des millions de kilomètres de diamètre n'en fait plus qu'une vingtaine. Sa masse est inimaginable et…

Mais mon éditeur en a assez entendu.

— Tu nous barbes avec tes trous noirs ! Qui est-ce que ça peut bien intéresser, Jérôme ? Ce n'est pas demain qu'on tombera sur un truc pareil dans le voisinage de la Terre. Laisse-nous tranquilles ou alors, tiens, fais donc comme Gaudin et récite-nous quelque chose pour te rendre intéressant.

Cette fois, les autres rient de me voir ainsi rembarré. Eux non plus, les noyaux de trous noirs ils n'aiment pas. Alors ça leur fait du bien qu'on se foute un peu de ma gueule d'obsédé cosmogonique.

Mais je ne les laisserai pas gagner sur moi, dans ma maison, dans ma raison. Mira me traque de son gros œil de verre. Je ne sais pas ce qui lui prend de m'immortaliser ainsi sous toutes mes blessures. Je ronge mon frein, mais pas trop longtemps. Il faut que je fasse étalage de mon talent, que je leur en donne pour leur admiration, nourrisse surtout celle de ma douce Mira au cas où elle serait véritable et sincère comme elle le crie sur tous les toits qui veulent bien l'entendre. Et si c'était vrai ? Si elle m'aimait de toute cette force qu'elle décrit pour m'en convaincre ? d'une si tonitruante passion qu'elle ne s'entend plus penser quand elle s'imagine sans moi ? Que le monde en mon absence ne serait que cendre et cailloux, désert et souffrance, son monde d'avant, d'avant moi ? Alors, oui, je lui donnerai de quoi s'extasier un peu plus, et aux autres, cette acrobatie, ce tour de singe savant que me réclame Bérulier, pour mon bien, il va sans dire, et pour le sien, ça coule de source.

— Et pourquoi pas ? dis-je en défiant mon éditeur. Un peu de Gérard de Nerval juste pour toi, Maurice. Un extrait de son *Christ aux oliviers*. Tu me diras ce que tu en penses :

… En cherchant l'œil de Dieu, je n'ai vu qu'une orbite
Vaste, noire et sans fond, d'où la nuit qui l'habite
Rayonne sur le monde et s'épaissit toujours ;

Un arc-en-ciel étrange entoure ce puits sombre,
Seuil de l'ancien chaos dont le néant est l'ombre,
Spirale engloutissant les Mondes et les jours !

Mais Bérulier n'en pense rien. Il hausse les épaules et va s'occuper de la prochaine tournée de champagne alors que Myrtille, illuminée par l'étonnement d'avoir compris, s'empresse avec fierté de constater :

— On dirait qu'il parle de votre trou noir !

Un fou rire général s'empare du salon. Mira en profite pour venir s'asseoir. À côté de Gaudin, comme par hasard. Elle fait semblant de s'amuser et me lance une belle œillade. Ça ne l'empêche pas de poser le bras sur les épaules de son voisin. Mais son regard me dit de ne pas m'inquiéter de cette familiarité, que ce n'est qu'un signe d'amitié, de camaraderie, qui est tout à fait possible, en dépit de ce que ma jalousie maladive peut m'en faire penser, entre personnes de sexe opposé. D'ailleurs, pour bien me montrer qu'il n'y a pas de malice dans le geste, elle fait la même chose avec cette pisseuse de Myrtille assise à sa droite. Elle croit que ça va me rassurer, mais le monde entier sait que Lapierre est bisexuelle, puisqu'elle l'a écrit à toutes les deux lignes dans son essai si bien tourné, que toutes les femmes d'ailleurs ont ce potentiel en elles, que, pour une fille, baiser une autre fille, c'est quelque chose de tout à fait normal, qu'il est rare qu'elles ne se soient jamais laissé tenter, et comme Myrtille est éminemment baisable…

Gaudin voit mon malaise. Il me regarde durement, pour peu il en prendrait ombrage. Je sens le besoin de dire quelque chose, de lui faire la conversation pour qu'il m'oublie.

— J'ai un drôle d'éditeur, tu ne trouves pas ? Il n'aime pas du tout ce que j'écris et il n'a aucun intérêt pour ce que je cherche à exprimer.

Mais Gaudin n'est pas dupe et pas d'humeur à disserter pour dissiper ma mauvaise conscience :

— Franchement, Jérôme, on s'en fout de ce que tu exprimes. Ce n'est pas vraiment important. Ne le prends pas mal, mais tes sentiments ne sont pas si grands, ils sont en tous points semblables à ceux de la moyenne des ânes sur cette planète. Les mêmes soucis, les mêmes angoisses, les mêmes souffrances héritées de notre peur du manque, du vide, les mêmes bonheurs fabriqués à coup d'habitudes et de petits besoins satisfaits. L'art, disait Bergson, vise à imprimer en nous des sentiments plutôt qu'à les exprimer. Tu le sais bien, non ? Que tous ceux qui créent se cherchent à travers leur œuvre. Ton talent ne se définit pas tant par tous ces sentiments dont tu nous abreuves. Ils sont banals et communs, répandus et partagés. Il tient plutôt au contexte dans lequel tu choisis de les dépeindre et, surtout, à la façon dont tu les exprimes. Ta manière, en somme. Tu comprends ? Les bateaux, les plages, les jardins que Monet a peints ne sont jamais que ça. Mais son coup de pinceau, lui, est unique, et c'est ce qui rend son œuvre sublime. Au delà des sentiments que tu traduis, il y a ces univers que tu inventes, tous ces trucs, ces mondes, ces êtres, les tourments inutiles dans lesquels tu les enfermes et ces pensées qui ne rimeraient à rien dans le monde réel. Tous ces foutus univers abracadabrants remplis de concepts insensés.

Je n'écoute plus. Les propos de mon ami Phil ne m'intéressent pas, car peu importe ce qu'il pense, je n'en pense pas moins. Je sais bien que c'est là mon drame, mon fardeau, le bât qui me blesse. Dans ma tête, le monde tourne à sa propre vitesse. Ce n'est pas d'hier et ça ne changera pas demain. Et c'est ce qui fait qu'en ce moment même la Terre bouge sous mes pieds et sous les miens seulement, que je suis seul aussi à sentir son cœur en fusion, son magma qui bouillonne. Le roc se broie en claquements secs sous la pression inouïe des plaques tectoniques qui s'affolent, et l'épicentre de la secousse qui s'ensuit se trouve quelque part entre mon cœur et mon âme, dans celui de mes sept chakras qui se déglingue chaque fois que j'imagine ma femme de glace, qui feint si bien la chaleur dans mes bras, fondant sous l'étreinte folle de Gaudin et de tous ces autres que je ne vois pas mais dont je devine l'empreinte et l'odeur sur les draps de notre lit.

Mira ma Mira est maintenant debout près de la table de la salle à manger. Elle réclame l'attention et se fait solennelle en allumant la dernière bougie sur le gâteau d'anniversaire. Gaudin, qui est allé la rejoindre, se tient bien droit, le couteau à la main. On dirait qu'il s'apprête à égorger un mouton.

— Je voudrais vous dire…

Elle veut nous dire qu'elle prépare une nouvelle exposition. Une œuvre en développement, explique-t-elle, qu'elle va présenter dans la grande salle de son studio de la rue Marie-Anne, un ancien dépanneur qu'elle a converti. Quant au thème…

— … ce sera Jérôme. Enfin, lui et le roman qu'il est en train d'écrire.

Une œuvre sur l'œuvre de son écrivain fou de mari, pour qu'on voie bien comment le créateur traverse le processus de création, à quelles galeries d'images il puise ses paysages, ses personnages. De nouvelles photos toutes les semaines, l'univers de l'écrivain comme si vous y étiez, ses pérégrinations en direct ou presque. Une bonne idée, affirme Tracemot. Moi, je ne trouve pas.

— Je ne suis pas un sujet intéressant. Que vas-tu pouvoir montrer ? Tu vas me suivre ? m'espionner ?

Mes protestations se perdent dans l'enthousiasme général de tous ces excellents amis qui les mettent de toute façon sur le compte de mon énorme fausse modestie. Mira m'a bien eu, son annonce est faite devant public, je ne peux qu'accepter, à moins de faire un esclandre. J'y songe sérieusement quand Gaudin tranche avec l'autorité qui sied au titulaire d'une chaire de littérature ancienne :

— Voyons, Jérôme. C'est un projet génial. Allez, souffle ! dit-il en survolant de la main la forêt de chandelles, impatient de couper le gâteau.

Mira a recommencé à prendre des photos.

— Il y en a trop, lui dis-je sans cacher ma mauvaise humeur. On dirait un brasier. Je ne suis pas si vieux.

Je n'en ai pas éteint la moitié quand tout à coup la musique s'arrête et les lumières se ferment dans l'exaspération générale.

— Encore !

— Vraiment, ça commence à bien faire…

— Chiant…

Mira va chercher des bougies qu'elle répartit autour de la pièce. Gaudin rallume celles que j'avais soufflées et les distribue avec les morceaux de gâteau qui se mangent à travers les bougonnements. Je file dans la cour observer les aurores que je suis certain de trouver dans le ciel froid de ce début de novembre. Un petit groupe autour de Myrtille et Tracemot y est déjà. La voûte étoilée se donne en spectacle, on dirait qu'un invisible Van Gogh lance à traits de géant sur la voussure ses couleurs hallucinées.

— Quelle frénésie ! s'exclame quelqu'un.

— J'ai peur, fait Myrtille, que Tracemot s'empresse de rassurer :

— Il n'y a rien à craindre. Ne vous gâchez pas ce théâtre céleste, chère amie.

Je lui demande, avec un brin de malice :

— Et combien d'étoiles accorderiez-vous à cette création extraordinaire ?

— Vous avez droit à ma réponse habituelle, Jérôme. Rien n'est parfait, même pas la nature. En fait, seul l'esprit, par force et discipline, peut atteindre la perfection.

Alors, elle doit être bien triste, cette perfection, triste et barbante, nulle comme le nirvana des bouddhistes, rigide comme l'esprit d'un ascète, prosélyte comme celui de ce jésuite de Tracemot qui ne trouve jamais son salut que dans sa capacité de pousser son prochain vers ces absolues cinq étoiles. Mais moi, je lui prouverai que l'idéal ne se trouve pas dans cette perfection immobile, figée, en équilibre sur le vide. Ma perfection à moi sera construite sur l'excès, la diversité, l'abondance, l'écœurement, comme ces orgies lumineuses qui éclaboussent et zèbrent les cieux.

Ils sont partis les uns après les autres, me laissant seul avec ma Mira. Elle éteint toutes les bougies, sauf deux ou trois. Cela me donne cet air lugubre qui me va si bien. Elle s'est blottie contre moi dans un coin du grand divan.

— Tu m'en veux pour l'exposition. Tu fais ton rabat-joie.

— Je ne fais rien du tout, je suis comme ça. Et j'ai tout plein de raisons de t'en vouloir. Pour commencer, tu es trop belle et trop parfaite pour moi, ça me rend malade de rage et de jalousie, alors que l'amour, ça devrait nous rendre fous de bonheur.

Mira ma Mira cinq étoiles ne cesse de me répéter que nous deux, c'est pour vrai et pour la vie. Ça ne m'impressionne pas, elle prêche pour mieux se convaincre. Je lui demande de quelle vie elle parle. Elle ne me trouve pas drôle.

— La nôtre, épais d'amour. Notre vie. Toute, jusqu'à ce qu'on l'ait brûlée par les deux bouts.

Elle se lève et tourne autour de la pièce. Ses fesses serrées et ses petits pas rapides lui donnent l'air fâché et à moi, l'impression qu'elle va partir pour me punir.

Dans mon ventre, l'habituel vent de panique déferle si fort qu'il déterre l'envie que j'y cache qu'elle reste là à jamais.

— OK, OK, pour la vie, celle que tu voudras…

De toute façon, elle m'a déjà choisi une vie de doute et de mensonge, une vie parfaite pour grand écrivain tourmenté, phare allumé des souffrants, je n'aurais jamais pu demander mieux pour me tirer les vers du cœur. Au moins, avec elle, les tornades du dedans, je sais par où elles passent, je connais leur chemin.

Moi, c'est à coups de pied que je me fraye un passage dans mon existence de fou fini. Des coups de pied au cul que je me donne à moi-même mieux que personne à force d'imaginer n'importe quoi sur n'importe qui et sur Mira en particulier. Ma Mira qui ne me trompe pas parce qu'elle est la plus fidèle des épouses, qu'elle résiste à tous mes amis qui ne le sont pas tant que ça, puisqu'ils le sont surtout pour être les siens, des amis de tous horizons, écrivains, éditeurs, professeurs et artistes en tous genres qui se sont faits clients de ma Mira pour venir à la maison discuter des portraits qu'elle leur fait en tant que leur photographe officielle, gardienne de leur image et responsable de leur rayonnement, pour meubler la solitude dans laquelle la laissent mes errances diurnes et nocturnes et, elle veut bien l'admettre, tenter de la séduire et de l'amener à partager notre lit.

Mais Mira résiste, avec héroïsme et renoncement, elle me le jure à répétition. Je devrais donc la croire, elle qui aurait pourtant toutes les raisons de l'univers de s'envoyer en l'air, puisque je porte les torts qu'on attribue aux absents et que, lorsque je suis auprès d'elle, je me contente d'être jaloux, renfrogné et laid.

Nous nous sommes couchés et je l'ai serrée dans mes bras jusqu'à ce qu'elle s'endorme profondément. Puis je me suis relevé en douce et j'ai filé. Les nuages ont remplacé les aurores et une grosse neige fond sur la ville qui baigne toujours dans le noir. Je pourrais débarquer tout de suite chez Stella, mais j'aime aiguillonner ma souffrance, cultiver le manque que m'infligent mes femmes, réelles ou imaginées. Alors, j'erre dans les rues désertes, livré à mes frayeurs nourricières, ne trouvant rien que ce vieux sentier qui me pousse toujours jusqu'aux bas-fonds de la misère humaine.

Comme de raison, en fin de course, j'y trouverais les trois grâces sur leurs pieds de grue, dans leur ruelle habituelle, à deux pas de *La Planète du Sexe*. Elles disent que l'endroit est bon pour les vieilles putes parce que les types ressortent du cabaret si allumés par les danseuses qu'ils monteraient n'importe quoi. Mais les néons sont morts et les rues, désertes par cette nuit où le courant ne passe pas. Les types ont sans doute attendu un peu que la lumière revienne, traîné dans le coin un temps avant de rentrer sagement à la maison partager l'obscurité auprès de leurs femmes.

Je ne sais pas toujours à quoi elle pense, ma Stella — d'ailleurs, est-elle mienne ou celle de ce Jérémie que j'ai inventé pour éviter que mes amis me prennent pour un taré fini ? En fait, je crois qu'elle ne pense pas. Car elle n'éprouve rien, ne ressent rien. Sauf pour ses petits, mais c'est l'exception qui confirme l'amour maternel et les autres instincts tordus qui n'ont à voir qu'avec notre nature animale. Chez les poissons, les mammifères, les amibes ou les femmes de toutes les époques et galaxies, ils ne servent jamais qu'à perpétuer l'espèce : l'instinct de reproduction, l'instinct de chasseur, l'instinct de survie. Ça lui viendrait avec ces corps qu'elle emprunte ? Et l'instinct de mort alors ?

— Emmène-moi quelque part…

C'est Maggie, la plus volubile des grâces, recroquevillée par terre à l'angle de deux murs, sans manteau et trempée, complètement défoncée. Des yeux vides dans des orbites creusées par des millénaires de souffrance. Ses genoux portent la marque de sa dernière culbute, et le trottoir mouillé est maculé de son sang et de sa peau écorchée.

— Emmène-moi…

C'est tout ce qu'elle sait me dire, cette fille, enfin cette chose, cette araignée. À moi et aux autres qui s'intéressent encore à elle ou à son vieux cul: « Emmène-moi. » Et comme je la regarde, sur le trottoir souillé par le vomi glacé de la ville, nourrir la petite mort qui lui bat les veines, Algol surgit en reniflant, ses énormes sourcils froncés, les babines retroussées sur ses grosses dents de Neandertal, toujours prêt à croquer plus faible que lui.

— Non, Algol ! Pas elle ! que je lui crie, ponctuant la sommation d'un grand coup de pied dans son cul d'ogre avorté.

Il retraite en gueulant.

— Pas frapper ! gargouille-t-il. Algol comprend les mots.

C'est nouveau, ça, les nabots de Stella qui parlent.

— Algol comprend peut-être les mots, mais ça me fait du bien à moi de lui botter le cul, comme ça fait du bien à Algol de bouffer les corps pas encore morts. Tu comprends les mots, mais tu ne saisis rien aux subtilités de ce monde ni des autres que tu as eu le plaisir d'explorer. Tu comprends les mots, mais tu ne comprends pas pourquoi tu existes, quel est ton rôle dans la vie, quelle fonction tu remplis. Si tu le savais, ça te remplirait de honte et tu deviendrais végétarien.

— Algol est comme Logla. Tous les deux sont pareils. Ils mangent ceux qui ne servent plus.

— On appelle ça des charognards, Algol. Ils vivent de la faiblesse et de la misère qui fourmillent partout. Ils fouillent dans les moindres recoins, leur groin dans la crasse et leurs mains dans la merde pour trouver ceux que la vie a brisés et laissés sur le bord du chemin. Or, il se trouve que moi, ces gens-là, je les préfère aux survivants, je les trouve beaucoup plus intéressants, ils ont plus à dire et à penser que les bien en chair et les bien-pensants qui écrivent, dominent et accaparent le discours officiel, le discours ordinaire. Moi, ma fonction, c'est d'aimer et d'apprécier les déchets dans le genre de cette pauvre fille. Et c'est de botter le cul de ceux comme toi qui sont si pressés de nettoyer qu'ils ne laissent même pas aux gens le loisir de s'autodétruire jusqu'à la fin. Et puis, qu'est-ce que tu fabriques ici d'abord ? Tu me suis ? C'est Stella qui te l'a demandé ?

Il fait semblant de ne pas avoir entendu, il regarde ailleurs et ne dit rien. Je lui fous un autre coup de pied qui le fait léviter une seconde ou deux. Quand il retouche terre, il me fait face en crachant comme un chat battu, sa grosse corne pointée vers mon bas-ventre. Je lève le pied, il recule.

— Alors ?

— Stella demander.

— Pourquoi ?

— Veut savoir.

M'énerve, le monstre ! Je hausse le ton en le menaçant du pied.

— Savoir quoi ?

— Où aller ! Qui voir ! Faire quoi ! finit-il par aboyer en filant se cacher derrière une poubelle au moment même où les lampadaires reprennent du service. Je me dis : « Tiens, Stella vient de rentrer. »

Maggie geint toujours en grelottant dans son coin, assaillie par de vilains démons sortis de sa nuit. Je la mets sur ses pieds, mais elle ne tient pas debout. Je sais ce qu'il faut faire, je suis habitué, je l'ai fait si souvent autrefois pour Mira. Alors, je la prends sur mon dos et la trimballe, Algol sur les talons, jusque chez Stella, qui nous accueille au milieu de son zoo comme si elle nous attendait.

— Va la coucher là-bas, dit-elle en me montrant une porte. Il y a un lit. Elle se reposera. Elle connaît les lieux, Algol me l'a déjà ramenée deux ou trois fois. Vous avez les mêmes goûts, drôles de goûts, soit dit en passant.

Je lance un coup d'œil au démon assombri qui fuit mon regard, gêné.

— Il a fait ça ? Il ne l'a pas dévorée ?

— Il s'humanise au contact de cette planète. Parfois il les bouffe, parfois il les baise, répond-elle sur un ton qui montre qu'elle n'a aucun intérêt pour la question. Lorsqu'il s'est servi, il la donne en pâture à Logla et aux autres.

Elle ajoute que Maggie, bien sûr, ne s'en plaint pas. Elle profite du gîte, de la chaleur et du couvert, mais ne reste jamais longtemps : elle tombe si vite en manque de cette glace qui engourdit sa douleur qu'elle repart presque tout de suite, dès que sa chair commence à se plaindre. Pour l'instant, Algol et compagnie la laissent sombrer en paix dans le sommeil où elle s'enfouit.

Le refuge de Stella a un peu changé : moins de boîtes empilées, quelques chaises en plus, des meubles ont été placés : deux ou trois commodes, une grande table, des coussins. Mais ça sent toujours aussi mauvais, dans la cuisine surtout, où je la retrouve qui nourrit ses bestioles en leur servant dans de grands bols une pâtée brunâtre. Les petits mangent avec leurs mains, pour ceux qui en ont ; quant aux autres, ils plongent directement dans la bouffe ce qui leur sert de bouche. Je ne peux m'empêcher de penser que certains semblent plutôt développés pour leur âge, pour autant que je puisse en juger, et qu'ils paraissent tous aussi malins qu'un escargot. Ma perplexité n'échappe pas à leur mère, d'autant qu'elle lit dans les têtes.

— Je ne choisis pas mes partenaires, dit-elle. Je ne cherche pas non plus à fabriquer des génies, ni même des êtres intelligents, Jérôme. Je ne fais que répondre au désir des mâles de toutes espèces qui croisent ma route dans l'espoir d'éprouver comme eux attirance et jouissance. Pour le reste, je trouve une grande satisfaction dans le fait de me semer à tout vent, je te l'ai déjà expliqué.

— Parlant de désir...

Pas besoin de discours ni de dessin. Pratique, la télépathie.

— Oui, je sais.

Je l'ai suivie dans la chambre où j'ai même pris soin de la dévêtir moi-même, lentement, en y mettant toute la sensualité dont je suis capable. Elle me regardait si étrangement qu'un moment j'ai bien cru que ça y était. Mais elle n'était qu'étonnée de la manœuvre. J'ai donc passé la moitié de la nuit à la tripoter des pieds à la tête dans l'espoir de déclencher quelque chose en pensant très fort, pour que rien de lui échappât, à tout ce qu'elle devait faire pour arriver à ressentir. J'ai même fait semblant, au cas où elle aurait été exhibitionniste, de ne pas apercevoir les jumeaux qui regardaient par l'entrebâillement de la porte et qui, eux, semblaient complètement excités. Peine perdue. Pas un seul frisson, pas le moindre spasme, fût-il involontaire.

Maintenant, je suis à bout de sens à force de humer la fleur de sa peau. Avec tous les gènes qu'elle m'a soutirés, il y a de quoi peupler la moitié de la galaxie.

— Toi qui perçois tout, lui dis-je, comment se fait-il que tu ne puisses pas éprouver cette extase qui m'habite ? Tu peux t'installer dans mes fantasmes, te brancher sur mes pensées, mais pas sur mes sensations ?

❑

Stella Porrima, divinité des étoiles et, comme elles, fille de nébuleuse, esprit omnipotent et omniscient, n'aime pas qu'on la mette devant ses limites. Elle me repousse et me jette un air si mauvais que le cœur me manque. Serais-je en train de m'amouracher ? Qu'y aurait-il de si étonnant à cela ? Les déesses m'attirent autant que les femmes froides. Au moins, celle-là ne joue pas les volcans : c'est bien de la glace qu'elle vomit et elle ne cache pas son indifférence pour ma triste personne.

— Je perçois tes sensations. Mais je ne les comprends pas ni ne les ressens, dit-elle, en se levant, catégorique.

Je crois déceler un certain trouble dans le ton de sa réponse. Elle hésite.

— Tu te demandes quel est le dessein de ton espèce et, de façon plus égoïste, ton utilité en tant qu'individu, ta raison d'être. Et parce que tu ne trouves pas d'explications, tu te fixes des objectifs impossibles. Je ne suis pas différente. Comme tous les êtres conscients que j'ai croisés dans chacun des univers où j'ai voyagé, malgré ma science et mes pouvoirs et bien que j'existe maintenant depuis des millions de tes années, je n'ai pas encore trouvé la réponse à ces questions fondamentales. Quelle est donc notre finalité ? Pourquoi est-on là ? Personne n'a jamais pu expliquer ce qui justifie qu'on soit plutôt qu'on ne soit pas. Ce que je sais, moi, c'est que j'ai la capacité de donner la vie. Alors, pour l'instant, c'est le rôle que je choisis. D'ici à ce que je trouve cette singularité, source de tout et de toutes les réponses, j'existerai pour faire exister. Je fais des enfants, toutes sortes d'enfants, je crée des êtres vivants, conscients pour certains. Après, ça ne m'appartient plus, c'est au hasard de faire son travail.

Quel est donc ce monde où même les dieux ne savent pas d'où ils viennent ? Et comment pourrais-je jamais trouver ma Calamité si même Stella, en cent mille millions de vies, n'a pas su découvrir sa singularité ? Et par-dessus le marché, elle est neurasthénique au point de ne trouver d'intérêt que dans la procréation, sans égards pour toutes ces choses qu'elle précipite dans le monde.

— Pour une déesse, je trouve que tu raisonnes comme une cloche. On a aussi, tous, le pouvoir de tuer, non ? Mais est-ce notre devoir ?

Même névrosée, une déesse demeure inébranlable.

— Compte-toi chanceux, dit-elle. Certains parmi les miens le pensent et le font. Maintenant, prépare-toi, dit-elle en s'habillant, agacée par ce corps qu'elle semble soudain trouver fort encombrant. Il y a ce trou noir extrêmement massif dont on m'a parlé et que je veux voir. Sa singularité pourrait bien être celle que je cherche. Tu m'accompagnes. N'oublie pas de prendre des notes. Comme ça se trouve dans une galaxie très éloignée, je ne peux pas utiliser l'énergie de votre Soleil pour nous y transporter. La Terre ne survivrait pas aux orages magnétiques que ça provoquerait. J'ai repéré un passage, un de ces trous de ver. On commence par là.

Dans l'état de fatigue où je me trouve, la perspective d'un voyage à l'autre bout de l'univers ne me plaît guère.

— On ne peut pas remettre ça à demain ? que je lui demande.

J'ai droit à un regard sombre.

— Ce n'est pas que je sois pressée, mais quand on est immortelle, chercher importe plus que de trouver. Tu m'accompagnes ou tu ne reviens plus. Algol ! Logla ! Venez, on va faire un tour.

Nous voilà dehors et en hiver dans cette ville où les saisons arrivent souvent sans s'annoncer. Il vente tellement qu'on ne s'entend plus penser, Stella et moi. Je m'accroche aux parcomètres pour ne pas glisser sur la neige qui colle au sol. Les monstres, qui n'ont aucune fierté et peu d'affinité avec les machines à sous de la ville, n'hésitent pas à se mettre sur trois ou quatre pattes pour avancer. Il faut dire que les coups de fouet de leur maîtresse font beaucoup pour les convaincre de la pertinence de notre petite sortie nocturne et de l'importance relative de la station debout. Nous arrivons au bout de l'avenue du Mont-Royal, là où elle frappe le mur qui protège le chemin de fer du Canadien Pacifique des automobiles et des intrus de tous poils. Les démons ont les pattes gelées, des glaçons se sont formés entre leurs ergots poilus, ils n'arrêtent pas de se lamenter. Algol n'en peut plus. Tous les dix pas, il sautille en rugissant, les babines retroussées. Stella finit par lui asséner une claque bien sentie derrière la tête et son beau rugissement se transforme en chuintement.

— Courage, mes chéris. Ce ne sera plus très long.

Nous tournons à droite dans la rue Fullum qui longe le mur bordé d'arbres. Stella nous entraîne vers un grand orme presque appuyé sur le rempart de béton. Les ogres se font prier, mais la vue du fouet qu'on leur agite sous le nez a raison de leurs hésitations. Je suis curieux, il est énorme, l'orme. Et rare, unique. Je croyais que la maladie hollandaise les avait éradiqués, les ormes. Derrière le tronc que je caresse, engoncée dans le ciment, il y a une porte de métal que Stella n'a aucune difficulté à ouvrir. Nous entrons.

— Vite, vite, les monstres. Que personne ne nous voie !

Complètement gelées, les bêtes ne se font pas prier. De l'autre côté, Stella balaye le noir avec sa lampe de poche. Il y a partout des piles de rails figés dans la rouille, les toiles d'araignée et les filaments de poussière. Le plancher est jonché de crottes de rats. Une pièce carrée, des murs de pierre noircis avec des fils nus qui serpentent dessus.

— Il doit y avoir l'électricité, dit Stella en suivant les fils avec sa lampe.

Un interrupteur, et hop ! lumière. Deux ampoules au plafond, une seule qui fonctionne, pas très forte. Au fond, le trou d'une ouverture sans porte. Stella s'en approche et y dirige la lumière de sa torche qui révèle un passage en pente, une sorte de tunnel. Les monstres sautillent, les doigts sous leurs aisselles velues, pour se réchauffer.

— On me suit, les démons, et sans rouspéter ! lance notre maîtresse à tous en s'engageant dans le conduit.

Tout à coup, je me sens inclus dans sa famille d'esclaves demeurés. À vrai dire, au moment même où cette vérité me rattrape comme une illumination avec le sursaut d'angoisse qui l'accompagne, j'entends sa voix qui se superpose à la mienne :

— Tu réfléchiras plus tard, Terrien. En attendant, prends des notes.

Nous la suivons en nous marchant sur les talons, rassemblés par notre peur atavique du noir. Soudain, après quelques mètres, nous voilà tous pris d'un grand vertige qui nous assourdit autant qu'il nous transporte, car nous ne touchons plus terre et ne voyons que des milliards de traces lumineuses qui virevoltent dans toutes les directions. Puis tout se calme et nous flottons dans l'espace au-dessus d'un immense cumulus multicolore que percent ici et là des étoiles aux contours diffus.

« Une nébuleuse, je survole une nébuleuse… »

— Profite bien de cette vision, nous ne faisons que passer, me dit Stella en écho à cette pensée. Et n'oublie pas de me décrire tes impressions. Je veux tout savoir.

Hallucinant spectacle que ce nuage tourmenté qui s'étend sur des dizaines d'années-lumière. On dirait un visage tordu par la peur, la bouche distendue par un hurlement sans fin d'où jaillissent, crachées par l'horreur, des flammes qui engloutissent le ciel entier. Mais ici, tout se déroule à l'échelle cosmique et ces jets de gaz incandescents semblent si lents à faire leur œuvre qu'ils nous paraissent figés, tendus vers leurs proies pour l'éternité.

La gueule du diable, cette nébuleuse est la gueule du malin, toute prête à vous avaler l'univers par le grand trou béant qu'elle cache en son milieu, un gouffre goulu et sans fin s'effondrant sur lui-même, avaleur d'étoiles et un jour de galaxies, un monstre qui se gonfle du courage de ses victimes, une horreur créatrice de néant : c'est Mira qui m'attire par ses ruses dans son antre, où je laisse chaque fois un peu plus de moi-même ; c'est Stella qui me nargue et me déconstruit.

Puis le tourbillon revient nous emporter. Nous hurlons tous de concert, mais avant que nous puissions reprendre haleine, nous sommes de nouveau debout, l'esprit dans le bon sens, plantés comme des cactus au milieu d'un désert gris qui n'en contient aucun et rien d'autre du reste. Et là-haut, trois immenses soleils bleus emplissent le ciel et inondent tout d'une lumière si forte que nous devons presque fermer les yeux. Il fait chaud, même très chaud.

Je ne cache pas mon émerveillement. Les deux nains sont pétrifiés. Leur maîtresse elle-même semble appréhender je ne sais quoi.

Soudain, un grand jet de gaz enflammé jaillit de l'étoile la plus haute et décrit un arc vers un coin du ciel, juste au-dessus de l'horizon, où il disparaît dans une explosion de gerbes qui s'évanouissent presque aussitôt.

— Regarde ! dit Stella, alors qu'Algol et Logla se battent à ses pieds pour le privilège de recevoir le réconfort de la main qu'elle promène distraitement de l'un à l'autre.

Au point d'impact, le ciel échappe à l'extrême luminosité ambiante, comme si la nue, à cet endroit seul, était envahie par la nuit.

— Le trou noir ! dis-je.

Maintenant, le sol tremble sous nos pieds et la planète craque de toutes parts alors que dans le firmament deux des soleils bleus se déforment et s'étirent jusqu'à laisser à leur tour une partie de leur surface gazeuse rejoindre l'abîme insatiable.

Les monstres, catatoniques, sont accrochés aux jambes de Stella, que ce cataclysme ne paraît pas émouvoir outre mesure. Moi, je me dis qu'il y a des façons beaucoup moins originales de passer de vie à trépas, que ce n'est pas tout le monde qui a la chance de crever en s'aplatissant sur la singularité d'un trou noir, surtout s'il est bien, comme le croit Stella, à l'origine de tout, celui par qui les big bang arrivent et repartent. Mais ma déesse interrompt cette réflexion réconfortante :

— Ce n'est pas ici. Pas assez massif. Je suis à peu près convaincue maintenant que celui que je cherche doit l'être tellement — plusieurs trillions de masses solaires au moins — que sa singularité se situe en dehors de l'espace et du temps, n'obéit plus à aucune règle de la physique. Pas au beau milieu d'une galaxie, comme celui-ci et tous ceux que j'ai visités en vain jusqu'à présent.

— Je ne comprends pas.

— Devrais-je m'en étonner ? réplique-t-elle avec mépris. Pour simplifier, disons que je crois que la singularité que je recherche a atteint une masse si considérable que toute sa matière s'est transformée en énergie pure. Je pense que je pourrais « l'habiter », comme j'ai pu m'incarner dans ce corps. Lui donner ma conscience, si tu préfères. Maintenant, foutons le camp…

Je me réveille dans son lit, tout habillé, au milieu de ses petites horreurs pétantes et ronflantes, complètement paumé, et sans comprendre ce que j'y fais. J'enjambe les jumeaux qui dorment par terre devant la porte. Je cherche Stella, mais elle est introuvable. J'attrape mon manteau et je file. Il a dû faire un temps magnifique, la neige de la veille a fondu sous la caresse assassine du soleil qui s'apprête à disparaître au nord de la ville. Montréal est la seule ville au monde où le soleil se couche au nord. Une bizarrerie attribuable à l'orientation plus qu'approximative des rues. Mais peu importe que leur nord soit à l'ouest, les piétons foncent sur les trottoirs, tête baissée. Comme dans toutes les grandes villes à l'heure de pointe, ils traversent aux feux rouges en ignorant les automobiles qui klaxonnent en zigzaguant. Tout le monde est pressé de récupérer les enfants à la garderie, de rentrer, de tomber le complet ou le bleu de travail, de préparer le repas, bref, d'expédier tout l'ordinaire de la vie qu'il faut se taper pour la vivre convenablement, puis de profiter enfin des quelques minutes de véritable repos qui restent, devant la télé, avec un livre ou dans son bain, avant de se réfugier corps et âme dans le sommeil pas toujours salutaire. Certains appellent ça le sommeil du juste ; pour ceux qui ne le sont pas, c'est le repos du guerrier.

Mes pas m'ont ramené chez Mira. Je frappe avant de me rappeler que c'est aussi chez moi. La porte s'ouvre et elle me saute au cou. Cette spontanéité ! Quelle comédienne... Comme si aucune inquiétude ne l'avait habitée pendant ces dernières vingt-quatre heures. C'est peut-être bien le cas d'ailleurs. Je la laisse me câliner un peu, me serrer dans ses bras. Je joue le jeu, j'ai besoin de chaleur et j'ai faim. Derrière la porte du vestibule, j'entrevois une paire de jambes qui dépassent du divan dans le salon.

— Tiens, Gaudin est encore là...

Mira ma Mira ne s'en excuse pas le moins du monde.

— Il me tient compagnie. Tu me fais la vie dure, Jérôme. Tu sais que je n'aime pas être seule. Comme ça, nous sommes deux à nous inquiéter pour toi.

Je m'esclaffe.

— Gaudin s'inquiète de mon sort ? C'est la meilleure.

— Allons, Jérôme. C'est ton ami. Il t'estime beaucoup.

— De qui est-il l'ami ? De Jérôme ou de l'écrivain ?

— Des deux, mon fou d'amour, qui sont une seule et indissociable personne, dit-elle en se moquant.

Je suis malade de Mira, sa vue m'aveugle, m'affole, m'est insupportable, mais pas autant que l'image où elle paraît aux côtés de Gaudin, qui se lève pour m'accueillir dans mon salon avant de déguerpir, son devoir accompli, quel qu'il soit.

Maintenant, nous sommes seuls et elle emplit mon champ de vision, peu importe où je pose le regard. Toute cette horrible harmonie, cette délicatesse à faire pleurer, cette atroce splendeur m'est insoutenable. Je me dis qu'elle finira par m'avoir, mais elle m'a déjà et elle ne sait que faire de moi. Voilà la vérité toute nue, qui est beaucoup moins intéressante que Mira dans le même état.

— Ce type a déjà payé pour te baiser, Mira ! Et aujourd'hui, c'est ton meilleur ami du monde ?

— Arrête !

— Il s'en est pourtant vanté, dans le temps.

— Une fanfaronnade de soûlaud. Tu sais bien que ce n'est pas vrai, vous veniez toujours ensemble me reluquer à *La Planète*. Aussi vicieux que les autres, mais pas des écœurants, pas du genre à profiter d'une pauvre junkie en train de se tuer. La preuve, mon fou d'amour, c'est que tu m'as sortie de là au lieu de me sauter.

— Tu nous avais rendus fous raide à force de te trémousser à poil sous nos yeux. Moi, je voyais ton âme à travers ta peau, et toute la souffrance qui l'habitait me rendait catatonique, mais lui ne voyait que ton corps, ton cul surtout, et il en a eu assez de regarder, il est passé des yeux aux actes. Et ne viens pas me dire que tu t'en souviens, tu étais gelée en permanence, tu ne savais même plus comment respirer.

— Arrête ! Arrête de m'inventer des vieux malheurs, maudit méchant. J'en ai déjà plein la tête des vrais. Phil est ton ami, c'est pour ça qu'il se fait du souci pour moi. Et il est toujours très correct.

— Belle naïveté...

Je la connais, elle est au bord des larmes et je m'en veux déjà de l'y avoir amenée. Je l'aime tellement...

— Qu'est-ce donc qui nous unit, Mira, petite Mira ? Par quelle magie une merveille de ton genre peut-elle ressentir de l'attirance, du désir, de l'amour pour un vieil obsessif introverti comme moi ? Cette chose, ces liens, sont-ils profonds ? serrés ? tendus ? ou simplement difficiles ? Cette attraction que tu m'assures réciproque, est-ce bien de l'amour ? Et cet espoir dans lequel j'investis, en serai-je payé de retour, Mira ma Mira ? Ou me trahira-t-il comme je l'imagine si facilement quand je te vois jouer à copain-maillard avec Gaudin ou trimballer cette grâce inique par son unicité sous tous ces regards qui te volent à moi morceau par morceau chaque fois qu'ils se posent sur toi ?

Je ne sais plus où aller ni avec qui pour trouver des réponses, pour échapper à son souffle, dans quelle folie, dans quel pays, avec quelle déesse, avec quelle bougresse. Mira me regarde de travers, et ce coup d'œil oblique me fait fondre encore plus sûrement que lorsqu'elle plonge carrément dans mes yeux. Cela lui donne un petit air de vice, une petite allure salace qui est une invite en soi.

— Viens donc faire un tour par là, épais d'amour. On va bien voir si l'espoir te paye de retour ou s'il te trahit.

J'accompagne ma femme de glace dans sa chambre froide où elle me joue encore l'amour sur tous les tons pour me faire croire qu'elle est polyvalente et polyglotte dans la jouissance, que l'amour qu'elle me porte la porte aux nues, celles-là même où Stella m'entraîne et m'en fait voir de toutes les couleurs et de toutes les formes. Au moins, elle joue bien, assez pour que je croie une seconde que nous vibrons au diapason, que nous avançons vraiment sur le même sentier, que ses cris sont des hoquets d'extase émanant d'un frémissement bien réel qui s'accorde au mien, pas des sanglots aigris transportés par quelque affligeant friselis.

Mais au bout de la seconde, l'illusion se dissipe. Et je ne me retrouve pas dans les yeux désespérants de tendresse que cet ange pose sur moi.

Chapitre 4

Algol. Couple stellaire variable formé d'une étoile blanche et d'une géante rouge dans la constellation de Persée. D'un mot arabe qui signifie « démon ».

La Voie lactée a provoqué une émeute à Los Angeles. Surpris par un ciel sans smog et sans lumière, les gens ont cru à une attaque au gaz en observant la traînée blanche de leur galaxie. Ils sont comme des rats qui sortent de leur trou pour la première fois. Ils font deux pas, ils regardent en l'air et ils rentrent vite se terrer chez eux.

Les frasques du Soleil foutent le bordel partout. Des trains entrent en collision, des avions sont déroutés, les transports publics, perturbés. Les entreprises fonctionnent rarement deux jours de suite. Les réseaux ne savent plus à quelles technologies se vouer, ni les églises à quels saints, les scientifiques ne comprennent rien à ce qui se passe. Même le *New York Times* ne sait plus qui blâmer.

Mais ça n'empêche pas l'avion pour l'Abitibi de voler dans un ciel sans nuages, et sans aurores pour une fois, un ciel débordant d'étoiles que je connais presque toutes par leur prénom : Alcyone, Capella, Deneb, Mirach, et Menkar qui habite le ventre de la Baleine comme Mira, le Jonas indigeste que le monstre m'a régurgité sur les pieds, mais qui m'est plutôt tombé sur le cœur, Mira qui m'a mis quasi de force dans cet avion rempli d'éditeurs roublards, de littérateurs affairés et d'écrivains tellement en mal de public qu'ils viennent le chercher dans cette Sibérie où les villes portent les noms des multinationales qui l'assassinent ou des mines qui lui bouffent le ventre: Noranda, McWatters, Bourlamaque, Normétal... Une immensité d'épinettes, de lacs et de rivières, aplatie et scarifiée par les glaciers, molestée par les suceurs de cuivre, les chasseurs d'or et les mâcheurs de bois, où des réfugiés venus du sud planter leur misère ont réussi à faire pousser une vie pour leurs enfants malgré juste deux mois d'été.

« Des gens vivent ici », me dis-je avec étonnement en regardant défiler par le hublot les quelques lumières des hameaux qui percent ici et là la forêt sans fin. La vie nous place bien là où elle le veut, fait bien de nous ce qu'il lui plaît. Ici, des bûcherons, des mineurs, des fermiers, ailleurs, des pêcheurs, des financiers, des ouvriers. Tout ce qu'il faut pour faire et défaire un monde.

Et moi, j'écris des romans avec des mots puisés sur le miroir de ces yeux que j'ai ouverts si grand jadis qu'ils ne se sont plus jamais refermés depuis, des mots qui s'y sont imprimés à force de temps comme autant de galaxies sur le miroir de Hubble, des mots imprononçables qui font des bulles à la surface de mon esprit et s'agglutinent en écume à la commissure de ma cervelle. Des bouquins qui font crier au génie presque par habitude, mais qu'on lit de moins en moins. Maurice a raison, le salaud. J'arrive au bout de mon dictionnaire.

Je les envie, tous ces Abitibiens que la routine ne tue pas et qui se satisfont pleinement de répéter les mêmes gestes pour tirer leur pain du sol, de faire pousser l'orge ou l'avoine, les moutons ou les bœufs, les émeus et leurs œufs, ces fermiers aux grosses mains calleuses que mon écriture émeut. Il ne viendrait à l'esprit de personne de leur reprocher l'homogénéité de leur récolte, la similitude des grains année après année, les mêmes vaches, le même lait. Et moi, il faudrait que chaque fois j'invente une histoire différente ? avec des mots nouveaux ? des émotions qui coupent des souffles inconnus ?

Mira comprend tout, rien qu'à me regarder souffrir d'écrire. Elle s'en fout que je sois écrivain ou plombier, notaire ou cheval de course. En tout cas, elle le répète souvent. Et que je n'ai qu'un mot à dire pour changer de vie, un geste à faire pour changer de métier, de carrière, de monde ou de tête, qu'elle me fera vivre si ça me chante. Elle feint chaque fois d'ignorer qu'elle le fait déjà.

— Veux-tu qu'on parte, mon fou d'amour, qu'on disparaisse ni vus ni connus pour toujours, sur une île perdue au fond du Pacifique ou de l'océan Indien ? Un endroit de Papous qui ne veulent rien savoir de savoir que le monde existe au bout de la mer, une place de coucous et de cocos où tu te sentirais chez toi ? On vendrait tout, on viderait nos marges de crédit, on remplirait nos cartes, on changerait de noms pour se cacher et on vivrait tranquilles jusqu'à la fin de nos vieux jours. Veux-tu veux-tu ?

Je ne demande que ça, elle le sait bien, Mira qui s'imagine que je ne comprends jamais rien à son jeu et veut me faire croire qu'elle se dégèlerait pour de vrai dans les bouts du monde où le soleil brille sans dérougir, qu'elle cesserait de jouer à l'amoureuse en transe parce que la chaleur des tropiques et le sable brûlant sur lequel nous ferions l'amour et la vie suffiraient à la transir.

— J'aimerais mieux me fixer, si tu n'y vois pas d'inconvénient, arriver quelque part, je suis un peu fatigué de partir, si tu ne vois pas ce que je veux dire…

Le Dash-8 s'est posé à Rouyn-Noranda. La responsable du Salon nous attend à la sortie de la petite aérogare, devant la porte du bus qui doit nous conduire à La Sarre. Une dame Laverdure, jolie rousse dans la quarantaine, aimable et avenante, enjouée même, heureuse à l'évidence de se trouver au milieu de tous ces auteurs et célébrités qu'elle découvre à mesure qu'ils grimpent dans l'autocar. Il y a bien là une demi-douzaine de légendes ou de romanciers établis et au moins autant de jeunes écrivains à la mode, les éditeurs, les critiques, les journalistes... Je me rends compte que j'ai volé durant deux heures avec eux sans leur prêter la moindre attention. Rien pour améliorer mon image de sauvage.

— Tiens, Bérulier a emmené sa Myrtille, dis-je à Gaudin, qui ne me lâche pas d'une semelle. Et là, c'est Bourne ? Je le croyais en Afrique...

— Bon sang, Jérôme. Il était assis juste devant toi !

Je n'ai pas le choix de saluer tous ces collègues en filant vers le fond du car. Ils sont si mutins, on dirait une troupe de scouts au départ d'une grande excursion. Notre hôte fait les frais de leurs innombrables taquineries. Ils veulent tout savoir sur La Sarre. S'il y a autre chose que des mouches et des épinettes, des orignaux et des truites. Comme des restos, des bars, des femmes. Il y a tout ça, les rassure Dame Laverdure. Elle ajoute que le Salon se tient dans le gymnase et la cafétéria attenante de l'école secondaire transformés pour l'occasion en salle d'exposition, qu'on a prévu une pièce tranquille où les invités pourront se reposer, boire et goûter les spécialités du pays, se laisser tenter par un cidre de glace ou un bleuet au chocolat, et tâter par les masseurs locaux les raideurs héritées des longues séances d'autographes inscrites à leur programme.

— En arrivant au motel, vous recevrez l'horaire de vos activités et la clé de votre chambre, un plan de la ville et quelques adresses utiles. L'école se trouve à cinq minutes de marche, mais il y a aussi une navette. Nous serons là dans une heure.

— Quoi ? Encore une heure ! s'exclame Bérulier sans prendre la peine de cacher sa mauvaise humeur.

Un peu plus qu'une heure de route en fait, à travers des forêts plongées dans une nuit comme on n'en voit plus en ville, sauf lorsque Stella débarque en allumant le ciel, une heure de conversations forcées avec tout un chacun qui vient prendre de mes nouvelles, sans doute à la demande de Gaudin, très appliqué dans son rôle d'ange gardien et de soutien de mon moral, et qui me garde à vue dans le coin de son œil.

— Tu pourrais me lâcher un peu, que je finis par lui dire. Je ne vais pas sauter par la fenêtre. Je ne mordrai personne non plus, promis.

Il hausse les épaules. Gaudin est le champion du haussement d'épaules. Un souci l'accable : hop ! un petit coup simultané des deux trapèzes et on n'en parle plus. Gaudin a beau chercher, il est rare qu'il trouve à s'en faire.

— Au fait, qu'est-ce que tu viens foutre à La Sarre, Phil ?

— Mon livre, tu le sais bien !

— Ah ! Oui, oui…

Je l'ai vexé. Il se lève sans me regarder et va bouder un peu plus loin. Je n'ai jamais pris au sérieux ces machins qu'il écrit avec l'application d'un moine, des pages et des pages toutes plus barbantes les unes que les autres sur la versification des grands auteurs dramatiques du passé.

C'est au tour de Bert Bourne de venir me faire sa petite visite. Au moins, celui-là, je suis convaincu que ses civilités sont sincères. Nous nous sommes sympathiques. Cela ne s'explique pas. D'autant que je n'ai aucune raison de l'aimer. C'est un grand écrivain, et en plus il écrit sans douleur ni passion, l'enfoiré. Il est le fils d'un ami intime d'un ex-grand premier ministre qui le considérait comme son propre fils. Ou peut-être simplement du premier ministre lui-même, qui partageait avec son ami de longue date bien des choses, y compris sa femme de tête. En fait, il ressemble plus au très honorable qu'à son père, alors tout le monde suppute et doute. Il est l'objet des rumeurs les plus folles qui n'en sont peut-être pas. Moi, je m'en balance et lui, s'en amuse. Mais il y a quand même des imbéciles, qui détestaient le premier ministre, pour lui tenir rigueur de son code génétique suspect. Si je n'étais pas si jaloux, je ne tarirais pas d'éloges pour ce foutu monstre et je crierais au génie.

— Alors, Jérôme, tu es toujours avec ce trou du cul de Bérulier ?

— C'est un bon éditeur. Enfin, je crois…

Ces deux-là se détestent cordialement. Rien de professionnel, juste personnel. Ça ne s'explique pas, une antipathie naturelle comme on dit, autant que l'est notre affection réciproque. Bourne ne rate jamais une occasion de descendre en flammes le cher Maurice et de l'affronter. Il est fidèle à ses inimitiés.

— Tu mérites mieux, mon vieux. Cette ordure est aussi douée pour l'édition qu'un vendeur de balais. C'est aussi un voleur, à ce qu'on dit. Tu devrais te méfier. Il paraît qu'il triche sur les ventes de ses auteurs.

Je n'ai pas besoin de ces nouveaux motifs d'inquiétude apportés si gracieusement. J'ai l'esprit ailleurs et veux très fort qu'il y reste. Quelque part entre Stella des Étoiles et Mira ma Mirifique.

— Tu dis n'importe quoi, Bourne. Ta haine t'aveugle.

J'ai vite déterré Baudelaire pour lui rappeler ses *Conseils aux jeunes littérateurs*. Bourne ne les a pas lus, j'en suis certain. Les jeunes littérateurs d'aujourd'hui ne puisent pas à la sagesse des autres siècles.

— Il disait qu'en amour comme en littérature les sympathies sont involontaires. Et inexplicables, Bert. Nous en sommes la preuve, non ? Qu'il est donc inutile de forcer l'admiration. Et qu'il en va de même pour les inimitiés : il dit que la haine qu'elles engendrent est un poison, et je cite : « fait avec notre sang, notre santé, notre sommeil et les deux tiers de notre amour ». Il en concluait qu'il valait mieux réserver son ardeur pour ceux que nous détestons sérieusement.

Bourne ne trouve là que matière à nourrir son exécration.

— Mais j'abhorre ce type avec la plus grande componction. Tu ne peux pas imaginer l'horripilation que je ressens à sa vue, à son contact. Non seulement je le déteste parce que je suis convaincu que c'est une crapule, mais je suis allergique à sa personne. C'est physique, tu saisis ? Je ne tolère rien de ce qu'il fait ou dit. J'ai envie de le cogner chaque fois qu'il ouvre la bouche. Tu crois que ça me plaît ? que je n'ai pas mieux à faire que haïr cette pourriture ?

— Fais-en un roman, il a l'air de drôlement t'inspirer. En attendant, laisse-moi tranquille, il faut que je pense à quelqu'un, dis-je en sortant mon calepin et mon crayon.

— Tu as quelque chose en marche ?

— Si on veut.

Il comprend et s'esquive en me faisant promettre qu'on bouffera ensemble avant la fin du Salon.

On a fini par arriver, c'était inéluctable, surtout pour un si petit bout du monde. Comparée à ces confins auxquels m'a habitué Stella, l'Abitibi, c'est la porte à côté. J'ai pris la clé que m'a remise Dame Laverdure et annoncé à Gaudin pour m'en débarrasser que j'allais me coucher illico. J'étais impatient de profiter du ciel profond de ce coin perdu pour rejoindre ma chasseresse de trous noirs. Elle était là, quelque part, il n'y avait qu'à lever les yeux assez haut pour la trouver. J'ai vidé ma valise et rangé mes affaires avant de sortir, me suis assuré que personne ne flânait dans le parking sur lequel donnait ma chambre, comme toutes les autres chambres du Motel La Sarre, trente-quatre cabines alignées sur deux étages, paquebot sombre au mouillage sur une mer d'asphalte.

J'ai marché dans les rues désertes — pas longtemps, quelques minutes à peine, les rues ne sont pas longues ici —, jusqu'à ce que je débouche dans une clairière enneigée, un champ de ferme en jachère sans doute, dominant un lac aussi noir que les yeux de Mira, une eau aussi profonde que le ciel où se mirent toutes les étoiles de la nuit comme dans le miroir d'un gigantesque télescope. Je me suis étendu sous la voûte et j'ai fermé les yeux pour échapper au vertige.

Maintenant, je sens les herbes hautes à travers la neige m'envelopper d'un cocon si serré que je respire avec peine, et me voilà soulevé comme une offrande à l'intolérable nuée. Je suis déjà ailleurs, projeté dans ma capsule végétale à travers plus de mondes que je ne saurais jamais en imaginer en un million d'éternités. Et je pense, voyant défiler les étoiles et les galaxies, à ceux qui s'inventent des thèses toujours plus complexes et plus éloignées des lois de la physique (qui n'expliquent pas l'essentiel, rien en fin de compte, ni le début ni la fin), des théories séduisantes mais pleines de flatulences comme cette dernière en vogue qu'on appelle «inflationniste» et qui veut que l'univers observable — une centaine de milliards de galaxies — ne constitue qu'une infime fraction de l'univers réel. Une conception qui se mêle d'imaginer l'univers avant l'univers, ou plutôt l'univers avant son apparition: une période d'inflation durant laquelle il n'y avait pas encore de matière et donc pas de lois de la physique et pas d'Einstein, ni de théorie de la relativité, ni ces conneries à propos de la vitesse de la lumière que rien ne peut dépasser. Et alors ce qu'il y avait s'est gonflé si vite que la lumière ne serait apparue que trois cent mille ans après l'explosion primordiale, que cette inflation aurait à son terme entraîné des multitudes d'explosions nouvelles, chacune accouchant de son univers. Et c'est pourquoi le macrocosme apparent n'est qu'une partie infinitésimale de l'univers véritable. Une vision de poète égaré comme moi du côté de la raison, du sens déroutant et non de la sensation familière, une vue ne tenant compte d'aucune de ces barbantes lois de la physique, ni de la relativité, ni de la mécanique quantique et encore moins du modèle standard de la physique des particules qui ne fournissent ensemble qu'une seule explication *logique* à l'origine de l'univers : au début, il y avait un point de densité infinie, une singularité qui explosa pour donner naissance à la gravitation, au temps et à toutes les autres règles qui régissent les comportements de l'énergie et de la matière. D'où le big bang badaboum.

Et je m'émerveille, m'exalte et me transporte autant que je m'insurge de mon ignorance parce que je n'arriverai jamais à comprendre, et je ne saurai jamais rien de plus que ce que je sais déjà, soit qu'avant le début il n'y avait rien, et qu'après des poussières furent, des merdes et des gaz agglutinés qui se sont mis à chauffer. Alors tout a pété et de ce foutu bordel sont nées les galaxies et tout le bataclan d'astres et de trucs dont je suis la fin, celle qui justifie aujourd'hui mes moyens d'écrivain. Alors voilà, avant il n'y avait rien, et maintenant il y a tout, et tout mène à ma personne, à mon œuvre, à ma dernière phrase, à mon dernier mot qui n'est jamais que le précédent de celui qui suit, et quand je ne serai plus là, j'aurai mis la main à la pâte, injecté ma semence dans ce merdier excessif, j'aurai mis mon fil à la patte de Dieu, et d'autres viendront pour le suivre. Alors, peut-être bien que Stella et ses semblables finiront par trouver leur singularité première, ou peut-être que non et qu'ils découvriront qu'après la fin c'est comme avant le début, qu'un prélude en *si* majeur, si, si et toujours ces si qui nous laissent en plan dans l'éternel recommencement de tout et de rien.

J'entends Stella, invisible mais omniprésente, me dire d'arrêter de m'en faire, qu'on ne peut pas tout savoir, qu'il est beaucoup plus important de vivre que de comprendre, surtout lorsqu'on est aussi mortel que je le suis, que je ne devrais pas perdre mon temps à me gâcher la vie, que même pour elle qui les a toutes devant soi, les vies, ce qui compte, c'est la quête, pas l'objet de la quête, même s'il en détermine la qualité.

— L'univers sera ce que tu voudras qu'il soit, comme je suis, moi, comme tu me fais et me vois…

Et elle devrait aussi se trouver là où je la souhaiterais. Pour mon malheur, je la trimballe partout, quand ce n'est pas elle qui m'envahit, sans me demander mon avis du reste. Pourquoi ai-je le sentiment persistant qu'elle finira mal, tout éternelle soit-elle ? qu'elle se retrouvera déchet parmi les déchues, dans un hospice pour déesses flétries tirées des caniveaux de paradis dévastés ?

Elle m'apparaît sur fond de nébuleuse pour me reprocher ma vision, son beau, son dur visage penché sur le mien alors que je navigue toujours dans ma gangue végétale à une vitesse qui aurait rendu fou Einstein et bancales ses théories de génie.

— Tu peux bien m'imaginer la fin que tu voudras, dit-elle. Tu oublies qu'il n'y en a pas pour un pur esprit.

N'empêche qu'elle n'aime pas ce sort que mon imagination lui réserve. Cela la chamboule de se voir, à travers ma pensée, vieille et décrépite, incapable et fragile, incompétente…

— Mais, Stella, tu pleures ?

— Pleurer ?

— Oui, cette eau, là, qui coule de tes yeux sur tes joues. Ce sont des larmes. La plupart du temps, elles sont provoquées par les émotions qu'on ressent. Tu es triste ?

— Triste ?

— Oui. La tristesse est une de ces émotions, une sensation qui s'empare de nos pensées lorsqu'on éprouve certaines contrariétés, en particulier celles qui nous touchent personnellement. Comme une sorte de blessure de l'âme.

— Ah ! oui. L'âme… C'est vif et désagréable. Je n'aime pas ça.

— Personne n'aime ça…

Je l'entends ravaler ses sanglots, mais elle ne réussit pas à réprimer son émoi et des larmes continuent de lui mouiller les joues. Stella de la Vierge est plus troublée par son trouble que par ce qui l'a provoqué. Je l'observe, cela l'agace, elle disparaît dans un tel fracas que la nébuleuse autour se vaporise et que j'en suis secoué comme une feuille dans une tornade, un grain de sable dans un raz de marée, un…

— Jérôme ! Jérôme ! Réveille-toi, nom de Dieu ! Tu vas crever de froid.

Le paysage change. Soudain, je suis de retour dans mon champ, au bord du lac. « Mon champ de visions… », m'entends-je penser. Et à genoux, à mes côtés, Gaudin me secoue comme un pommier.

— Merde, Jérôme, ce n'est pas la plage ici, mon vieux, c'est l'Abitibi. Et en novembre en plus. Qu'est-ce que tu fabriquais ?

— Comme d'habitude. J'essayais d'exister. J'y mets tous mes efforts, tu ne te rappelles pas ?

— Arrête tes conneries, Jérôme. Regarde-toi : tu es transi, tu trembles et tes lèvres sont toutes bleues !

Il me raccompagne au motel, jusqu'à ma chambre en fait. Et il reste sur le pas de la porte tandis que je me déshabille, ce que je trouve un rien intimidant et tout aussi inhabituel.

— Qu'est-ce que tu attends ? Tu veux me border ?

Un haussement d'épaules. Puis :

— Bonne nuit…

Mais il met un temps fou à tourner les talons. M'énerve, le Gaudin !

— Quoi ? Qu'est-ce que tu as ?

— Rien, rien…

Mais je vois bien que ça le travaille. Il va rester là jusqu'à demain si je ne l'aide pas à cracher le morceau.

— Allez, mon vieux, accouche ! On n'a pas toute la nuit. Fais un effort !

Il l'a fait, son effort. C'est sorti comme un crachat. Visqueux, gluant.

— Mira, tu l'as déjà trompée ?

— Qu'est-ce que ça peut bien te foutre ?

En réalité, je sais très bien ce que ça peut lui foutre. Bizarre que le chat Gaudin ait choisi le fin fond du Québec pour sortir de son cul-de-sac ! Il serait trop heureux que je lui confesse mes infidélités et lui donne le prétexte de sauter la clôture et ma femme par la même occasion.

— Elle est si…

— Tu m'énerves ! que je lui crie en remontant mon pantalon que je venais de baisser. Je n'ai pas besoin que tu me la décrives, je sais très bien comment elle est ! Rentre donc dans ton sac à malice, espèce de matou frustré. Gare à tes vibrisses ! Si jamais je te surprends à miauler sous ses fenêtres, je te les arrache une par une. Déjà que mon fauteuil commence à s'imprégner de ton odeur ! Tu es toujours chez moi quand je n'y suis pas.

— Calme-toi, Jérôme. Je n'aurais pas dû te demander ça. Excuse-moi.

Il va partir, mais je le rattrape. Je me demande bien pourquoi. Le doute, certainement, ce soupçon indélébile que j'entretiens dans un repli de mon âme, à l'égard de la réalité, de *ma* vision du monde, de ma vision…

— Attends, attends. Non, c'est moi. J'ai choisi de te faire confiance, au cas où ce serait toi, Mira et tous les autres qui auriez raison et la raison pour vous. Je n'en crois rien, mais tous ces psys m'ont convaincu de vous laisser le bénéfice du doute. Ça me convient, en fin de compte, je dois bien l'admettre. C'est, c'est… comme vivre deux vies en même temps, ma vie de fou et ma vie de sain, comme si j'avais deux esprits dans le crâne, un tordu et un tout droit, comme, comme…

Il me trouve agité, me redemande de me calmer.

— Tu devrais te coucher. On commence tôt demain matin…

Oui, et la journée sera longue, et il y aura tous ces gens avec lesquels je devrai être gentil, affable, et toutes ces conférences de mes brillants confrères, les entrevues, les séances de signature, et Bérulier et son sale caractère qui s'occupera de tous ses auteurs, de sa nouvelle coqueluche surtout, sa cocotte *bacillus bordettella,* une véritable infection celle-là, et à travers tout ce foutoir je devrai trouver du temps pour penser à Stella, du temps pour moi, tiens, peut-être pour remettre mon corps entre les mains des masseurs de Dame Laverdure, en fait, je préférerais une masseuse, ce n'est pas que je sois sexiste mais des mains de mec sur mon dos, ça me crispe, et le but d'un massage, c'est justement de se relaxer. Alors… Si j'avais le choix, c'est les mains de Mira que je voudrais sur mon dos sur ma peau, Mira Mira Mira…

— Jérôme ?

Gaudin est encore là à ne pas en revenir de me voir soudain tourner en rond comme un gorille en cage et tourner de l'œil comme un épileptique au bord de la crise. Je n'ai plus que Mira en tête, Mira ma Mira, ma Mira, Mira... Et finalement, je m'entends répondre :

— Au début, oui, ça m'est arrivé. J'étais jeune et trop plein de sève et même une Mira ne parvenait pas à me rassasier. Elle l'a vu tout de suite, je n'étais pas plus brillant qu'aujourd'hui pour dissimuler. Je la trompais parce que je l'aimais, elle l'a compris, pour ne pas lui imposer tous les trucs de bête qui m'allumaient et dont j'avais si peur qu'ils l'horripilent. Je l'aimais suffisamment pour aller pratiquer ces cochonneries-là avec d'autres. Il n'y avait pas de raison de me priver, de m'autoflageller, de vivre avec mes envies refoulées jusqu'à en éclater. Puis, en vieillissant, j'ai renoncé de plus en plus facilement à des fantasmes déjà assouvis. Aujourd'hui, je ne la trompe plus qu'avec mes personnages. Et là-dessus, je n'ai aucun contrôle. Comment te dire, cette fois, c'est moi qui suis leur fantasme, ils me possèdent, je suis à leur merci. Ils existent vraiment, tu sais ? Ne lève pas les yeux au ciel, Phil ! Ils sont aussi réels que Mira et toi. Ils entrent en contact par tous les moyens : ils débarquent dans mes rêves durant mon sommeil, ils forcent la porte de mon esprit en plein jour ou descendent du ciel portés par les aurores, ils m'imprègnent, m'envahissent. Et pas que moi, mon vieux, ils sont partout. Ne me regarde pas comme ça ! Je sais bien ce que tu te dis en ce moment : que je suis complètement cinglé, mais ça n'est pas une nouvelle, non ? que Mira est à plaindre, que je lui rends la vie impossible, qu'elle mérite mieux, un mec normal, équilibré, brillant, aimable et aimant, quelqu'un dans ton genre, n'est-ce pas ? Tu ne demanderais pas mieux, en fait, tu n'attends que ça depuis ce jour maudit où tu t'es payé cette femme en croyant que ton attirance pour elle disparaîtrait à jamais entre ses deux jambes et qu'il n'en resterait plus que le souvenir d'un coup décevant avec une top camée chancelante ; mais tu t'es fait avoir, mon vieux, elle vous a rendus patraques, ta queue et toi, et vous non plus n'en êtes jamais revenus de Mira, même si vous avez tout fait pour l'oublier : vous aviez tellement mieux à faire que de vous encombrer d'une pute à demi morte de peur, aussi délicieuse fût-elle, il y a tellement de belles fréquentations à soigner pour arriver là où il faut quand on a plus d'ambition que de cœur ! Et maintenant qu'elle est fréquentable, justement, respectable, établie, reconnue, que ça n'est plus la droguée qui aurait pu salir ta belle image et ton bon nom dans le temps où tu travaillais si fort à ton agrégation, à établir ta belle petite carrière d'intello brillant, bien mis et bien reçu, vous n'hésitez pas, ton outil et toi, à réveiller les vieux frissons et vous vous couchez tendus tout entiers vers le souvenir de cette douceur moite que vous lui avez prise pour trois malheureux sous jetés à sa si magnifique figure. Alors, je sais parfaitement que tu t'endors chaque soir en désirant très fort que mes esprits et mes monstres m'égarent pour de bon dans ces contrées du bout du ciel où ils m'entraînent. Et tu as raison d'espérer, car ils existent et ils m'en font voir de toutes les couleurs du spectre et bien au delà. Nierais-tu que la vie existe ailleurs que sur notre pauvre planète ? Pourrais-tu vraiment croire, si tu t'arrêtais à y réfléchir, que nous sommes ce qu'il y a de plus évolué, nous, pauvres êtres menés par la chair, faibles et mortels, amalgames de carbone putrescible, minables reptiles à peine sortis de l'âge de pierre, dans ces milliards de sextillions de mondes ? que rien de ce qui se trouve *là-dedans* ne pourrait entrer en contact ? C'est toi qui rêves, Phil.

Un haussement d'épaules et rien que de l'ennui sur son visage. Gaudin ne s'intéresse qu'aux écrits du passé, aux chefs-d'œuvre d'hier, à Corneille, à Racine, à tout ce vieux théâtre si prévisible avec ses sentiments usés et ses monstres surannés piqués au folklore de la Grèce antique.

Pas aux possibles, aux peut-être, aux si qui vous emportent ailleurs, vous font douter, vous émerveillent et vous effraient. Gaudin peut bien apprécier mon travail d'écrivain, ça ne l'empêche pas de garder les deux pieds sur terre, cloués au sol.

— Alors dis-moi, confidence pour confidence, tu te l'as refaite derrière mon dos ? Je veux dire depuis cette fois il y a longtemps où elle se vendait pour si peu et à n'importe qui ? Avoue-le donc, qu'elle te travaille toujours.

Là-dessus, il choisit de ne plus écouter et file en refermant la porte derrière lui. Et je peux enfin me coucher, revenir à ces moutons cosmiques que je comptais déjà mentalement quand je susurrais aux oreilles de Gaudin et souhaiter qu'ils me la ramènent avec ses démons sous ses jupes. Mais les moutons passent et elle n'arrive pas. M'aurait-elle oublié ? Déjà ? Elle serait repartie, ailleurs, laissant ici-bas sa progéniture bariolée et multiforme comme seule preuve de son passage, sans une pensée pour moi, sans un regret pour ce que nous avons vécu ? Rien en fait à l'échelle de sa vie éternelle, moins que rien. Et pourtant…

« Ce sont les souvenirs qui nous gardent en vie. Nos tout premiers nous mettent au monde, avec eux, notre conscience apparaît. Quand on commence à les perdre, c'est le début de la fin. »

J'aurais juré Mira, c'est son genre de trucs, ces grandes balivernes. C'est pourtant Stella qui a forcé mes paupières fermées. Je vois en gros plan ses lèvres charnues, étonnamment boudeuses étant donné la dureté du personnage, prononcer des mots remplis d'une nostalgie dont je ne l'aurais pas crue capable. Elle apprenait.

— J'ai plus de souvenirs qu'il n'y a d'étoiles dans l'univers. Et je n'en ai jamais assez. Quand j'aurai quitté ta vie, tu continueras de nourrir mon interminable existence.

Tu ne sais pas ta chance, mortel, de n'avoir qu'une vie devant toi. Moi, ma mémoire est remplie de cadavres, de civilisations éteintes et de mondes disparus.

Quoi, Stella qui envie les mortels ? Une éternelle en mal d'éphémère ?

— Tu t'emmerdes donc à ce point ou alors tu ne supportes plus tes innombrables deuils ? Écoute, Stella. La mort plonge les mortels dans une terreur infinie. Pourtant, la peur de mourir n'arrête personne de vivre. De même, l'Humanité de cessera pas d'évoluer parce que ses chances de survie dans l'univers sont quasi nulles, n'est-ce pas, Stella ? Je t'en prie, dis-moi que j'ai raison. Vous avez bien survécu, tes semblables et toi, à vos guerres, aux comètes, aux supernovæ, aux explosions gamma, aux invasions des barbares, à l'inexistence de l'Être Suprême ? Vous êtes presque devenus des dieux. La vie repose sur l'illusion de l'éternité, de notre pérennité individuelle et collective, sur l'espoir que nous sommes destinés à grandir sans fin, comme l'univers est censé être en expansion perpétuelle. Alors, je peux bien comprendre que lorsqu'on ne connaît pas la fin, qu'on est condamné à perpétuité, on puisse aspirer à la camarde, camarade korrigane…

Sous mes paupières, les lèvres refont la moue, me signifiant la faible considération qu'elle a pour ma métaphysique ou peu importe ce que c'est. Stella détourne le regard et la conversation. Elle dit qu'elle a déjà croisé des écrivains sur d'autres planètes, enfin des êtres qui inventaient des sortes d'histoires eux aussi, des auteurs à deux têtes hyperactifs et geignards qui pleuraient sur leur sort ou quelque chose du genre, un peu comme moi. Elle ajoute que les Humains n'ont pas le monopole de la créativité, que la plupart des êtres incarnés sont imaginatifs, que c'est pour ça que les purs esprits comme elles s'immiscent dans un corps de temps à autre, pour créer, ressentir, imaginer par chair interposée parce qu'eux, depuis qu'ils se sont libérés de la leur, ils ont perdu tout ce qui venait avec et qu'au fil des millénaires leurs souvenirs d'êtres charnels s'en sont allés avec les sensations.

— Stella, où as-tu trouvé ce corps ? À qui appartient-il ? À qui…

Les lèvres ont disparu et avec elles Stella Porrima. De drôles de lutins bleus l'ont remplacée et batifolent dans des champs de blé sous un ciel orange. À bien y regarder, ils n'ont pas l'air de s'amuser du tout. En fait, ils courent dans tous les sens pour échapper aux deux gnomes qui les pourchassent. Les ogres de Stella, babines au vent, crocs déployés… Les orgues de Staline, baba au sang, gros dévoyé… Les orques de Scylla, bédouine au champ, froc en papier…

❑

J'ai fait tout un plat parce qu'on ne voulait pas m'apporter mon petit-déjeuner à la chambre.

— Mais monsieur Letendre, c'est un motel ici, il n'y a pas de service aux chambres ! m'expliquait, désespéré, le type de la réception.

— Rien à foutre, rien à cirer, rien à branler ! Débrouillez-vous. Tenez, envoyez la femme de chambre…

Il a fini par accepter en m'assurant que mes œufs et mon bacon me coûteraient le double du prix habituel.

— Rien à foutre, rien à cirer…

— Et rien à branler, oui, je sais. Au miroir ou brouillés, vos œufs ?

— Cuits, ça ira. Avec des toasts et du café, merci.

La bonne-femme de chambre est arrivée avant que j'aie fini de me raser, mon plateau sur son petit chariot rempli de serviettes et d'articles de toilette. Elle a déposé mon repas sur le lit, sans même un petit salamalec de circonstance, et allait décamper quand je l'ai rattrapée.

— Y a plus de papier cul, mademoiselle. Vous rognez sur le papier cul ? Pourriez m'en laisser quelques rouleaux ?

— J'en ai mis deux hier matin, qu'elle dit en râlant, l'œil torve, vraiment pressée de déguerpir.

— Eh bien, laissez-en deux autres ! Vous croyez que tous les trous de culs sont configurés sur le modèle du vôtre ? de petits anus si serrés que les gaz vous montent à la tête ? Non, mademoiselle, quand vous aurez vécu ou vieilli un peu, vous comprendrez qu'avec l'âge les sphincters sont moins tendus, c'est comme le reste, sans compter que certains rectums sont déjà lâches de naissance. C'est pour ça qu'on traite les minus de trous de culs et…

Elle n'est pas restée pour entendre la suite de ma diatribe. La porte avait déjà claqué quand j'ai pris trois rouleaux sur la gueule. J'ai avalé mes œufs en pensant à Mira. Il y a deux soirs, elle a fait semblant de m'attendre. Quand je suis rentré, je l'ai trouvée endormie sur le divan, tout habillée, recroquevillée en position fœtale, le pouce sur les lèvres. Du coup, j'en ai eu les larmes aux yeux de la voir si innocente, puis je me suis rappelé quelle garce elle est, comment elle fait semblant même dans son sommeil, et joue toujours, de jour comme de nuit, pour mieux me tromper.

J'ai fait mine de la croire endormie et l'ai secouée comme si je la réveillais, pour voir à quel point elle voulait sauver les apparences. Je me suis étendu à ses côtés et j'ai commencé à lui tripoter les fesses en lui murmurant à l'oreille que j'étais fou de son cul. Et comme elle semblait toujours dormir, je l'ai pétrie plus fort et alors elle s'est réveillée ou elle a fait comme si, pas du tout contente. Elle m'a traité d'obsédé en me tambourinant la poitrine, à coups de talon pour que ça fasse plus mal et plus sérieux, m'a crié que je faisais une fixation sur le cul des filles, c'est une accoutumance qui se soigne, paraît-il, une dépendance qui nous gruge le vivant comme l'héroïne ou le crack. Elle m'a demandé ce que j'attendais pour agir, pour m'en défaire, disait qu'elle serait bien contente si on m'amputait la libido, cette libidineuse matraque qui m'encombre l'entrejambe et m'empêche de marcher droit vers elle.

— Je pourrais enfin savoir si tu m'aimes pour de vrai ou juste parce que tu aimes le cul, les culs et le mien en particulier.

— Ça ne changerait rien, même sans ma perche, je voudrais te sauter quand même.

Elle a cessé de me frapper et a retrouvé un genre de sourire.

— J'imagine que c'est un compliment, mon fou d'amour. Fais-moi-z-en d'autres.

— Je voudrais… je voudrais… Tu sais très bien ce que je voudrais : vivre tout seul avec toi en dehors de tout, et du temps par-dessus le marché. Juste ça, l'éternité à tes côtés, et ne va pas t'imaginer qu'on est ici dans le domaine des hyperboles ou des figures de style, je parle au sens propre et je sais de quoi je parle, j'en connais une, une éternelle, une vraie. On ne serait pas tout seuls, il paraît que l'univers déborde d'éternels qu'on ne voit pas à moins qu'ils ne se manifestent. On vivrait sur dix millions de planètes, on n'arrêterait jamais de sauter d'une étoile à l'autre, on verrait tout ce qu'il y a à voir dans les univers, dans l'existence. Tu te rends compte, Mira ? Une vraie vie, une vie qui dure pour la peine, condamnés à vivre à perpète, toi et moi, vois-tu ça ? Y penses-tu des fois ?

Non, elle n'y avait jamais pensé. Enfin, ça ne lui était jamais venu à l'esprit et elle n'était pas certaine d'en avoir envie parce que ça lui remplissait le cœur de chagrin en la ramenant à sa condition de mortelle et à la fin inévitable de notre belle histoire d'amour. J'ai voulu tuer dans l'œuf ce cafard naissant en reprenant mon travail manuel sur son postérieur, mais elle s'est dérobée.

— Attends donc à demain, mon fou d'amour. Je suis fatiguée. Toi aussi, tu as les yeux petits, tu dors debout…

— La vie est trop courte pour la remettre à demain. Je dormirai quand je voudrai oublier de vivre parce que tu m'auras quitté. Ça viendra bien assez vite…

Rien à faire, même cette tirade de ténébreux n'a su la faire renoncer à son sommeil factice. L'âge nous déforme. L'esprit comme le corps, ai-je pensé en la contemplant recroquevillée sous le drap, déjà rendormie, et pour de vrai, selon toute apparence. Il paraît que les femmes enceintes ont besoin de plus de sommeil. C'est elle qui me l'a dit, alors je ne l'ai pas crue. Mais j'ai vérifié, elle avait raison. Elle n'aura plus à s'inventer de prétextes : « Je suis crevée, quelle journée de fou… » Ou : « Je ne sais pas ce que m'arrive, j'ai dû attraper un virus… » Ou… Par quel hallucinant mystère les enfants poussent-ils dans le ventre des femmes ? Arbres envahissants, fève germant au creux d'un tronc, chair multipliée, excroissance arrachée, dédoublement de l'être et de son néant.

Chapitre 5

Alcyone. Jeune étoile à l'éclat bleuâtre, cinq cents fois plus lumineuse que le Soleil. La plus brillante de l'amas stellaire des Pléiades. Dans la mythologie grecque, l'une des sept filles d'Atlas et de Pléione.

Le stand des Éditions des Imbuvables est installé à l'une des extrémités du gymnase, juste sous un des paniers de basket. Il est de bonne taille pour une fois. J'y vois deux petits bureaux à chaque bout pour asseoir les auteurs, deux par pupitre, quatre à la fois. Devant chacun, un présentoir de métal avec l'ouvrage à vendre, et une pile de quelques exemplaires alimentée à mesure qu'elle diminue par un adjoint de Bérulier. L'usine à signer. Il y a là une poétesse dont Mira a déjà tiré le portrait, une Rosemonde Gagnon de cent kilos, montagne de guimauve ambulante qui écrit en rose sur prose pour des grands-mères nostalgiques. Assise à ses côtés, Myrtille, éberluée par toute l'attention qu'on lui accorde, pond avec ravissement les dédicaces sur ses recettes amoureuses. Arpentant les alentours du stand, Bérulier leur ramène les clients comme un rabatteur à ses putes. Elles n'en manquent pas, pourtant : une dizaine de grosses et de bien mûres alignées devant Rosemonde, heureuses de constater que l'amour, la passion, la tendresse n'ont pas d'âge ni de forme ; et pour l'autre dinde, tout autant de jeunes mâles rutilants et hâbleurs font la queue en rêvant qu'elle la leur fasse.

À l'autre table, Gaudin jette un regard las sur son dernier essai : *La symbolique du monstre*. Un ouvrage de lettré comme il se doit pour un professeur émérite de littérature, spécialiste du théâtre français du XVIIe siècle. Son machin sera lu par d'autres professeurs et quelques étudiants, à tout le moins les siens, et personne à La Sarre ne sera bien sûr intéressé à se le faire dédier. Gaudin en a commis quelques-uns, Bérulier les a toujours publiés, comme ceux d'autres savants professeurs. Par intérêt. Pas pour les ouvrages, mais pour les bonnes relations qu'il souhaite maintenir avec le milieu de l'enseignement de la littérature. L'opinion ou la recommandation, voire l'imposition d'un roman par un professeur, fait parfois la différence entre le rouge et le noir dans la colonne des chiffres, ou peut redonner vie à un livre qui dort dans un entrepôt depuis quelques années.

Je ne comprends pas pourquoi Gaudin insiste pour faire les Salons. Ses lecteurs n'y viennent pas, je le trouve un peu masochiste. À vrai dire, ce n'est pas le public qui l'intéresse, mais de se retrouver au milieu de tous ces écrivains, au même niveau qu'eux. Dès qu'il m'aperçoit, il m'invite à m'asseoir près de lui, sur la chaise qui m'est réservée.

— Tu es en retard, me lance-t-il en guise de bonjour.

— Et alors ? Je sais bien pourquoi tu es si impatient de me voir. Tu voudrais profiter un peu de mon achalandage. Mais si j'étais toi, je ne compterais pas trop là-dessus.

Il hausse les épaules, fidèle à lui-même.

— Je sais bien. Mais je vais moins m'emmerder.

Sur ces entrefaites, Bérulier s'amène, l'air maussade pour mieux m'engueuler.

— Pas trop tôt, Jérôme. Déjà plein de gens t'ont demandé. Tu fais du tourisme ou quoi ? Installe-toi vite. Je vais te faire annoncer au micro.

Devant moi, comme je n'ai rien publié de nouveau cette année, il a fait disposer mes trois derniers romans.

À peine Bérulier s'esquive-t-il qu'ils sont déjà quatre avec leur bouquin à signer. Rosemonde et Myrtille, que je n'ai pas saluées, me jettent des sourires en coin, ravies de montrer au grand écrivain qu'en termes de popularité leur succès vaut bien le sien.

— Vous vous appelez ?

Ils s'appellent Pierre, Jean ou Jacques, Firmin, Annabelle et Fernande, Georgette… Et ils aiment ce que j'écris. Ils ne me le diraient pas, ils ne seraient pas là pour acheter mes bouquins que je le verrais dans leurs yeux.

À Georgette, avec ma gratitude… Ils sont toujours étonnés par ces mots dans mes dédicaces, « gratitude », « reconnaissance », « obligeance », « remerciements »…

— C'est un privilège, madame, d'être lu, et apprécié de ses lecteurs. C'est une grâce que vous me faites.

C'est ma recette. Ils repartent enchantés, mon œuvre sous le bras. Gaudin n'en revient jamais de me voir tout à coup si aimable. C'est la seule concession que je fais à ma misanthropie. Ceux-là m'aiment vraiment. Ils écoutent ce que j'ai à dire, s'attardent à mes égarements, s'en délectent. Comment pourrais-je ne pas leur en être obligé ?

Ils me suivent dans mes délires, les partagent, sans doute parce que mes divagations et mes fantasmes sont universels, inscrits dans la mémoire de l'humanité, même dans ceux des fermiers, des mineurs abitibiens. Tiens, Gaudin devrait s'essayer là-dessus : *Du caractère universel de l'exaltation letendrienne*. Ça pourrait même se vendre. Je le lui suggère, il ne me trouve pas drôle.

Pourtant, en y regardant bien, il y trouverait la rage d'Hitler, la mégalomanie de Napoléon, les hallucinations de tous les petits caporaux devenus grands dictateurs, les transes de Caligula ou de Ginsberg, la folie d'Alexandre, l'angoisse de Claude ou le délire d'Ulysse, fou de solitude sur son bateau perdu au milieu de cet océan de nulle part, et celui de ses marins encore plus égarés que leur chef parce que se reposant sur lui, il y verrait Homère rêvant de Pénélope comme Ulysse d'un phare dans le brouillard toujours plus épais qui le coupait du monde réel, de celui où évoluent les hommes et leurs ombres, pas les diables ni les monstres sanguinaires sortis tout droit des cauchemars de son créateur. Pauvre Ulysse, aussi prisonnier de son errance infinie que de l'esprit d'Homère, pauvre Ulysse qui ne fut que l'idée de quelqu'un d'autre, comme je suis le pantin de Mira, ma Mira qui ne m'aime pas, mais ne résiste pas aux chants et aux charmes des beaux courtisans, et ne me fera jamais avaler qu'elle est au fond ma Pénélope, la salope, je m'en serais aperçu, et peu importe ce qui lui pousse dans le ventre : enfant, esprit, chancre ou abomination.

— Tu as parlé à Mira ce matin ? me demande Gaudin, le nez en l'air et l'air de rien, entre deux signatures.

— Non, pas eu le temps.

— Tu devrais prendre de ses nouvelles de temps en temps, Jérôme. Les femmes enceintes sont fragiles.

Je me retiens de lui dire que je n'en ai rien à foutre, rien à branler, rien à cirer et ne veux rien savoir de cette chose qui lui encombre les entrailles, de cet insecte qui va vouloir me l'enlever, lui aussi, un de plus. Je me retiens parce que je n'en suis pas si certain en fin de compte. Ça dépend du point de vue où je me place et d'un tas de ruminations qui me saccagent l'esprit dès que j'ai le malheur d'y penser.

— Ne te mêle pas de ma vie de couple, Philippe. Tu joues avec le feu et tu risques de perdre un ami.

Nouveau haussement d'épaules en guise de saute d'humeur.

— Un ami ? Avec ta conception de l'amitié, je ne perdrais pas grand-chose. Tu ne sais pas de quoi tu parles, mon pauvre Jérôme. Pour toi, l'amitié n'a jamais été qu'une question d'intérêt. Je te suis utile, je t'admire, alors je suis ton ami. Je suis critique ou je ne te sers à rien, alors tu m'oublies. C'est d'ailleurs ton attitude avec tout le monde.

Sa remontrance s'interrompt lorsqu'une dame s'approche. Elle dit s'appeler Lina et adorer mes livres. Je suis si… c'est tellement… *À Lina, avec toute ma reconnaissance…* Puis un Marcel. Il possède une ferme. Il lit beaucoup. Parce qu'à la ferme, à ce qu'il paraît, on passe beaucoup de temps à attendre après toutes sortes d'événements qui arrivent en leur temps. Lui, en tout cas, il attend durant une bonne partie de sa vie. À la ville, lorsqu'on charge son camion des semences avec lesquelles il engrosse sa terre, des fertilisants ou des pesticides qu'il utilise pour protéger ses récoltes ; dans ses champs, au volant de sa machinerie pour je ne sais trop quelle raison ; ou dans l'étable, lorsqu'il surveille les vaches qui se livrent d'elles-mêmes à heure fixe aux robots qui les traient.

— Des robots traient vos vaches ! ?

— Oui, monsieur ! Des robots ! Ça vous en bouche un coin, non ? Les vaches connaissent la routine. Elles se mettent en ligne toutes seules quand c'est le temps et entrent dans le petit enclos une par une, bien sagement. La machine fait le reste, les senseurs trouvent les pis et vident la bête dans le temps de le dire. C'est moins de travail pour moi, mais il faut quand même que je surveille, au cas où. Alors je lis, en jetant un œil de temps en temps.

Bref, il lit toujours trois ou quatre livres en même temps. Un dans le camion, l'autre dans le tracteur, encore un à l'étable et un autre sur sa table de chevet.

— J'aime tout, vous savez. Mais vos livres ont quelque chose de différent. Ils font plus que distraire, ils forcent à réfléchir. Et à pleurer aussi, des fois. Vos mots sont justes…

Et je pense ; « pleurer, leurrer, la différence entre le lecteur et l'écrivain ne tiendrait qu'à un *p*. M'en souvenir. Le prendre en note, pour plus tard… »

À Marcel, qui m'a fait le plus bel hommage qu'on puisse rendre à un auteur, avec toute ma gratitude…

Je lui ai serré la main, une grande main forte et bien épaisse avec des doigts comme des rondins à force d'éraflures et de gerçures, une main torturée par la terre. Mais une main qui sait aussi tourner les pages d'un livre. Il part, heureux de sa dédicace, en tenant le bouquin sur son cœur.

— Wow ! fait Gaudin qui observait la scène. Je croyais qu'il n'y avait que les intellectuels pour t'apprécier.

— Ne t'y fie pas. Si ça se trouve, ce type-là peut te réciter *Phèdre* d'un bout à l'autre…

Je laisse passer quelques secondes, puis :

— Tu sais, Philippe, ce serait plus facile entre nous si tu n'étais pas toujours après Mira. Je suis vraiment jaloux.

Haussement d'épaules, un rien ostentatoire cette fois. Ma franchise pousse Gaudin au bord de l'exaspération.

— Il faut bien qu'elle se distraie un peu de toi, réplique-t-il sèchement. Tu n'es pas reposant, Jérôme. Ne fais pas semblant d'ignorer que tu n'es pas du monde. Je te le dis comme je le pense, compte-toi chanceux qu'elle soit encore avec toi. Je ne sais pas comment elle fait pour t'endurer.

— Et je suppose que c'est parce que tu la comprends si bien que tu passes ton temps avec elle ?

— Tout à fait. Tu as parfaitement raison. Et ne va surtout pas t'imaginer je ne sais quoi. Mira t'est fidèle et je ne fais rien pour changer ça. Cette femme est une sainte, il faut qu'elle le soit pour endurer un fou dans ton genre.

— Un fou, oui, je sais. Ça doit être cette folie qui l'attire. Je ne vois rien d'autre.

— Il ne te viendrait pas à l'idée qu'elle puisse t'aimer, tout simplement ?

— Non, sans façon. Tu viens de le dire : je ne suis pas particulièrement aimable. Pour une fois, je suis complètement d'accord avec toi.

— Si tu veux mon avis…

— Justement, je ne le veux pas. Ce que je voudrais, surtout, c'est que tu m'aides à tuer ce doute qui me ronge, à m'arracher de la tête ces images, qui s'y impriment jour après jour, de ma Mira en train de se faire sauter par mon ami Gaudin, comme au bon vieux temps où tout le monde pouvait se la payer, de leurs cajoleries dans mon dos, de leurs complots pour avoir ma peau de chagrin, ma peau de l'ours, ma peau de vache…

— Pauvre Jérôme, tu es tellement obsédé par ce que tu veux être que tu as oublié ce que tu es.

— Et qu'est-ce que je suis ?

— Trouve-le toi-même, grand écrivain !

Là, c'est à mon tour de hausser les épaules.

À Véronique, avec toute…

À Caroline avec…

À Ernest…

Ce n'est pas qu'il y en ait tant, mais la dédicace, ça finit par m'étourdir. À la première accalmie, je m'esquive.

— Je vais faire un tour, dis-je à l'intention de Gaudin, qui s'apprête à se lancer dans un autre discours de morale.

Je déguerpis en douce pour éviter Bérulier. Il gueulerait. Il gueule de toute façon, il braille en permanence. Mais pour l'instant, il est tout miel et bonbon, bien installé derrière ses deux pouliches, la Percheronne et l'Alezane dont il tapote le dos, comblé tout autant par leur voisinage parfumé que par les queues s'allongeant devant elles qui ne demandent qu'à délier les bourses.

Bérulier se tortille sur sa chaise comme un hémorroïdaire qui aurait le cul sur le granit à vingt au-dessous de zéro. Ou comme un jeune cœur qui profite de sa capacité nouvellement découverte de séduire les belles jouvencelles. C'est un sale individu, mais il a gardé la forme et un corps en pleine possession de ses moyens de jeune homme. Mon éditeur est un athlète qui s'entraîne fort au moins cinq fois par semaine. Malgré ses soixante ans, il est mince, taillé comme un adonis. Rien à voir avec ses concurrents bedonnants et bouffis, essoufflés après trois pas, des êtres dont on a du mal à imaginer qu'ils ont jadis été sveltes et beaux.

Pauvre vieux fou : il devrait pourtant savoir à son âge qu'elles flairent la vieille peau comme les chiens flairent la saucisse, même si le corps entre leurs mains est fait du marbre dont Michel-Ange a taillé son *David*. Il devrait éviter de se laisser regarder de trop près ; avec leurs yeux neufs, elles voient tout ce que les siens ne distinguent plus, les sillons, les ridules et la merde qui avec le temps a fini par lui remplir les pores d'une sorte de ciment noir.

J'arrive au milieu du gymnase, là où l'on a dressé une sorte d'agora pour que le public consentant puisse entendre les auteurs vendre leur salade. Je prends mon air le plus rébarbatif afin de tenir les admirateurs à distance. Je me glisse dans la petite foule agglutinée autour de Tracemot en train de répondre aux questions. Les gens se passent des commentaires, à voix basse. Plutôt désobligeants.

— Ce type est tellement idiot qu'il croit ce qu'il raconte, dit celui-ci à la petite grosse qui l'accompagne.

— Quand même, avec une éloquence et une érudition pareilles, réplique-t-elle, difficile d'être un idiot.

— Ça ne veut rien dire, répond l'autre. C'est seulement un pauvre idiot qui n'est pas gêné pour l'être. Le monde en est plein.

Plus loin, une jeune femme, visage rond, trentaine bouclée, un sac bien rempli de bouquins au bout du bras, s'indigne avec ses deux copines :

— As-tu lu la critique qu'il a faite du dernier roman de Bourne ? Une saloperie remplie de malice, ma chère. Il a dépensé plus de fiel que d'encre, il écrit que c'est mauvais, mais il n'explique jamais pourquoi. C'est une tirade bête et méchante. Moi, en tout cas, je l'ai adoré, son livre…

Ils vont finir par le lapider à force de se faire dire que l'exaltation ressentie à la lecture de cette prose, qui les fait rêver, morver ou rire, est de la merde. Tracemot n'aime pas grand-chose, je devrais me compter chanceux qu'il me colle mes quatre étoiles et demie, roman après roman, et arrêter de délirer pour le morceau d'aérolithe qu'il ne m'accordera jamais. Mais je mérite mieux, je le sais, il le sait.

Je sens la colère me monter à la gorge comme chaque fois que j'approche de ce maudit jésuite, la même vieille rancœur, la même compulsion. Elles me traînent par la main pour lui porter noise, et me voilà à ses trousses sur le sentier de ma guerre, bien encadré par Algol et Logla débarqués en renfort de je ne sais où. Le public s'écarte, le vide se crée autour de Tracemot ennuyé par notre arrivée. Il n'a pas le choix de m'écouter.

— Imagine un peu, Tracemot, notre monde a treize ou quatorze milliards d'années ! Et il sera là encore pendant quelques dizaines de plus. Et nous, pauvres moucherons, qui ne vivons même pas cent ans, pouvons concevoir, appréhender, connaître, théoriser, et un jour sans doute, expliquer ce machin que nous appelons faute de mieux la Création. Mais ces autres univers où les lois de notre physique ne s'appliquent pas, ces cosmos sans électrons, sans forme ni substance, cette vie qui n'en est pas, cette conscience absolue, toutes ces choses qui nous échappent ? Tu y as songé, Tracemot ? Tu y as songé ?

Tout s'est pétrifié dans ce gymnase de La Sarre. Les gens dans les stands, parfaitement immobiles, saisis en pleine agitation ; l'heure qui ne bouge plus sur la grande horloge au-dessus des gradins ; figés les rayons de soleil qui percent les fenêtres hautes, et pétrifiés les acariens qui d'ordinaire circulent dedans. Restent lui et moi, et les démons de Stella qui lui tournent autour en lui foutant des coups de pied dans les tibias. Il glousse comme une dinde. Je lui gueule dans les oreilles, grimpé sur mes ergots :

— Quand les écrivains réinventent le monde, ils se font descendre par des Tracemot, quand ils répètent et se répètent, c'est pareil. On n'en sort pas, on n'en sortira jamais tant qu'il y aura des créateurs, des créés et des voyeurs. C'est comme Dieu et nous. Dis-moi, Tracemot, combien d'étoiles tu lui donnerais, à Dieu ? Oserais-tu lui dire que la perfection n'est pas de ce monde qu'il a créé ? Le plus désolant, c'est qu'il daignerait te répondre au lieu de te foudroyer sur-le-champ parce que tes semblables et toi l'avez fait à l'image de tout ce que vous n'êtes pas, suant d'amour et de clémence, puant de bienveillance et de mansuétude pour les cancres et la vermine que nous sommes. Alors, il t'expliquerait comment ta conception de la perfection est surannée, primitive puisque présupposant la finitude, l'immobilité, et reposant sur la physique aristotélicienne qui la voit dans le repos absolu et pour qui le mouvement est facteur de désordre. Et voilà pourquoi, Tracemot, elles te barbent tant, mes histoires de chair et d'étoiles, car, avec Aristote, tu ne vois dans le mouvement des êtres et des sphères que discordance et contrariété, qu'obstacle à la fixité, cet écrin d'or où repose ta foutue perfection. C'est une doctrine d'un autre temps, tu devrais te renseigner, connard de jésuite! On ne peut plus penser comme ça aujourd'hui. Cette représentation d'un absolu figé, c'est le monde monotone, au sens astronomique du terme, un univers qui aurait conservé toute sa chaleur d'origine, un monde concentré sur lui-même dont toute la matière se serait transformée en fer, un univers sans cette expansion, sans ce mouvement qui a permis au nôtre de se refroidir si vite et d'atteindre cette espèce d'état de surfusion qui dure presque depuis le big bang, ce sursis essentiel à la survie des atomes primordiaux, à la confection de molécules complexes et à leur évolution vers la vie, vers nous, vers la variété, l'antithèse de cet univers immobile, monocorde, triste et à jamais stérile que tu appelles tant! Moi, Tracemot, je ne suis pas figé dans le fer, je bouge donc je suis, je pense donc je doute, *c'est-à-dire*, comme l'a déjà écrit Descartes, *que je suis une chose incomplète et dépendante.* Tu ne comprends donc pas que seule la mort peut te satisfaire, cher vieux corbeau? qu'il n'y a que la camarde pour mériter tes cinq étoiles? que la tombe et le néant pour te reposer? Les mondes que j'invente, ils vivent et ils bougent, car ils cherchent dans l'agitation et le remous cette certitude que tu sembles avoir trouvée dans la stagnation de l'âme et des corps. Et à mes yeux, ils sont parfaits: de beaux petits mondes qui ne souffrent pas l'infirmité. Dans leur espèce et leur contexture, ils sont aussi tordus que les vrais, mieux, même, car je choisis les vices dont je les affuble.

Tracemot n'entend rien, il est bien trop occupé à hurler de frayeur et de douleur sous les coups des deux ogres qui l'ont jeté par terre et ficelé comme un saucisson. Au fond, je le comprends de préférer la mort à la vie, de chercher refuge dans les bras d'un vieux chantre de l'immobile. Tout le monde ne parvient pas à regarder la vie en face. Parce qu'elle n'est pas regardable, la vie, pas dans les yeux en tout cas, elle nous fait toujours détourner le regard, comme le soleil qui aveugle. Plus facile avec la mort, elle n'a pas besoin de briller de tous ses feux, pas besoin de nous en mettre plein la vue, de nous éblouir ; elle sait qu'elle a toujours le dernier mot…

— Monsieur…

— … et nous savons ce qu'elle nous réserve, l'absence, le noir…

— Monsieur Letendre…

— … l'oubli, la poussière.

— Je m'appelle Nicole. Nicole… Pour la dédicace, s'il vous plaît.

— Nicole ? Ah oui ! Bien sûr.

… avec ma gratitude.

— Merci, merci beaucoup, Nicole…

Je suis de retour et seul à ma table à griffonner dans ce calepin où je couche des mots, toujours plus de mots, ça ne coûte pas cher, les mots, et les miens se vendent encore bien, autant en profiter tant qu'ils me viennent. Les jumeaux sont partis, ils ont emporté Tracemot, je suppose. Coup d'œil discret sur ma gauche. Gaudin est là qui discute avec Myrtille et l'hippopoétesse Rosemonde Gagnon. J'essaie d'esquiver son regard, mais trop tard, nos yeux se croisent et la voilà justifiée de venir me saluer de près. Sitôt son cul levé de la chaise, je vois bien qu'elle est encore plus énorme que lorsque Mira lui a tiré le portrait. Boum boum boum, le plancher tremble sous son gros pas.

— Salut, Jérôme, heureuse de te voir !

— Oui, oui, moi aussi, moi aussi…

Elle est plantée devant moi et je ne vois plus qu'elle, pas le choix, et en contre-plongée par-dessus le marché. J'étouffe, suffoque, écrasé sur mon siège. Et elle parle, Dieu qu'elle en a des choses à dire ! En commençant par ses débuts prochains au théâtre. Excitant ! Exaltant ! Inattendu…

— Le metteur en scène cherchait quelqu'un qui sortait de l'ordinaire, d'un peu particulier — ce sont les termes précis qu'il a utilisés — pour sa Phèdre.

— Ah ! oui ? Ah ! bon. Intéressant. Et il s'appelle comment, ce metteur en scène ? Alfred Jarry ?

Non, plutôt René Gagnon, qu'elle dit. C'est son beau-frère, qui porte le même nom qu'elle parce que, elle, elle porte celui de son mari, son mari à elle, pas à lui — il est gai, tu comprends —, lui, son beau-frère, son beau-frère à elle, pas à son mari ; son beau-frère, donc, qui n'est pas le frère de son mari à elle, mais tout de même son beau-frère à elle étant donné qu'il est marié à sa sœur (bien que gai), pas à la sœur de son mari, sa belle-sœur à elle, mais à sa sœur à elle dont le mari, le beau-frère en question, porte par un drôle de hasard le même nom qu'elle — Gagnon —, de sorte que sa sœur et elle s'appellent toutes les deux Gagnon, bien que ce ne soit pas leur vrai nom, puisqu'en fait ce sont des demoiselles Racine, du nom de leur père, d'où l'idée saugrenue de son metteur en scène de beau-frère de lui faire jouer le rôle de Phèdre…

— À cause de l'auteur, tu saisis ? Jean Racine, qui porte le même nom que ma sœur et moi, même si…

Je lui dirais volontiers à quel point j'ai saisi, tout saisi et dans le moindre détail, que bon, ça suffit, merci et à la prochaine, je saluerai Mira pour toi. Mais c'est qu'elle a autant de souffle qu'un rorqual bleu…

Alors, tantôt c'est sa souffrance d'obèse qui s'exprime à travers sa poésie, ses mots torturés par la faim du gros monde, et parfois c'est l'allégresse mêlée de dégoût ressentie après l'engouffrement frénétique de trois douzaines de pâtisseries débordant de crème et de beurre bigarrés.

J'aimerais bien lui avouer, pour mettre un terme à ce monologue, que je ne me torcherais pas avec ses vers, que j'aurais peur de m'écorcher le cul, mais elle parle vraiment trop vite. Je suis sauvé par les trois ou quatre lectrices qui réclament sa griffe et Bérulier qui l'entraîne à sa place, de peur de rater des ventes.

— Allez, Rosemonde, au boulot, ma boulotte !

Le regard de notre éditeur à tous s'est porté, satisfait, sur la file toujours plus longue devant Myrtille, avant de se durcir en revenant sur moi qui n'ai rien à signer pour le moment et, franchement, rien à branler de ses remontrances muettes et mesquines. J'ai repris mon crayon et mon calepin pour ne pas perdre mon temps ni les idées qui me passent par la tête comme il nous en passe tous continuellement. Moi, j'essaie de les retenir dans la mesure du possible, car elles constituent cette matière dont on fabrique les romans, les idées folles, les pensées tristes, les rancœurs résurgentes, les élans et autres emportements de l'âme, les nostalgies provoquées par l'évocation des joies ou des drames passés, les instants morts qu'on ressuscite et qui renaissent déformés par le temps et nos yeux fatigués, les frissons délectables et les sursauts de dégoût, toutes ces choses imaginées qui sont, comme le bonheur ou son contraire, des états d'être et d'esprit, mais pas de fait. Je le sais trop bien, moi à qui la vie avec Mira a appris les aléas de la perception, les vices de la réalité, le tourment de cette existence partagée entre le doute et la félicité, entre la chaleur et le froid. On choisit ses prisons, il paraît, ses chaînes. La souffrance est encore préférable à la mort, la perception au néant, non ? On a tous le choix entre la lente agonie de la vie et la fin subite qu'on peut toujours s'imposer. Juste un geste, un éclair et puis plus rien, même plus la sensation de vide, juste une dernière et brève douleur, peut-être pas, et rien, même pas la conscience du rien. On a tous le choix, sauf Stella et ses semblables. Les purs esprits n'ont plus ce pouvoir de mettre fin à leurs jours. Quelle ironie quand on y pense, pareille faiblesse dans des êtres si puissants. *Tout arrive par hasard et par nécessité*, disait Démocrite. C'est sans doute pour ça que rien n'est parfait, même pas la perfection, comme Tracemot n'arrête pas de me le chanter. Mais je refuse de croire qu'il pourrait avoir raison.

Une ombre obscurcit mon cahier. Je lève la tête. C'est Gaudin qui lit par-dessus mon épaule.

— Vraiment, Jérôme. Tu écris n'importe quoi…

Je me relis : « Le Saxe en perd la voix de stupéfaction… T'es camé, Léon, dit-il à un gros Bavarois qui vire au rouge… »

— Ce n'est rien, des notes, n'importe quoi. Et puis, j'ai bien le droit d'écrire des conneries, non ?

— Tant que tu ne les publies pas…

— Tu es sérieux, là ? Et pourquoi je ne pourrais pas les publier, mes conneries ? Regarde-moi ces deux cruches, là-bas. Ça marche plutôt bien, les conneries, non ? Je suis certain que Bérulier serait content.

Il rigole, qu'il dit. Il n'est pas sérieux. Mais, tout de même, il tient à exprimer son étonnement.

— C'est juste que je connais bien tes délires d'halluciné. Ils sont déroutants mais jamais gratuits. Là, tu cabotines, non ?

Ça se peut. Mais quoi ? Il faudrait que je sois leur conscience ? leur faiseur de morale ? que je pose les questions qu'ils ne se posent jamais ? Je suis las d'être leur oiseau de mauvais augure, le Jésus qu'ils crucifient pour oublier leurs guerres, leurs génocides, leur sida et leur cancer. Déjà que je porte mon propre malheur, une souffrance *ad infinitum* et *ad nauseam*, d'autant plus douloureuse qu'elle s'exprime dans une langue morte et enterrée. Alors, voilà. J'ai envie d'explorer un peu plus les arcanes de l'imaginaire dont rien ne dépasse les pouvoirs, surtout pas la réalité comme le prétend l'adage, parce que l'esprit humain apprend à connaître ce qui existe, imagine ce qu'il ignore et invente ce qui n'existe pas, qu'il a cultivé les carences héritées de sa nature charnelle jusqu'à les transformer en plaisirs : l'obligation de se nourrir et de boire, de se reproduire, de se reposer, de compétitionner, de séduire. Et c'est pourquoi les dieux ont toujours été jaloux des hommes et viennent emprunter leurs corps de temps en temps pour s'encanailler, comme Stella, comme Jésus qui, à bien y penser, était sans doute un foutu sadomaso venu prendre son pied. Après tout, il s'en est bien sorti, non ?

— … mais nous, les mortels, on ne s'en est jamais remis.

Gaudin hausse les épaules en se rasseyant, résigné à attendre que quelqu'un s'intéresse à sa personne ou, mieux, à son livre. Une très jolie jeune femme s'approche. Il bombe le torse, mais me jette un regard envieux et déçu quand elle s'arrête devant moi.

— Je vous rachèterais volontiers un autre exemplaire de vos romans, monsieur Letendre, pour le simple privilège de vous parler. Je les ai tous. Je ne sais pas pourquoi, quand je vous lis, je finis toujours par pleurer, même quand c'est drôle. Vous me faites un de ces effets…

La plume de l'écrivain, parfois, est si acérée qu'elle crève les cœurs qui ne s'étaient jamais ouverts. Je lui réponds qu'elle devrait faire un peu attention à ses lectures, certaines nous troublent plus que d'autres, surtout quand on est si jeune et qu'on a si peu vécu.

— Et puis, mademoiselle, vous y mettez du vôtre autant que j'y mets du mien, vous savez. En général, mes mots ne disent pas tout ce que le lecteur y lit. Ce qui explique que certains aiment, d'autres pas. C'est fait pour ça.

Elle me regarde comme si j'étais le pape, un sourire figé sur ses lèvres d'ange. Drôle de fille. Elle dit :

— Je vous aime, je n'y peux rien. C'est votre faute. Vous n'aviez qu'à ne pas publier, tant pis pour vous, tant pis pour moi qui n'avais qu'à ne pas vous lire et relire...

Mais non, mais non. Trop jeune et moi trop vieux. Séduite par la puissance des mots, par leur sagesse, leur maturité. Pas de l'amour, les gènes encore, ceux hérités de vos ancêtres pithécanthropettes, qui jouent des tours de con et poussent les jeunes femmes d'aujourd'hui, comme celles de l'âge de pierre, vers les vieux singes, les vieux boucs, les vieux loups, les vieux lions, les vieux bougres, les vieux, quoi. Parce qu'en meute, les mammifères ; en harde, en horde, en troupeau, en groupe à cause du grégarisme des hominidés qui a toujours jeté les jeunes femelles dans les bras, entre les crocs, du mâle éminent.

Je suis tout confus et je rougis comme un gosse. Mes yeux cherchent de l'assurance sur la table et autour, et quand ils en ont trouvé un peu, Dieu sait où, au moment même où je les relève, prêt à jouer mon rôle historique de vieux libidineux dominateur, l'éclairage vacille puis disparaît dans des ho ! et des ha ! Et lorsque la lumière revient, une lumière sombre et grondante de générateur, c'est Stella qui se tient là.

— Vois ! me dit-elle.

Tout autour, la salle s'est transformée en arène et au centre de l'agora s'élève un bûcher sur lequel les deux ogres de Persée au garde-à-vous encadrent un homme attaché à un poteau, un type que je reconnais sans mal malgré la cagoule noire qui lui recouvre la tête.

— Tracemot...

— Viens, Jérôme. L'heure de ta vengeance a sonné.

Stella m'attrape par la main et m'entraîne à travers la foule en colère qui réclame, à mon grand ravissement, la tête du vieux censeur : « Qu'on le brûle ! Qu'il meure ! On l'a assez vu, assez entendu, assez lu ! »

Je fends la foule exaltée, sur les talons de Stella, jusqu'au pied de l'autel où le vieux scribe se lamente. Tout près, Gaudin et Bourne évaluent la situation en supputant sur l'identité du futur supplicié :

— Je te parie mon cachet : c'est Tracemot, dit Gaudin, plus amusé qu'horrifié.

— J'en ai bien peur, en effet, acquiesce Bourne, l'air tout à fait ravi.

Stella monte sur l'estrade transformée en bûcher, toute disposée à faire cuire mon bourreau. Au bout de son bras tendu, une torche apparaît par magie.

— Attends, Stella ! Laisse-moi lui parler. Et fais attention avec ce truc, tu pourrais brûler quelqu'un.

Je grimpe à mon tour et je m'approche. Mon supplicié braille comme un veau. Il faut dire que les jumeaux n'arrêtent pas de lui pincer les cuisses et de lui envoyer des coups de pied dans les jambes ; et s'il ne voit rien, il sent la haine monter du public et la chaleur du flambeau que ma déesse folle lui promène sous le nez. Je me pose près de lui en sauveur magnanime, prêt à lui tendre l'extincteur. Il aura le choix. Je lui souffle à l'oreille :

— Monsieur Tracemot, quand on distribue les étoiles comme le *Guide Michelin*, on devrait avoir le courage de les attribuer au complet. Des restaurants et des hôtels qui se méritent cinq étoiles, il s'en trouve dans le *Michelin*, vous le savez bien. Alors…

J'attends de la bonne volonté et, la situation aidant, une certaine ouverture au compromis. Au lieu de ça :

— Je sais, Jérôme. Vous m'avez déjà parlé du *Michelin*. Vous devriez cesser d'écrire et ouvrir un restaurant…

Je n'en crois pas mes oreilles ! Le vieux con trouve encore le moyen de me narguer. Il a des couilles, mais plus pour longtemps. Tandis que je hurle de colère, Stella derrière moi me tire par l'épaule et lance sa torche au pied du scribe aussitôt embrasé. La foule tonitrue, mais Tracemot encore plus. Et malgré son infinie souffrance, il réussit une dernière fois à me faire suer, et pas seulement par la vive chaleur qu'il dégage.

— Maintenant, Jérôme, exhale-t-il dans un dernier hurlement, vous avez brûlé votre dernière chance de décrocher cette moitié d'étoile maudite à laquelle vous tenez tant que vous tueriez pour la faire briller !

À peine ai-je le temps de rager que me saisit une odeur familière émanant du brasier où se tord Tracemot, une odeur de cochon carbonisé, de jambon fumé, pour être plus précis, qui, par la magie de l'évocation, à l'instar de la petite madeleine de Proust, me ramène des décennies en arrière, dans la vieille cafétéria du collège que je fréquentais dès mes onze ans. J'y fus pendant cinq ans consommateur quotidien de sandwichs au jambon engourdi dans la moutarde, et le souffre-douleur préféré des professeurs et des élèves. Leurs vexations me confortèrent encore plus dans ma détermination à m'exclure du monde et à me réfugier dans l'imaginaire et les étoiles. Seul manque à l'effluve, pour parfaire le souvenir émanant, le relent de la moutarde qui l'accompagnait à coup sûr. Mais je ne me vois pas, à ce moment précis de l'histoire, en jeter sur le feu pour mettre un peu de piquant aux dernières douleurs de Tracemot.

Autour de lui, Algol et Logla tournent de plus en plus vite, grisés par les cris de la foule, leurs yeux, où dansent les flammes, exorbités par leur macabre farandole. Puis, tout à coup, porté par sa frénésie meurtrière et emporté par l'élan, Logla trébuche sur les pieds de son frère, tombe la tête la première dans le brasier et s'enflamme sur-le-champ. Ça sent le roussi. Algol gueule mais ne fait rien d'autre. Même Stella, malgré son omnipotence, semble figée. Je me dis qu'il me faut faire quelque chose et, avant même de l'avoir pensé, je plonge et saisis à bras-le-corps le nain flambant pour l'extirper de la braise, fracassant au passage ce qui reste du pauvre Tracemot dont les os calcinés s'effondrent en cendres.

Mais au lieu de retomber sur le sol au milieu de la cohue déchaînée, je plane au-dessus des têtes et m'envole dans le ciel du gymnase qui n'a plus de toit. Je flotte, l'espace d'une seconde, le temps d'éteindre mon nain à grandes claques. Stella se pointe à mes côtés, Algol accroché à ses basques de Superwoman. L'instant d'après, nous filons si vite que les étoiles laissent de grands traits sur la nuit. Nous dépassons Arneb dans le Lièvre, puis Saiph, Mintaka et Bellatrix.

— Stella, où m'emmènes-tu ?

Elle ne répond pas. J'insiste :

— Stella !

Mais son visage demeure impavide, les lèvres soudées et le regard obstinément droit. À quoi joue-t-elle ?

— À quoi joues-tu, délicieux Paraclet ?

Même mes petits sobriquets ne la dérident pas. Je l'oublie. Il y a trop à voir. Nous nous arrêtons aux alentours d'Aldébaran. Devant, les lumières des Hyades et, plus loin, juste au-dessus, Alcyone au beau milieu de l'amas des Pléiades, une gerbe de joyaux bleus et rouges sur le noir de la nue empoussiérée de nébuleuses multicolores.

— Il y a tant à voir !

Et à entendre. Car elles chantent, ces étoiles, en chœur elles chantent, on dirait ces choristes polyphones qui vous surprennent au détour d'une ruelle de Tbilissi ou sous la coupole d'une église de Vilnius. Tellement de perceptions dans l'univers et si peu de place dans ma tête. Mais je ne jette jamais rien, je conserve tout. Tout s'accumule, là, sous ce crâne. Je m'y suis fait, les autres pas.

— Dieu du ciel et des enfers, Stella, est-ce assez beau ! ? Un frisson d'extase, comme ceux que donne le cul, mais bien plus rare, aussi précieux et aussi rare que les années devant. Un ravissement sans mesure…

Stella me regarde étrangement. Je perçois une sorte d'envie, de jalousie dans ses yeux de femme fatale pour l'éternité.

— Tant d'intensité dans une créature aussi fragile… finit-elle par dire avant de replonger dans son stoïcisme obstiné.

Je me vexe de cette commisération supérieure et je l'engueule, là, dans cet espace sidéral parsemé d'astres aux noms arabes et latins. Je lui reproche son insensibilité, sa froideur, son dédain pour le mortel que je suis, je lui dis qu'elle ne sait pas vivre, toute déesse soit-elle, que malgré ma fragilité je peux lui en montrer plus qu'elle n'en apprendra jamais sur les grandeurs et les bassesses de l'âme, que j'ai tout appris et tout vu côté détresse et jubilation : les humains s'instruisent vite, eux dont la vie est si courte, et de choses que ne peuvent pas connaître des entités sans corps, sans âme et sans fin et…

— Tu crois vraiment que tu sais quelque chose, nabot ? Ne me place pas dans la situation de devoir illustrer ton ignorance abyssale et les barrières étroites de ta si minuscule personne. Tu dis que tu as tout vu ? J'espère que tu ne pousseras pas la témérité jusqu'à tenter de me le prouver. J'ai vu des choses que tu ne serais même pas capable d'imaginer, de concevoir, éprouvé des sensations dont tu n'auras jamais idée. Tu es trop… restreint pour comprendre. Alors, prends garde à toi, Jérôme, il n'y a pas de supplice que je ne puisse t'infliger. Imagine le pire, il y a encore mieux !

À ce moment précis, je me rends compte de son jeu : elle m'étudie. Nous n'avons quitté le salon que pour suivre les chemins tortueux de mon imagination, et elle me suit, me précède, me précipite dans mes fantasmes. Cette virée-là n'est pas comme les précédentes. Je la regarde à la dérobée.

Sa colère : disparue ; son visage : adouci. Étrangement, je sens qu'elle m'est reconnaissante d'avoir sauvé Logla des flammes, malgré le caractère évidemment chimérique du sauvetage comme du sacrifice de Tracemot. Une profonde humilité me paralyse soudain. Je n'ose plus penser, de peur qu'elle se moque de mes mondes intérieurs. Mais dans un geste d'une infinie tendresse que je ne lui connaissais pas, elle pose une main sur mon front. Je ferme les yeux et tout se dénoue.

— Va, je te suis, dit-elle.

Un clignement d'œil plus tard, je nous retrouve au sommet d'une montagne si haute qu'elle domine toute sa planète, qui est plate et non ronde comme Galilée et ses potes nous ont amenés à le croire depuis la Renaissance. Trois étoiles se partagent son orbite, et la pauvre tourne si peu rond qu'il n'y fait jamais nuit. Parfaite pour les insomniaques dans mon genre. Nous débarquons en pleine guerre. Dans une vallée à nos pieds, un champ de bataille qui a déjà beaucoup servi, un endroit souillé par des milliards de morts qui y pourrissent, une terre si bien imbibée de sang que tout un éventail de plantes y repoussent instantanément sitôt piétinées par les hordes combattantes. Curieux guerriers filiformes, presque humains en apparence — une tête, deux bras, deux jambes —, qui s'arrêtent entre deux massacres pour se livrer à un rituel singulier : par petits groupes, les ennemis s'agglutinent autour d'un de leurs semblables que rien ne distingue des autres sinon parfois certains traits apparaissant plus délicats et, pris d'une espèce de frénésie collective, ils se flattent le bas-ventre jusqu'à ce qu'une substance verte en jaillisse et inonde le personnage central se tortillant d'aise. Une minute passe, une épée surgit au-dessus des têtes, et le premier coup porté signale la reprise des hostilités. Le sang se remet à gicler, les têtes roulent, les corps tombent. Drôles de mœurs…

Je nous entraîne sur une autre planète, et sur une autre, et sur une autre encore et dans des endroits indéfinissables, ni corps célestes ni même lieux, dans toutes sortes d'univers où je cours à ses trousses pour le plaisir de l'aimer et le privilège de le lui communiquer. Puis, d'épuisement, je nous ramène sur Terre dans le petit enfer taillé sur mesure pour ses monstres. Ils sont tous là, assis autour d'elle sur le plancher, la tribu dans son intégralité, qu'elle nourrit à la becquée en leur régurgitant dans la gorge des morceaux de yack à moitié mâchés. Et chaque fois, pour la remercier, ils articulent quelques mots à travers leurs grognements de sales bêtes, une phrase ou deux pour les plus doués. Elle les a bien dressés.

— Tant qu'à vouloir te perpétuer, tu pourrais t'accoupler avec des spécimens de vie intelligente, tu ne penses pas ?

Elle pourrait s'offusquer, même si au fond je ne vois pas pourquoi. Elle doit bien se rendre compte, cette entité à l'infinie raison, que sa progéniture est tarée.

— Tu oublies que je suis éternelle. C'est long, l'éternité. Mes descendants ont tout le temps d'évoluer. Ce ne sont pas tes ancêtres en « thèque » et en « thrope » qui ressemblaient à des singes il y a un million d'années ?

Évidemment, la perspective change avec l'âge. Je m'étonne, surtout de l'air que je découvre à Stella, un air heureux. J'ai même droit à un sourire, son premier. Elle en a presque l'air niaise. Sa bouche émet des sons qui ne sont pas des mots. Je tends l'oreille. On dirait bien qu'elle tente de chanter. La naissance d'une étoile ne me bouleverserait pas autant. C'est dur, c'est aigre et aigu, c'est écorché, plein de limaille, mais on y sent la joie. Surprise tout à coup de s'entendre, elle s'émerveille :

— Je chante, non ?

— On dirait bien. Mais je t'en prie, ne te gêne surtout pas, fais comme si je n'entendais rien.

Stella me jette un coup d'œil inquiet, on dirait qu'elle ne sait pas trop quelle attitude afficher sur son visage habitué au marbre. En fin de compte, son front se creuse péniblement entre les deux sourcils. Elle dit :

— C'était de l'humour ?

— C'en était. Mais avec l'humour, il n'y a jamais rien de certain.

Elle se lève soudain et confie les enfants aux bons soins des démons de Persée avant de m'attirer dans sa chambre où elle nous fraye un chemin jusqu'au lit, à travers les caisses et les amas de détritus.

— Tu préfères que je me déshabille ? me demande-t-elle.

— Ce serait plus pratique, dis-je. Et plus agréable aussi.

Elle s'exécute sans rouspéter et j'en fais autant. Nous nous étendons, côte à côte. Je suis un peu figé en me remémorant nos précédentes expériences.

— On ne devrait pas se toucher un peu, là ? demande-t-elle.

— Seulement si on en a envie.

Elle attend, les mains jointes sur le ventre, que je me décide. Puis :

— Donc, tu n'en as pas envie ?

— Oui, bien sûr… Et toi ?

— Je ne sais pas. Commence.

Je me tourne vers elle et promène mes doigts sur ses seins, sur son ventre, ses cuisses. Elle ferme les yeux. Cette fois, son corps de glace frissonne un peu. Stella s'est vraiment choisi une forme magnifique, des angles parfaits, des galbes délicats et solides à la fois, une peau ferme mais douce, frémissante. Des petits cris sortent de sa bouche. Elle rouvre les yeux.

— Les caresses, c'est… agréable. Je gémissais, là ?

— Oui. Ça exprime le plaisir. Tu fais des progrès.

Elle ne sent pas le sarcasme. Ses yeux descendent vers ma queue.

— Cet appendice ne devrait-il pas être plus long et plus rigide à ce stade-ci de notre échange ?

Soucieux de ne pas l'offusquer, je m'embrouille à lui expliquer qu'en amour l'esprit agit autant que le corps et qu'en ce moment même je suis plutôt intimidé par sa personne et qu'en conséquence ma cervelle est plus occupée à galoper dans tous les sens comme un vieux cheval fou qu'à congestionner le tissu spongieux de ma verge et…

— Comprends-moi, femme de glace, il faudrait que tu ramollisses un peu pour qu'elle durcisse. Elle n'est pas encore au sommet de sa forme. Tu devrais y mettre un peu du tien, ma déesse chérie. On n'est pas toujours responsable de ce qui ne nous arrive pas, comme on l'est aussi un peu de ce qui n'arrive pas aux autres. Enfin, soit moins mécanique, moins prévisible, et moins inerte, il te faut des petites sautes d'humeur qui nous tiendraient lieu de désir, tu saisis ? Un facteur erratique qui t'écarterait de temps en temps de ta ligne droite vers ma jouissance ordinaire.

— Je veux bien essayer, mais ne me demande pas ce que je n'ai pas encore appris, Jérôme. En attendant, pourquoi ne fais-tu pas comme les monstres ? Ils ne sont pas si compliqués, eux. Ils se servent et puis voilà, leur affaire est faite jusqu'à la prochaine fois. Tu sais bien que je n'en suis qu'aux rudiments pour les sentiments et les envies. Ne te gêne pas, vas-y comme la dernière fois.

— Ouais ! Pas fortes sur les préliminaires, les déesses…

Je soupire. Je devrais suivre sa suggestion, la monter, redescendre et repartir vite fait, mon plaisir écoulé. Mais je suis trop sentimental.

— Je suis trop sentimental, Stella. Ou juste trop sensuel.

— Mais une femme est une femme, tu sais t'en servir, non ? Et moi, j'en suis bien une. Enfin, je pense. Il y a longtemps que notre espèce désincarnée n'a plus de sexe.

— Quoi ? Tu veux dire que je pourrais être en train de baiser avec un mec ?

Elle ne répond pas et je n'insiste pas. Et je me résigne, pour ne pas la vexer, à profiter d'elle avant que l'idée qu'elle soit un mâle réfugié dans un corps de femme ne s'installe trop dans ma tête. Pour l'instant, malgré son manque absolu d'entrain, il n'y a pas à se tromper. Je redouble d'efforts et de caresses pour pallier son immobilité : je la palpe, la flatte et la tripote sur toute sa surface et dans toutes ses encoignures. Et tout ce qui s'ensuit. Ensuite, c'est le calme après ma tempête et je retombe à ses côtés pour profiter un peu du souvenir de ce ravissement. Mais Stella n'apprécie pas :

— *Are you finished ?*

— Quoi ? Tu es pressée ? Et pourquoi parles-tu anglais maintenant ?

— Je ne vois pas l'intérêt de cette pause. Et l'anglais, c'est juste pour pratiquer. Je ne passe pas tout mon temps avec toi, tu l'imagines bien, n'est-ce pas, mon petit Jérôme ? Tu n'es pas le seul spécimen qui m'intéresse sur cette planète, ça, tu le sais déjà, non ? *Comprende ?* Allez, dit-elle en se levant. *Gidin !* Il faut que je révise un peu mon turc. J'ai rendez-vous ce soir avec un derviche de Bursa.

Je me rhabille en jetant un dernier coup d'œil gourmand à ses fesses en béton avant de me sauver le plus discrètement possible, le cœur gros d'un mauvais chagrin. De l'autre côté de la porte, il fait nuit noire et je ne suis pas à Montréal, dans ce hangar où elle a construit son antre, mais dans une rue enneigée de La Sarre privée de courant. Et au moment où je lève les yeux pour admirer les aurores qui barbouillent le ciel criblé d'étoiles, l'éclair d'un flash et le hurlement d'une louve viennent me priver de cette vision si parfaite qu'elle aurait pu dissiper l'amertume.

Chapitre 6

Nébuleuse de la Lyre. Nébuleuse planétaire de forme annulaire située à 1 400 années-lumière de la Terre, dans le triangle formé par Véga, Deneb et Altaïr.

C'était une simple lettre expédiée de Londres, où je me trouvais en tournée de promotion à l'invitation de mon éditeur anglais. Il y a de cela dix ans environ. Mira était déjà mon obsession principale. Pas un jour, pas une heure ne passait sans que je ressente le besoin de lui parler, de lui écrire, la plupart du temps pour lui tenir des propos déraisonnables marqués par ma passion malsaine, suppurant sous-entendus et suspicion. Je ne me suis pas guéri, seulement elle a appris à ne pas me prendre au pied de la lettre et compris à quel point notre relation m'est source d'inspiration, quelle héroïne elle est pour moi.

Mira adore les fleurs. Elle aime par-dessus tout les cyclamens ; elle en mettait de toutes les couleurs dans tous les coins et passait un temps fou à s'occuper de ses plantes, une véritable compulsion. Maintenant, il n'y en a plus dans la maison. À cause de cette lettre de trop, une lettre ordinaire en apparence, semblable à ces autres que je lui écris tout le temps, même quand je ne quitte pas la maison, et dans laquelle, à mon habitude, je m'étais laissé mener par les mots et l'image qu'ils dessinaient jusqu'à en oublier le sens qu'ils prenaient et la douleur qu'ils infligeaient à leur destinataire.

Et tu sais quoi, Mira ma Mira chérie, amour de mon inepte vie, grande capitale de mon petit empire ? Ces cyclamens que tu aimes tant, ces fleurs dont tu remplis la maison et qui manquent crever pendant l'hiver malgré que tu les bichonnes comme jamais poule n'a couvé ses œufs, il y en a partout ici, dans toutes les plates-bandes de chaque maison de toutes les rues de Londres. Et on est en janvier, ma belle, tu comprends ça, toi ? Oh ! sûr que ce n'est pas le janvier de Montréal avec ses moins vingt à répétition, ce n'est qu'un petit hiver flegmatique et gris à l'image des gens qui l'habitent, un hiver rarement au-dessous de zéro la nuit et à trois, cinq ou huit degrés le jour. Mais, quand même, ce n'est pas l'été que tu imaginais idéal pour tes fleurs de rêve. Et en plus, il pleut tout le temps et parfois il neige, et même lorsqu'il perce le ciel, le soleil n'est pas très fort. Malgré tout, ils débordent de fleurs, les cyclamens de Londres. Alors, qu'y a-t-il à comprendre dans le cycle amène des saisons et dans les besoins des végétaux ? dans le court dessein des plantes ? dans l'amour que nous portons aux choses et aux êtres ? Ils n'ont pas toujours besoin de ce qu'on leur apporte pour s'accomplir, des fois c'est le contraire. Alors, arrête de les serrer sur ton cœur, tes cyclamens, tu les étouffes. Donne-leur moins de chaleur, aussi. Ça finit par dessécher, la chaleur, tu comprends ? C'est parce que tu n'y connais rien que tu leur en donnes trop, toi qui as besoin de tant de laine pour te réchauffer. Laisse-toi aller à ta froideur naturelle, Mira ma Mira, et je te garantis qu'elles seront belles, tes fleurs, foi de botaniste londonien !

Les proches des écrivains ne se rendent pas compte qu'ils sont leur premier public, leur banc d'essai en quelque sorte, qu'ils ne doivent jamais les prendre au pied de la lettre. Mais ce texte-là dépassait la simple joute avec les mots pour le plaisir d'amuser ma belle, il cachait tout plein d'épines.

Il faut savoir que c'est Gaudin qui avait offert à Mira ses premiers cyclamens. Il était venu manger un soir et lui avait apporté cette belle plante touffue, je m'en souviens, débordant de grandes fleurs blanches. Elle a eu le coup de foudre pour ces végétaux et s'est mise à en acheter de toutes les couleurs. Elle en avait mis partout et passait un temps fou à s'occuper de ces fleurs, un temps fou. Elle leur a même consacré une exposition, une vingtaine de planches, des photos prises au moment où les plantes exultaient, avant qu'elles ne dépérissent sous ses attentions maniaques et trop nombreuses et le soleil auquel elle s'obstinait à les exposer près de nos fenêtres. Moi, chaque bouton, chaque fleur, chaque feuille me rappelait Gaudin, son amour inavoué, ses manœuvres inavouables. Alors, il y a eu cette lettre de Londres. Et elle a compris ce qu'il y avait à comprendre : mes reproches et ma mesquinerie, mes fines allusions à Gaudin, qu'elle m'étouffait… C'était n'importe quoi. Depuis, elle s'est fait une raison de la rancœur, de cette jalousie, gratuites pour elle, dont j'enduis nos rapports. Elle endure. C'est sa contribution. Mais ces plantes-là n'entrent plus chez nous, et Gaudin a renoncé à lui en apporter. Et pour tout dire, j'en suis bien heureux.

La première fois que j'ai aperçu Mira, j'ai pensé : « Mon Dieu que cette femme est fragile. » À cause de sa pâleur, de cette lividité des très noires, presque une transparence, au point que les sillons des veines s'expriment en bleu sous la peau. C'était pour moi un après-midi de débauche ordinaire à *La Planète du Sexe,* à boire de la bière en regardant les filles nues. Elle, attendait nerveusement de voir le gérant pour se faire embaucher, assise dans un fauteuil de cuir décrépit où elle paraissait minuscule, un énorme sac à main sur les cuisses. Ses mains impatientes tiraient sur les manches trop longues d'un chandail aux mailles relâchées par l'usure, et ses jambes repliées sous elle disparaissaient dans une jupe écrue. On la devinait maigre aux angles qui perçaient l'ampleur de ses vêtements, et ses yeux farouches roulaient sans cesse au fond de leurs orbites. Si fragile, m'étais-je dit, la délicatesse du verre soufflé, des os d'oiseau et un cœur aussi qui bat vite dès que la cage s'ouvre. Alors j'allais être sa cage, lui offrir le réconfort de mes barreaux. J'avais trouvé chaussure à mon pied, femme à ma botte, elle m'attirait irrésistiblement. Une petite dame que j'allais choyer et couvrir d'amour et qui m'aimerait par conséquent, cela va de soi quand on a si peur du monde et des gens, qui se laisserait protéger sans se demander si elle ne pourrait pas trouver mieux, une belle petite victime congénitale que je dominerais avec d'autant plus d'aise, moi le pleutre, le lâche, le fuyant si facilement gouverné, à la recherche d'une plus faible à croquer.

Mais je me trompais, elle n'était ni chétive ni vulnérable, et c'est moi, au bout du compte, qui me suis fait prendre. Elle m'a bien attrapé : je serais plutôt celui qui ferait semblant à vie de ne pas craindre la froideur sous l'épaisseur du manteau, la raideur et l'intransigeance derrière ses ardeurs affectées. Car cette fille est un trompe-l'œil, n'est que camouflage, comme ces poissons exotiques qui jouent les appâts pour mieux bouffer les prédateurs. Je m'en suis convaincu, me sachant si grossier, approximatif et mesquin, à force de l'observer si forte en dépit des apparences, parfaite en tout, aimante, amante douée, tellement entière qu'improbable, invraisemblable. Je me suis pourtant fait à l'idée que malgré tout elle a besoin de moi. Sinon, pourquoi resterait-elle ? Peut-être ai-je tort de la voir comme elle n'apparaît pas ; après tout, l'apparence de l'amour, c'est peut-être bien l'amour.

J'entends Stella me souffler à l'oreille : « Ne crois pas l'aigle qui se prétend brebis. Observe-le comme il faut : s'il vole, il ne donne pas de laine. » De quoi se mêle-t-elle, celle-là ? Et que signifie ce charabia ? Elle m'aime ? Ou elle fait semblant ? Je préfère me citer Deng Xiaoping. J'adore la sagesse chinoise, ils ont les deux pieds sur terre, les Chinois : *Qu'importe qu'un chat soit noir ou gris, pourvu qu'il attrape les souris,* qu'il disait le vieux successeur du Grand Timonier Mao. Elle m'endure, elle partage ma vie, elle dit m'aimer, elle me baise, elle me fabrique même une progéniture. Alors...

Elle me manque, Mira. Mira, c'est mon manque. Je voudrais la revoir. Je m'en suis éloigné depuis près de deux jours, je déteste la perdre de vue si longtemps. Je commence à avoir très soif d'elle, j'en ai déjà l'âme sèche et jalouse, le cœur plein de sable et tout craqué. Dès que je la laisse, je dois me raccrocher à nos souvenirs. Je n'ai pas beaucoup d'imagination pour Mira. Je préfère ressusciter du vieux bonheur, du déjà vécu. Je n'ai pas de risque à prendre avec elle. Ni avec le bonheur d'ailleurs, et étant donné que pour moi il n'est jamais arrivé que par Mira, malgré le doute, malgré les soupçons affreux, pas question de tout compromettre avec des fantasmes qui nous éloigneraient du quotidien : je nous vois, entre le comptoir de la cuisine et le lave-vaisselle, en train de préparer le petit-déjeuner, rien de compliqué, une omelette avec des pommes de terre rissolées parce qu'on est samedi matin et que l'omelette arrive toujours à dix heures quinze pile le samedi, encadrée par son régiment de patates bien rassurantes. Il n'y a rien de plus habituel que les patates et l'omelette du samedi, sauf peut-être les croissants chauds du dimanche matin ou les brassées de linge à laver du lundi soir après souper, entre les poubelles à sortir pour le lendemain matin et les infos à la télé.

Et puis je dois la quitter des yeux le moins possible, c'est une perle et tous les types voudraient bien me la voler. Je suis si nul et ils sont si beaux, tous ces coqs bien dressés sur leurs ergots, pétant d'orgueil et de fierté, qui lui tournent autour et lui chantent à l'oreille les vers de Verlaine et d'Éluard. Comment croire qu'elle me préfère? que je suis le seul?

Au moins, avec Stella, les choses sont claires. Jérémie, son Jérôme à elle, n'est qu'une des bestioles de sa ménagerie, un de ses toutous, et c'est elle qui choisit le moment où elle le laisse approcher. Il doit attendre son tour dans la ronde des monstres habilités à la sauter. Quand il se plaint, elle lui répond qu'il peut se compter chanceux d'en faire encore partie, qu'elle pourrait aussi bien le remplacer par un malamute pour renforcer sa meute.

« Tiens-toi tranquille, mon petit Jérémie, ou je t'envoie promener pour de bon. Je t'aurai prévenu. »

Parfois, elle finit par avoir pitié de lui. Alors, elle le regarde la regarder avec son air de chien battu et elle pousse un long soupir qui annonce que ce sera bientôt son tour de dormir au pied de son lit.

« Si tu es gentil, je te laisserai t'amuser ce soir ou demain. »

C'est ce qu'elle dit lorsqu'elle est prête à se laisser baiser. Le moment venu, elle fait ce qu'il faut, avec application, mais sans joie évidemment. Parce qu'avec lui c'est toujours moins intense qu'avec ses chimères de passage. Elle le sait depuis un bail: il n'est pas celui par qui l'orgasme viendra. Même avec les autres, c'est plutôt mécanique, surtout après une fois ou deux. Il le sait parce qu'elle le laisse regarder, au cas où ça déclencherait quelque chose chez elle. Elle pense à tout, Stella.

« Ne m'en veux pas de baiser toutes ces choses, lui dit-elle. Il faut bien que j'essaie de jouir au moins une fois dans ma vie éternelle. Et même si je ne devais jamais y parvenir, dans cette incarnation-ci ou dans une autre, toute cette baise aura au moins alimenté mon répertoire de sensations. Je ne suis pas comme toi, moi. Je n'ai aucune sensibilité et pas beaucoup d'imagination. Encore heureux que je m'accroche à cette quête qui donne un peu de sens à mon existence. La plupart des miens se laissent dériver à travers le cosmos dans l'espoir jamais avoué de se dissoudre dans l'inanité et l'oubli.

« Je t'haïs, maudite grosse torche de déesse ! Toi et ton ostie de singularité ! »

Il faudra que je corrige cette réplique. Je ne suis pas certain que Jérémie devrait utiliser ce niveau de langage. Et sa Stella non plus n'est pas tout à fait au point. La mienne, enfin la vraie, est moins déboussolée, plus marmoréenne, je dirais.

Peu importe. Je la comprends, Stella. J'admire cette détermination qui lui donne encore le goût de vivre après ces millions d'années d'existence. Moi, malgré ma fascination pour l'éther, je préférerais cent fois me convaincre de l'amour véritable de Mira que de comprendre toute cette mécanique aberrante.

Comment discerner le vrai du faux, le réel de l'imaginé ? Cette femme que j'aime, Mira ou Stella ? Les sentiments qui nous dominent font de nous ce que nous sommes, nous déterminent comme la matière est définie par la vibration des cordes d'énergie qui seraient à la base de tout, selon la dernière théorie à la mode en physique. Des vibrations ; tout, et nous, ne serait que vibrations d'énergie, un tissu d'ondes en quelque sorte. Les physiciens pensent qu'il pourrait aussi y avoir jusqu'à onze dimensions, peut-être plus, selon leurs derniers modèles mathématiques. Tu savais ça, toi, Stella ?

— Voilà que tu parles tout seul, Jérôme ? Tu dois avoir besoin de vacances. Je peux m'asseoir ?

C'est Bert Bourne. La salle à manger du motel de La Sarre est pleine à craquer de tous les participants du Salon du livre et je suis seul à ma table. Difficile de refuser.

— Assieds-toi. Tu m'éviteras de dire non à quelqu'un d'autre. J'ai faim. Pas toi ? Le service est d'une lenteur ici. Mademoiselle ! Mademoiselle !

La fille court dans tous les sens. Elle est seule pour s'occuper d'une vingtaine de tables remplies d'écrivains et d'éditeurs capricieux et affamés. Elle arrive en coup de vent, sa cafetière à la main.

— Café ? Vous voulez manger quoi ?

— Jus d'orange, œufs, bacon et toasts pour les deux. Pas vrai, Bert ? Ça ira plus vite comme ça, non ?

Bourne approuve, sans rechigner.

— OK. Vous voulez autre chose ? demande-t-elle en versant le café.

Elle n'écrit rien, ce n'est jamais bon signe. Elle aura tout compris de travers et nous déballera des fèves au lard avec des crêpes au lieu de nos œufs sur le plat. J'ai horreur des crêpes et les fèves me font péter.

— Vous n'écrivez pas ?

— Pas besoin. J'ai une bonne mémoire, dit-elle sans sourire.

— Ne m'apportez pas de fèves au lard.

Elle s'arrête, sa cafetière dangereusement penchée vers Bourne, qui recule vivement sur sa chaise.

— Vous voulez des fèves au lard ?

— Non, je veux des œufs. Ne m'en apportez pas.

— Qu'est-ce que je ne dois pas vous apporter ?

Elle m'énerve.

— Vous ne m'apportez pas de fèves au lard, et pas de crêpes, c'est pourtant clair il me semble.

— OK, OK. Donc des œufs et tout le reste. Vous voulez autre chose ?

Elle s'éternise, la garce, et j'ai une de ces faims.

— Vous pouvez tout aussi bien me sucer la bite si le cœur vous en dit, je ne dirais pas non malgré votre sale gueule. Je cherche justement quelque chose à me faire pardonner par ma femme.

Elle ne bronche pas. Son patron l'a sans doute prévenue que la plupart des écrivains qu'elle servirait seraient cinglés.

— Des œufs alors.

Et la voilà repartie avec sa cafetière. Bourne rit comme un malade.

— Tu es toujours aussi névrosé, à ce que je vois.

— Je ne sais pas…

Je lui dis que c'est fini, que j'ai fait vœu de ne plus acheter la paix, que son prix est trop élevé, que je n'en ai plus les moyens, qu'il me reste juste de quoi me payer une hache de guerre, une bombe de guerre, une bombe hache de guerre, et que ça va péter, sauter, et qu'après on ne reviendra pas là-dessus parce qu'il n'y aura plus rien à en dire étant donné qu'il n'y aura plus rien. Bourne m'écoute, mais sans arrêter de rigoler.

— Calme-toi. C'est toi qui parles, là, ou un de tes personnages ? Tu es certain que ça va, Jérôme ?

— Oui, ne t'inquiète pas, je vais bien, je vais bien…

Enfin, oui, là, maintenant, en ce moment précis où il me le demande. Et ça m'embête, ça bâillonne mon esprit créateur. Celui-là ne sait s'exprimer que lorsque je vais mal. Il n'y a que les ennuis pour le réveiller. Je lui explique :

— C'est comme la plupart d'entre nous, j'imagine. Les écrivains, et tous ceux qui créent, je veux dire. Quand ça va bien, ça écrit mal. Heureusement que ça finit par aller mal quand ça n'écrit plus.

Bourne prétend qu'il n'aime pas du tout écrire, qu'en ce qui le concerne, il n'y a que l'argent pour le pousser à prendre la plume, qu'il se passerait très bien d'écrire, de noircir toutes ces pages, mais que c'est tout ce qu'il sait faire pour gagner sa vie, que pour lui le malheur n'est pas le moteur.

— Enfin, ça dépend de quel malheur on parle. Quand je suis à sec et que j'ai tiré tout ce que je peux de mon éditeur, je n'ai pas le choix. Alors, j'écris sans arrêt, frénétiquement jusqu'au point final. Je me suis entendu avec lui. Même s'il consent à reculons à me verser des à-valoir, il paye le produit aussi vite que j'écris.

Après, lorsque Bourne a livré son travail, il disparaît quelque part où la vie ne coûte rien et vaut beaucoup. Un endroit de soleil et de pauvres en général, qui sont beaucoup plus heureux que les riches étant donné que l'argent ne fait pas le bonheur, comme tout le monde le sait, sauf pour lui bien sûr, un bout du monde à cocotiers avec plein de femmes aux branches et une mer à leurs pieds.

— Je me contente de vivre, mon vieux. Juste vivre...

Et quand il a une fois de plus épuisé son pactole, il se ramène en ville et il écrit ses derniers mois de vie, ou ceux d'il y a plus longtemps lorsqu'il parvient à se les rappeler.

— Tu comprends ? Plus on vit, plus il est facile d'écrire.

— Tu fais chier !

Il en remet. Il n'a pas de mérite. C'est fou les choses qui lui arrivent aux antipodes où il va chercher sa dose de vie avec l'argent de ses livres ! Et c'est ainsi depuis qu'il est au monde : il se promène et les choses lui arrivent au hasard des gens croisés. Et comme il a appris à écrire par nécessité, il a appris sur le tard ; il avait donc déjà stocké beaucoup de vie quand il a commencé à la coucher sur le papier.

— Les îles du Cap-Vert, mon vieux ! J'en reviens. Un foutu paradis tout métissé. Il y avait cette fille, une Portugaise ébène avec des dents d'ivoire et des yeux hallucinés. Une merveille ! Une folie ! Pas une journée où elle ne se gravait pas un petit quelque chose sur le corps à l'exacto.

Fatima, qu'elle s'appelait. Comme l'apparition. À leur première rencontre déjà, elle lui avait révélé son secret en lui effleurant le lobe de l'oreille de ses lèvres pulpeuses et chaudes : « Pauvre Canadien, tu n'as aucune idée sur qui tu es tombé. »

— Une sorcière, mon vieux. Une vraie, avec ses bocaux remplis de serpents macérés dans la bave de crapaud et dans des alcools étranges. Et une mère et des sœurs tout aussi magiciennes. À te sucer la moelle et le reste, mon vieux !

Ses yeux de harpie le regardaient comme une petite bête à croquer. « Vous venez vraiment du Canada ? lui demandait la mignonnette, l'air d'en douter. Un pays interminable et froid qui vous couvre de neige de la tête aux pieds à ce qu'on dit. Ils sont tous comme vous, là-bas ? »

« Pire, qu'il répondait. Ils sont encore plus ignares que moi. Et tous imbus d'une grande et crasse innocence, ma belle. Ils ne sortent jamais de leur pays que pour s'envoyer en l'air — et pas si haut quand même — dans les clubs cocotiers des îles chaudes. »

Puis, sautant du coco à l'âme :

— Écrire, c'est donc si douloureux pour toi ?

Candide, il avoue son incompréhension. J'explique encore, j'explique comme à ceux qui n'écrivent pas et qui veulent savoir sans oser le demander où se cache le génie des mots : la souffrance et le doute qui déclenchent la pulsion d'exprimer, et les maux qui s'apaisent avec la justesse des mots, la douleur et l'incertitude qui finissent par revenir quand les phrases s'épuisent. On n'en sort jamais.

— Tu saisis ? C'est pas clair, je sais...

— Non, c'est très clair ! Pauvre vieux... C'est tout le temps que tu souffres, alors. Les mots n'y changent rien. Ils ne font que te distraire de ton mal.

Sa description n'est pas très romantique, je lui en veux un peu. Et je l'envie beaucoup. Il raconte qu'il achève son prochain bouquin, qu'il va bientôt pouvoir partir dans un autre trou perdu rempli de gens si extraordinairement simples qu'ils vont de nouveau le remplir de vie. Qu'il se demande bien combien d'étoiles Tracemot va lui donner cette fois, qu'il s'en balancerait carrément si ça ne faisait pas tant impression sur son éditeur, qu'entre trois et quatre étoiles il y a bien quelques milliers de dollars de plus et que ça vaut la peine pour cette raison de s'en préoccuper un peu.

— Évidemment, toi, tu as pris un abonnement au score parfait, monsieur quatre étoiles et demie !

Il dit ça à la blague. Il ne peut pas savoir ni imaginer.

— Tu crois que cinq étoiles, c'est impossible ? Ça, c'est la vraie perfection. Il les a déjà octroyées à cet Américain, tu sais ? Je ne veux pas me rappeler son nom. Ce type qui se prend pour Dos Passos…

— C'est vrai ?

— Quand je lui en ai fait la remarque, il m'a dit que c'était une erreur de son chef de pupitre, qu'il lui avait dit d'apposer la note parfaite au bas de sa critique, mais que le type ne savait pas que pour lui la perfection ne dépassait pas le presque parfait et les quatre étoiles et demie. Je suis certain qu'il m'a menti. Cinq étoiles ! Et à un Américain en plus.

— Les Jésuites, tu sais…

Notre repas finit par arriver sur cet échange de balivernes, accompagné d'un sourire en coin de la serveuse, aussi froid que le jaune coagulé des œufs qu'elle nous sert sans un mot. Nous mangeons en vitesse avant de filer au Salon.

Je suis un peu anxieux de revoir Tracemot ; je ne l'ai pas encore croisé depuis que je l'ai immolé mentalement grâce aux bons offices de Stella. Il doit participer à un débat qui promet sur le rôle de la critique avec, entre autres, Bérulier.

Je passe d'abord au stand des Imbuvables. Je ne suis pas de corvée de signature avant une bonne heure, alors ma table est occupée par deux jeunes auteurs de l'écurie que je salue en passant.

— Alors, ça marche, vos affaires ? dis-je pour faire poli.

Ils répondent sans répondre, à tour de rôle : ça peut toujours aller mieux, ils débutent dans le métier d'écrivain, le plus important, c'est d'abord d'avoir trouvé un éditeur, ils ne s'attendaient à rien, mais pas ça.

— On ne s'est jamais fait d'illusions pour le fric, vous savez, mais tout de même, j'aimerais bien que les gens me lisent un peu, dit celui qui semble le plus jeune des deux. Il fait à peine plus de vingt ans.

« Qu'est-ce qu'on peut bien avoir à raconter d'intéressant à cet âge, me dis-je, avant de me rappeler que j'ai connu mon premier grand succès à peine sorti de l'adolescence. La preuve si nécessaire que l'imagination dépasse la réalité… »

Magnanime, je gratifie leurs bouquins d'un coup d'œil apparemment curieux mais rapide pour ne pas donner l'impression qu'ils m'intéressent au point de les acheter.

— Bonne chance, dis-je avant de filer de l'autre côté où Rosemonde et Myrtille, qui sont déjà à pied d'œuvre, me font de grands signes de la main.

— Et vous, mes bonnes dames, j'imagine que vous faites la fortune de Bérulier avec vos douces mièvreries ?

Elles rigolent, lipopothéquée moins que l'autre.

— L'amour, c'est vendeur ! lance Myrtille, qui rougit jusqu'aux ongles d'avoir osé analyse si hardie.

— L'amour ? dis-je aussi légèrement qu'elle est vêtue. Mais vous ne connaissez rien à l'amour, jeune fille. Ça se sent très bien dès vos premières lignes. À la baise, je ne dis pas, sans doute, quoique les manœuvres que vous décrivez me semblent un peu limitées. Mais à l'amour, non, c'est certain. Et toute cette innocence sur votre beau visage sans l'ombre d'une ridule me conforte dans l'idée que vous n'avez jamais connu la foudre, cette déflagration qui vous assomme un jour sans s'annoncer. Et lorsque vous revenez à vous, dix, vingt, quarante ans se sont écoulés.

Myrtille proteste en affectant une petite moue boudeuse, tandis que Rosemonde approuve, en connaisseur, s'investissant d'un air inspiré pour déclamer, son livre à la main, une de ses odes hyperboliques dans laquelle Cupidon l'enlève sur une jument volante appelée Pégase, laquelle fait naître d'un coup de sabot, comme le veut la mythologie, la fontaine hippocrène, source de l'inspiration de tous les poètes. La fontaine est si belle que le couple s'enlace sur le dos du canasson qui l'emporte dans les cieux bleus.

— *... et le dieu amoureux, sur le cheval ailé*
expira sur la croupe de l'amante adorée.

Myrtille applaudit, très impressionnée qu'on puisse faire un si beau poème avec un cheval et si peu de mots. Quant à la poétesse, elle me regarde avec insistance, attendant le verdict qui tarde à venir.

— Renversant, finis-je par dire. C'est d'une telle... d'une telle... intensité ! Cela dit, je préfère manger les chevaux que de les monter. C'est affaire de goût, bien sûr. En ce qui concerne les femmes, ma Mira en particulier, je n'ai pas de préférence.

— Oh ! Que vous êtes drôle ! s'esclaffe Myrtille.

Tous ne sont pourtant pas de cet avis. Mon éditeur, par exemple. Il faut dire que son sens de l'humour est plutôt limité. Son esprit aussi d'ailleurs. Borné, conservateur, réactionnaire, acariâtre et amer. Et très coincé, enfermé par toutes sortes de barrières, plus que la plupart d'entre nous. Il n'appartient pas à ce monde dont je rêve, cet endroit sans inhibition où l'on pourrait péter sans gêne à table et baiser au salon, en bonne société comme en mauvaise compagnie, un monde où tous pourraient se proclamer baiseurs — *Ich bin eine Bumser* —, comme un Kennedy jadis s'était dit Berlinois devant un autre mur bloqueur de consciences et d'élans. Je ne suis pas très différent de mon éditeur au fond, maladivement jaloux, envieux et parano, schizo, névrosé ou mythomane, ça dépend du jour, de l'heure ou de mes fréquentations.

Le débat va bientôt commencer, annonce-t-on au micro, ce qui me permet de prendre congé de mes drôlesses. Mais je me soucie très peu de ce petit forum. Je suis las de leur préciosité et de leur grandiloquence grotesques, et je connais par cœur tous leurs points de vue sur le « rôle de la critique ». Ils vont s'agiter et palabrer comme si le sort de l'univers dépendait de la justesse de leurs arguments. C'est bien le cas en ce qui concerne le mien, d'univers. Je ne suis donc pas pressé d'assister à leur petite joute oratoire. Je me laisserai prendre à leur jeu, comme d'habitude, et je me couvrirai de ridicule pour l'amour de mon personnage.

Je m'approche de l'agora par le chemin le plus long, en fouinant dans les livres, subrepticement, comme un voleur à la tire. Je pense : « Les mots me manquent » en tentant de chasser la pensée comme une mauvaise rumination ; un écrivain ne devrait jamais dire une chose pareille, fût-elle vraie. Parfois, je suis si en manque de mots que je vole ceux des autres en ouvrant au hasard un livre dans lequel je pige. Ce n'est pas si grave de toute façon. Ne dit-on pas que tout a été dit et écrit ? que tout est dans le ton, dans la manière, comme me l'a rappelé si durement Gaudin il n'y a pas longtemps ? Et je les avale pour qu'ils me passent dans le sang où ils rejoignent cette soupe de lettres circulant dans mes veines. Dans mes artères, les mots filent, nourrissant l'espace intérieur où naissent les crues qui m'emportent, comme ce champ primal d'énergie a mis au monde tous ces macrocosmes scalaires qu'on soupçonne là-haut ou autour ou je ne sais quoi. Et quand mon sang s'est bien gorgé de morphèmes, une bonne saignée suffit pour couvrir de mots rouges toutes mes pages blanches.

— Vous criez plus que vous ne parlez, Maurice, voyons !

— Normal, je m'adresse à un sourd, monsieur Tracemot !

Ils sont sur l'estrade, Tracemot, Bérulier, Gaudin et trois écrivains que je connais vaguement, assis derrière une longue table, face au public. Dans l'assistance, une vingtaine de curieux, tout au plus. Je m'assieds dans la dernière rangée. Gaudin se porte à la défense de Tracemot que Bérulier vient d'apostropher, une fois n'est pas coutume.

— Tu manques d'indulgence, Maurice. J'aimerais bien t'y voir. Tu ignores ce que c'est que de devoir lire tous ces bouquins ineptes. On risque à chaque minute de perdre intérêt pour ce qui est bon, extra, génial. On devient vite désabusé, ne fais pas semblant de l'ignorer, et en même temps plus exigeant qu'on ne le devrait, et...

Mais Bérulier n'est pas prêt à ce qu'on mette de l'eau dans son vin. Je ne sais pas exactement avec quelle mouche l'a piqué Tracemot, mais il est virulent. Il en remet.

— Là, mon cher Philippe, tu oublies la multitude de sottises que doit lire un éditeur pour trouver quelque chose de publiable, et tu assumes que notre ami est honnête, qu'il lit et relit avec attention toutes les œuvres dont il parle, qu'il met de côté ses préjugés et ses antipathies avant de plonger dans un livre et, surtout, de poser son verdict. Mais il est clair que ce foutu corbeau de jésuite ne lit pas la moitié des romans qu'il critique. En fait, moins il les lit, plus il les démolit. C'est une honte !

Gaudin lève les bras au ciel et Tracemot devient cramoisi. Les autres membres de la table ronde n'osent pas s'en mêler et le public rigole. À quoi donc nous poussent nos élans, ces impulsions sournoises qui nous transportent hors de nous-mêmes dans des états étranges de benoîte béatitude et nous précipitent dans des bras hier abhorrés ? Dans ceux de Bérulier, en ce qui me concerne et en l'occurrence.

Vingt ans, vingt longues années que Bérulier porte ça sur son cœur, cette critique assassine de Tracemot qui a mis fin à son ambition de devenir écrivain. Un roman médiocre, il est vrai, mais qui ne méritait pas tout le sarcasme que Tracemot lui avait réservé. Bérulier, l'orgueilleux Bérulier, ne s'en est jamais relevé et n'a plus osé se publier. Durant toutes ces années, il s'est tu, a ruminé sa rancœur pour ne pas nuire à ses écrivains et a regardé ailleurs quand Tracemot les écorchait.

Mais là, maintenant, dans ce gymnase de La Sarre, sous les yeux des témoins incrédules, Bérulier se lance dans une philippique incompréhensible, sauf peut-être pour quelques initiés et Tracemot à qui il la destine :

— Comment avez-vous osé me faire ça ? Et ce ton hautain et méprisant ? Pourquoi ? Pour le plaisir d'écraser ? Je veux bien admettre que ce roman avait ses maladresses, mais ce n'était pas la merde que vous avez décrite. Et cette « erreur » que vous dites y avoir relevée, de quoi parlons-nous au juste ? Du mauvais emploi d'un mot ? D'une rhétorique mal assurée ? D'une syntaxe grossière ? Non pas, mais d'une image qui n'a pas plu ! Comme si l'imagination pouvait se tromper ! Comme si elle devait se plier à quelque rectitude venue d'on ne sait où. Espèce de butor borné !

Oui, oui, bravo, Bérulier ! m'entends-je penser avec ravissement. Bravo, cher éditeur ! Que tu as raison de dénoncer l'argumentaire de ce petit curé taré, ses dogmes de castré, de chrétien crétinisé par les interdits de sa morale qui nie la vie comme d'habitude depuis les siècles et les siècles, parce qu'après avoir inventé les commandements de Dieu, et de l'Église par-dessus le marché, pour voler ses instincts à l'Homme, l'avoir soumis à la torture de la conscience pour le couper de la nature, de sa nature profonde, tous ces Tracemot porte-étendards du christianisme triomphant l'ont poursuivi jusque dans son esprit, lui reprochant pensés impures et graveleuses, pulsions de désir et d'envie, pour lui substituer la grandeur d'une âme se nourrissant de vérités inventées.

— Et encore aujourd'hui, ils nous traquent jusque dans nos cervelles, veulent y insuffler la honte et le dégoût de nous-mêmes ! Vous êtes gratuit et mesquin, Gilbert Tracemot. Je mérite cette moitié d'étoile que vous me retenez depuis des années. Donnez-la-moi !

Pour le plus grand plaisir des spectateurs et mon plus grand malheur, je ne suis plus assis sur ma chaise mais debout au pied de la petite estrade et je gueule comme un putois après Tracemot qui, déjà secoué par la charge de Bérulier, n'en revient pas que je l'interpelle à mon tour de si vigoureuse façon. Il s'est levé. Sur son visage maintenant livide, la stupeur a remplacé la colère :

— Dites-moi que je rêve ! Tout ça est complètement surréaliste, grotesque ! Cessez, je vous prie !

Mais je ne cesse pas, et je la lui réclame encore et encore comme un enfant buté. Je me couvre de ridicule, je l'avais prévu. Bérulier ne sait plus où se mettre ni que faire, mon éclat lui rappelle la puérilité du sien ; Gaudin m'appelle au calme, comme on le fait avec un ivrogne en plein *delirium*.

— Voyons, Jérôme…

Mais il manque de conviction, il devine que là où je suis il ne peut plus m'atteindre. Stella m'a rejoint ; je suis seul à la voir, comme de raison. Elle sait se faire discrète, mais elle est bien là, assise dans la première rangée, avec à ses côtés ses cabots poilus qui fixent Tracemot en grognant, babines retroussées sur leurs grosses canines.

— Salaud de casuiste ! que je lui lance.

Ça finit de le mettre hors de lui. Il s'avance vers moi, menaçant.

— Comment voudriez-vous que je vous donne ces cinq étoiles, Jérôme ? Je connais trop bien votre vie minable, je sais très bien, moi, que vous êtes tout sauf parfait. Vous êtes complètement dingue ! Fou à lier !

— Il ne s'agit pas de moi, mais de mon œuvre !

— Votre œuvre ? Pauvre imbécile, vous croyez vraiment qu'on peut dissocier la création de son créateur ? Vous croyez que Van Gogh aurait mérité un cinq sur cinq de son vivant ? Cet aliéné ? Ce fou furieux ? Mort, cent ans après, je ne dis pas. Il n'y a que le temps pour transformer la folie en génie parce que ne reste à terme que la vision fabuleuse, que l'œuvre insolite, que l'image tordue sur la toile sans qu'on ait à se rappeler le cerveau malade qui l'a enfantée, ni à supporter ses travers, son insupportable fatuité, sa grandiloquence de cacochyme. Comptez-vous chanceux d'avoir pu collectionner les quatre étoiles et plus, pauvre idiot. Vous êtes la preuve que les critiques peuvent juger l'œuvre en faisant abstraction de l'auteur…

Je ne l'écoute plus. Tandis qu'il continue de m'aplatir, Stella se lève et vient planter ses yeux de glace dans les miens. Le tunnel s'ouvre et je suis soudain ailleurs, du côté de l'avenir qu'elle me laisse entrevoir grâce à ses pouvoirs de vaticinatrice, devant cette assemblée d'amis et de parents, au milieu de ces autres personnages qui attendent comme moi la consécration d'une vie, la reconnaissance non plus des pairs mais de la société tout entière, de la planète au complet. C'est l'Ordre national dont on me fait chevalier sans peur ou officier ou Grand Couillon, le Goncourt, le Booker, le Nobel, pourquoi pas. Je les mérite tous, toutes ces récompenses me reviennent. Je suis ce que je suis, unique, génial, inique pour ces autres autour de moi qui attendent eux aussi leurs étoiles, qu'on les chante, les dise merveilleux et admirables pour ce qu'ils ont commis, d'avoir si bien réussi leur carrière, leur vie et même la vie des autres. Aucun ne m'arrive à la cheville et pourtant ces nains attendent la même reconnaissance que moi, ils porteront eux aussi cette étoile au cou, cet astre qui les fera briller au panthéon des humains exemplaires. Moi, c'est dix étoiles sur cinq qu'il me faut…

— Et toi, Stella, Reine de tous les cieux, mère des lumières, où en es-tu avec cette singularité singulière ? L'as-tu trouvée ? As-tu de nouvelles pistes ? Te rendra-t-elle maboule comme ma boule de feu, ma Calamité, m'a détraqué ? J'ose à peine imaginer l'enfer que serait la folie pour un pur esprit, pour une éternelle comme toi.

— Je ne suis pas pressée, tu comprends ? répond-elle. Rien ne presse…

Ses molosses se sont précipités sur Tracemot qu'ils réduisent en bouillie pour la deuxième fois en vingt-quatre heures. Les Jésuites ont plusieurs vies. Cette fois, personne ne fait attention au carnage, on s'habitue à tout. Notre foire du livre suit son cours, les éditeurs vendent, les gens achètent, les auteurs signent, et Tracemot saigne dans l'indifférence de tous, même de Bérulier et de Gaudin qui se résignent à passer à autre chose. À l'autre bout de l'univers, un gouffre insatiable vient d'avaler deux ou trois galaxies.

La plupart du temps, la fourmi n'a pas conscience qu'on marche sur sa fourmilière. Quelle est la fin, quel est l'objectif de la fourmilière ? Pourquoi existe-t-elle sinon pour justifier la fourmi ? pour lui permettre de s'accomplir, d'exprimer son potentiel ? L'univers n'existerait donc que pour porter la vie, pour perfectionner les espèces, en faire des créatures pensantes, conscientes, réfléchies et se réfléchissant dans les étoiles. Être pour expérimenter, connaître, comprendre. Et après ? La dissolution ? La dispersion ? La fusion ? La digestion peut-être, l'absorption, avec l'Homme ou la superfourmi du futur dans le rôle de la bactérie mangeuse d'étoiles, du phage éliminateur ultime de la matière, siège de la conscience pure.

— Un jour, sans doute, me souffle Stella à l'oreille. Mais après ?

Je n'en suis pas là. Elle, oui, bien sûr. Et ça la perturbe, je le sens.

— Tu crains qu'il n'y ait devant que ces fournaises et cette soupe chimique ? Seraient-elles peuplées de monstres innommables et de démons sans nom, je comprendrais ta peur. Mais ce rien, ce vide, cette inanité ?

Elle fait mine de rester muette, mais je l'entends répondre à mes pensées, du ton qu'on prendrait pour s'adresser à un enfant stupide, que le vide n'est pas le néant, qu'il est peuplé de tout ce que nous ne voyons pas, animé de tout ce que notre esprit peut et ne peut concevoir. Il enfante tout et le dévore tout autant. Le vide, l'insatiable vacuité avaleuse d'univers entiers, génitrice de merveilles, vacuum si démesurément outrancier que des millions de milliards de galaxies, que des trillions d'univers ne parviennent même pas à remplir un point de son espace infini. Si Dieu existe, c'est ça.

Sa voix tremble et elle n'aime pas ça. Dans un mouvement d'impatience, elle disparaît en m'expédiant dans la clairière au-dessus de ce lac où Gaudin m'a retrouvé le soir de notre arrivée. J'aime cet endroit. Il me calme, on dirait qu'il concentre à mes pieds la grandeur du monde et sa magnificence. Ici, en ce lieu sublime où se confondent l'eau, le ciel et la terre sous le feu changeant du soleil, j'oublie que j'appartiens au cosmos et qu'il dictera toujours mon pitoyable destin. Tant de beauté me détraque, comme une drogue elle se joue de mes perceptions, me trompe comme la pire des Mira, m'imprègne de la même langueur soyeuse que lorsque ma douce me prend dans ses bras qui, bien que de garce et de glace, me réchauffent en enfermant ma propre chaleur. Le bonheur malgré soi, *sui generis*, le plus bâtard des mirages.

Gaudin savait où me trouver. Il me ramène au motel. Il a fait mes bagages. Nous rentrons le soir même à Montréal. Dame Laverdure nous attend dans l'autobus. Elle nous remet à chacun un petit paquet enrubanné.

— Des bricoles de la région, dit-elle. Pour vous rappeler votre passage.

— Merci, merci, c'est gentil. Mais je n'avais pas besoin de ça. Pour me le rappeler, je veux dire…

Elle le prend comme un compliment à son beau coin de pays, mais je pense plutôt à mon engueulade avec Tracemot ; je ne le salue pas lorsque je le croise et il ne me regarde pas de toute façon. Il a posé ses bagages sur son siège, il ne souhaite pas de compagnie. Bérulier s'est installé à l'écart, lui aussi, et je ne cherche qu'à en faire autant.

Puis c'est l'avion et la trêve se prolonge, bâtie sur l'équilibre qui fait avancer l'appareil dans l'espace, entre la portance et la poussée, cette même harmonie à la base de tout et du reste, entre le noir et le blanc, le vite et le lent, le trop et le pas assez, le désert et la mer, l'ordre et le chaos, Mira et Stella, Jérôme et Jérémie…

Il devrait faire nuit, mais Stella a tiré des ficelles pour me prolonger le jour. Le soleil allume tout, l'air est doux, Montréal, accueillant malgré la neige sale qui persiste au sol. Je me sens bien, j'oserais dire heureux. Je me surprends à croire que Mira m'aime vraiment, que j'invente vraiment comme elle le prétend tous ces drames où elle tient le premier rôle. Et pourtant, dans dix minutes, je serai lugubre et agité, au bord de l'abîme. Rien n'aura changé, ni le soleil, ni le ciel, ni la ville. Mais j'aurai perdu ce bref état de grâce qui m'entretient dans l'illusion que Mira n'est pas la scélérate cachée derrière cette fausse tendresse. Tout ne serait donc qu'affaire de perception, de regard ? Élucubration ! Extravagance de l'esprit vite écartée parce qu'elle suppose que Mira, ma froide princesse des cyclamens, n'est pas la perfide Albion que j'imagine.

J'aurais aimé que notre histoire soit bien mielleuse, du genre qui finit bien, et tout le temps, à chaque phrase, à chaque paragraphe, que chaque mot soit un baiser, chaque syllabe, un effleurement, chaque virgule, un accroche-cœur, comme Bérulier voudrait tant que je lui en écrive. Mais je ne crois pas au paradis, sauf quelquefois quand Mira m'y fait entrer par cette porte céleste qu'elle m'ouvre entre ses cuisses et où j'oublie une fraction de seconde ma défiance et sa tromperie.

Ma courte euphorie a disparu avec le soleil. J'ai pris un taxi et déposé ma valise avant de ressortir. Les deux monstres m'attendaient devant la maison en bousculant les passants pour passer le temps. Ils deviennent envahissants.

— Gardez vos distances, je n'aime pas qu'on me remarque !

Algol s'éloigne en maugréant, mais Logla, lui, s'approche et vient me planter son gros pif dans le cul comme un cabot mal élevé. Le coup de pied que je lui envoie le convainc de s'écarter.

— Tu es vicieux en plus. Sale bête ! Mais d'où tu sors ?

— Logla gentil…

— Comme un chacal, oui.

Je traîne. J'adore traîner sans but dans les rues. Enfin, j'imagine. La plupart du temps, j'aboutis aux mêmes endroits, dans mes bas-fonds préférés à observer les filles de rien ou devant l'atelier de Mira à l'espionner dans l'espoir de me faire du mal. Et ce soir, c'est justement par là que le diable m'emporte. Dans mon sillon habituel, les deux homoncules s'amusent comme des petits fous à renverser les poubelles et à fracasser les rétroviseurs des bagnoles.

— Stella, bon Dieu ! J'aimerais autant être seul pour une fois. Rappelle tes ogres de Barbarie !

Pouf ! Petit nuage de fumée rance et grise : disparus les myrmidons. Apparemment, il suffisait de demander. J'allonge le pas, anxieux de revoir ma Mira. Même à distance et à travers une vitrine, sa grâce me fige le sang. Mais jamais autant que la crainte de la retrouver dans d'autres bras, sous d'autres yeux, des yeux plus cléments. Je force encore la marche, pour fuir cette image et me rapprocher de ma douce. Au bout de la rue, l'ancien dépanneur qui lui sert d'atelier a l'air d'un phare dans la nuit. Dans la lumière vive qui l'enveloppe, je la devine, ombre agitée glissant sur le mur où elle affiche ses photos. Elle n'est pas seule, et si elle l'est, elle pourrait aussi bien ne pas l'être, c'est tout comme et selon. Et je songe, sans appeler la pensée : *L'amour est fort comme la mort, la jalousie, inflexible comme le Shéol. Ses traits sont des traits de feu, une flamme de Yahvé*[1]. Puis, m'étant approché, la voyant seule, mon esprit se transporte dans des prairies d'herbe tendre où il ferait si bon reposer, Mira ma Mira sur moi. Mais au-dessus de nous plane le gros œil de Yahvé le voyeur et ça suffit pour me ramener rue Marie-Anne où, tapi à l'angle d'un mur, j'observe à travers la vitre ses voltiges devant

1. Cantique des Cantiques, VIII, 6.

son mur de mes lamentations. Elle y étale des morceaux en noir et blanc de mon âme, des images de moi dans toutes les poses, toutes les attitudes, riant, tonitruant, rouspétant et pétant, et elle en fait une sorte de casse-tête géant qui semble répondre à sa seule logique, moi et encore moi au milieu du gymnase de La Sarre transformé en Foire littéraire où elle se trouvait donc, la traîtresse, moi pédant avec cette lectrice qui se déclare amoureuse et oublie de me faire signer, moi rageant parmi les lecteurs enragés par le mépris de Tracemot pour leurs romanciers adorés, moi étendu dans ce champ de neige près du lac et moi, encore, couché sur mon lit de motel les yeux révulsés, moi, moi et toujours moi.

Cette prodigalité m'étourdit, sa duplicité m'exaspère et me navre. Où était-elle alors ? À deux pas de moi durant ces deux jours ? De l'autre côté du mur séparant ma chambre de celle de l'ami Gaudin ? Dans son lit ? Ou dans les bras du lubrique Bérulier ? Entre les seins de l'énorme Rosemonde ou sur le croupion de la volage Myrtille ?

Mira mirage, sale illusion pour l'œil et le cœur, oiseau trompeur, serais-tu donc, toi aussi, une de ces éternelles omnipotentes qui se déplacent à la vitesse de la pensée, une autre Stella incarnée dans ce corps de mirabilis pour mieux m'abuser ? Juste une pièce du complot cosmique ourdi contre moi, une simple machine du Grand Machin tout-puissant ? Vite, vite, écrire quelque chose quelque part pour conjurer ce sort qu'elles me lancent l'une et l'autre dans mes vies de tous les jours, pour prouver que la souffrance a un sens, que la vie elle-même ne sert pas qu'à souffrir.

Les lumières de l'atelier s'éteignent et Mira s'évanouit dans le noir. En fait, toute la ville s'éteint, encore une fois. Et les aurores reviennent nous faire leur cirque, comme par l'enchantement d'une interminable Vénus de ma connaissance. Les mots se bousculent dans ma tête, des cascades, des trombes, des avalanches de mots me tombent dessus et je file à la maison, les jambes à mon cou, pressé de les coucher sur le papier, je les ressasse et me les répète pour ne pas les oublier. Ma course est folle, débile, démente, la porte est en vue, mais les jumeaux aussi qui sont revenus et m'attendent sur le seuil comme des toutous affamés rentrés au bercail réclamer leur pâtée. J'entre, ils me suivent, je n'ai pas le temps d'en faire de cas. Du papier, un crayon, je m'écrase sur le divan et j'écris, j'écris, je noircis, je me soulage comme un diarrhéique qui s'est trop longtemps retenu, j'écris à la lueur de… de quoi au fait ? Je lève la tête, les monstres au garde-à-vous devant moi projettent avec leurs yeux sur mes feuilles une lumière verdâtre. Je n'ai pas le temps de m'étonner.

— Venir ! fait Logla en me tirant par la main.

Il m'entraîne vers la chambre, ses yeux luminescents nous ouvrant la voie, puis dans le placard de Mira. Algol referme la porte derrière nous tandis que je tente de me dépêtrer dans tous ces vêtements ensorcelés par l'odeur de ma renégate.

— Logla, qu'est-ce que…

Au fond de la penderie, une embrasure s'est ouverte sur une sorte de caverne aux parois mouvantes pour autant que je puisse voir sous la faible lumière émanant des ogres. Au milieu, je distingue quand même une forme humaine nous invitant à la rejoindre. « Stella, certainement, me dis-je. Qui d'autre ? » Logla me tire et son frère me pousse à travers l'ouverture tandis que, bombant le torse et relevant la tête, je revêts ma peau de rodomont pour être à la hauteur de ma déesse exploratrice. Mais j'oublie qu'elle peut lire dans mes pensées de trouillard.

— Tu n'as toujours pas confiance ? Tu n'as rien à craindre de moi, tu le sais bien, mon petit Jérôme. Ou est-ce

Jérémie? Peu importe le nom que tu voudrais aujourd'hui...

— Facile à dire. Mais c'est bien moi, pauvre être de chair, fragile et mortel, qui ai le plus à perdre à chevaucher dans les brumes intersidérales aux côtés d'une déité hyperactive. Toi, tu peux bien te permettre le luxe de jouer les suicidaires...

Je suis suffisamment près d'elle maintenant pour saisir sur son visage autrement inexpressif la contrariété provoquée par ma remarque. Les murs de cet endroit bougent vraiment. On dirait qu'ils ondulent.

— Nous reparlerons une autre fois de ce fin commentaire. Ce n'est pas le moment. Il faut sortir d'ici avant que ce ver ne nous ait digérés.

— Ce ver?

— Il nous conduit vers une étoile étrange dans la nébuleuse de la Lyre. Je t'expliquerai. À l'autre bout...

Alors j'ai fermé les yeux très fort et m'en suis remis à elle. Je ne veux rien savoir, rien voir ni rien entendre, mais ça n'empêche pas la peur de me dévorer, ni ma tête d'être éblouie par les stries douloureuses et stridentes de cent millions d'éclairs de mauvais génie.

Chapitre 7

3C58. Étoile à quarks étranges située à 10 000 années-lumière de la Terre, dans la constellation de Cassiopée. Créée par l'explosion d'une supernova signalée en 1181 de notre ère.

Elle est derrière, je le sens, je la sens. Elle me suit. J'ai entendu le déclencheur de l'appareil photo. Tout à l'heure, c'était le flash. Maintenant, elle est partout. Elle rase les murs, se glisse entre les voitures, coule sur les trottoirs. Demain, il y aura d'autres images de moi dans tous les sens, sous toutes mes coutures et dans tous mes émois sur les murs de sa galerie. Un sacré paparazzi, Mira ma Mira ! Maligne Mira, voyeuse Mira… Mais qu'y a-t-il donc à voir de si près ? Le nez collé sur la crasse, génératrice spontanée de vie, de germes et de puanteurs, qu'y a-t-il là d'intéressant sinon notre insignifiance et notre précarité, notre inutilité ? Moi, les germes, je ne veux pas les voir, mais je n'ignore pas qu'ils me grugent, prennent un peu de moi, comme l'air respiré contribue à m'oxyder jusqu'au jour où la rouille m'emportera ; je ne veux pas connaître ces microbes qui finiront par avoir ma peau. L'âge nous rend presbytes et c'est tant mieux. Elle devrait d'ailleurs venir plus vite, la presbytie, cela nous éviterait bien des drames en bas âge, forcerait les gens à lever les yeux, et pour peu qu'ils les lèvent assez, ils finiraient par apercevoir le ciel et par comprendre quel avantage il y a à voir plus grand plutôt que plus petit ; les aurores au lieu des pannes : plus grand, c'est plus loin, c'est plus vieux, moins personnel que ses poux et ses bactéries. Ma Mira aime le petit monde, c'est pourquoi elle me poursuit, me scrute au microscope.

Le Soleil n'est vraiment plus d'humeur. Ses trémulations répétées ont épuisé la capacité des astrophysiciens à fournir des explications rationnelles, leurs savantes supputations manquent de conviction et ne rassurent plus personne. Il y a des pannes de courant généralisées une journée sur deux. Les gens s'habituent à vivre sans électricité mais pas à la peur. Des gourous poussent au coin des rues et les passants énervés s'agglutinent autour pour les écouter. Ils racontent tous la même chose : les péchés des hommes, la colère de Dieu, sa punition, notre repentir. Et pourtant, disparaître tous ensemble maintenant, ou mourir les uns après les autres au cours des cent prochaines années, qu'est-ce que ça change ? Dans cent ans, pas un seul des milliards d'individus qui peuplent la Terre aujourd'hui n'aura survécu. Ou si peu que pas. Alors, pourquoi pas ici, et tout de suite ?

— Parce que je t'aime et veux continuer de t'aimer, parce que je porte notre enfant et veux qu'il voie le jour, ce métis de nous deux, et la nuit aussi jusque dans ses grandes, belles et inquiétantes profondeurs, qu'il réussisse là où nous avons échoué, comprenne ce que nous ne saisirons jamais, voie ce que nous ne pouvons même pas imaginer. Et même s'il ne fait rien de tout ça, je serai satisfaite qu'il soit, tout simplement, qu'il existe après nous et ses enfants après lui.

Je n'ai pas montré l'enthousiasme qu'elle attendait. Ses lèvres et son visage se sont fermés. J'aurais dû feindre de croire à sa sincérité. J'ai voulu me rattraper, la détourner de sa déception, l'envoyer sur une autre piste :

— Tu crois que je vais l'aimer ?

Elle a soupiré, puis m'a tendu le bras à travers notre grand lit.

— Viens te coller, épais d'amour. Approche, laisse-toi cajoler, ne sois pas si rétif. Pose ta grosse tête ici que je passe la main dans tes beaux cheveux drus. Viens donc, ne te fais pas prier…

J'ai fait comme elle voulait, toujours prêt à lui donner la réplique pour parfaire son jeu de femme chaude et aimante. J'ai même posé ma main sur son ventre, engrossé depuis bientôt trois lunes.

— Ton ventre est presque plat. Je ne sens rien. Tu es bien certaine que…

Du coup, elle a repris ses distances. J'ai compris ma gaffe et vite tenté de me ramener dans ses bonnes grâces.

— Excuse-moi. Mais tu sais que je n'ai jamais compris ce que tu fais dans ma vie ni pourquoi tu t'entêtes à y rester. J'ai si peu à t'offrir. Et voilà qu'en plus tu me ferais un enfant ? C'est trop, comment pourrais-je te croire ? Un enfant, un petit avec ce fou d'écrivain. Je vais faire semblant, je te le jure, comme si je ne doutais pas de toi à chaque instant, ni de moi-même surtout, comme si le Soleil pouvait se mettre à tourner autour de la Terre, comme si la belle pouvait vraiment aimer la bête. Je préfère me torturer que de te perdre, je souffrirais de toute façon. Tu es ma flamme, l'étincelle qui met le feu à ma plaine intérieure…

N'importe quoi, c'était n'importe quoi. Elle n'a pas été dupe.

— Cesse de paraphraser ce malade de Mao, m'a-t-elle lancé. Ce n'est pas digne d'un grand écrivain. Tu me crois trop ignare pour m'en rendre compte ? Le dernier incendie qu'il a allumé, celui-là, a fait flamber à la chinoise quelques millions de cervelles. Et puis laisse donc tomber ce vocabulaire de pompier tout feu tout flamme.

— Mira...

J'ai approché la main de son ventre, de nouveau, mais elle l'a repoussée. J'ai sorti le grand jeu :

— Des fois, je pense que je serais aussi bien de me jeter en bas du pont Jacques-Cartier, en bas de quelque chose, en bas du monde. Pourquoi ai-je tant de difficulté à croire que tu tiens à moi ?

Elle me tourne le dos et me parle en s'adressant au mur :

— Pour qui me prends-tu ? Je ne suis pas une baronne ni une princesse de conte de fées, encore moins une reine de beauté ou une déesse de quoi que ce soit. Je t'aime, un point c'est tout. Si c'est vraiment trop compliqué à comprendre pour ta petite tête d'écrivain torturé, dis-toi donc que tous les goûts sont dans la nature, que des grands vont bien avec des petites, des grosses, avec des maigres, des jeunes, avec des vieilles, des noires, avec des jaunes, des laides, avec des beaux, j'en passe et des plus bizarres. Alors, pourquoi je ne pourrais pas être amoureuse d'un fou malade d'écrivain paranoïaque et mythomane ? Je dois aimer souffrir, ce doit être ça. Tiens, dis-toi donc que ta femme est masochiste, que c'est pour ça qu'elle vous endure, tes délires et toi, et qu'elle t'aime. Plus tu lui fais la vie dure, plus elle savoure. C'est simple, ça explique tout, essaye donc d'y croire qu'on arrête d'en parler pour un petit bout de temps. En attendant, laisse-moi. Tu m'as toute cassée le dedans. J'ai beau aimer que tu me fasses mal, j'ai quand même besoin de quelques jours pour me refaire les os et les dents. Va donc jouer dans ton trafic habituel, maudit fou. Et tant pis si ça te mène en bas du pont, écrase-toi comme une galette si le cœur t'en dit, je vais prendre ton pied et le mien en passant, étant donné que j'aime tant la douleur, et après je vais te pleurer en masse, comme doit le faire une bonne épouse. Es-tu content, là ?

Je n'ai pas répliqué et je l'ai laissée s'endormir avant d'aller courir mon monde de fou malade. Mais elle m'aura suivi, son appareil au poing, prête à bondir sur mes moindres gestes. Mira, ma Mira fâchée, où te caches-tu en ce moment même où je me ronge les sangs en évoquant ton corps qui me manque tellement, ton corps si froid qui m'allume pourtant ? Mira, aurore et nuit, jour de janvier, ma fidèle infidèle, vestale de mon cœur et torture de mon âme, constante à m'assaillir jusque dans mes retranchements secrets.

Serais-tu cette étoile sous laquelle je suis si mal né ? Cette Calamité ? Il y en a tellement. De bonnes étoiles et de mauvaises, jaunes, bleues, rouges ou multicolores, des explosives, des qui s'écroulent sur elles-mêmes pour ouvrir des brèches dans le temps, des inconstantes, doubles, triples, quadruples qui partouzent jusqu'à l'éclatement, des étoiles pâlissantes et d'autres montantes, certaines oubliées dans un coin du ciel où personne ne regarde, des étoiles qui filent si vite qu'on ne parvient jamais à les suivre.

Et que dire de leur cycle de vie ? Des étoiles ordinaires arrivées au bout de leur hydrogène et qui se transforment en géantes rouges avant d'exploser pour laisser derrière un simple noyau de carbone. Tu te rends compte ? Et savais-tu que si ce noyau est moins massif que la limite de Chandrasekhar, soit un virgule quarante-quatre fois la masse du Soleil, alors l'étoile morte est une naine blanche ? que par contre lorsque sa masse dépasse cette fameuse limite, les électrons fusionnent avec les protons pour donner des neutrons ? que la forte gravité de ce type d'étoile la fait tourner à une vitesse telle qu'elle émet des ondes perceptibles ? Passionnant, non ? Conviens-en au moins, femme de glace, mon noyau de carbone à moi. Tu l'aurais épuisé, toi aussi, ton combustible, que ça ne m'étonnerait pas. En fait, ça expliquerait tout, ta froideur, en tout cas, et que tu te sentes obligée de la cacher. Mais rien n'est jamais simple, ni statique ni vraiment fini, avec les étoiles pas plus qu'avec les femmes, qu'elles soient vivantes ou mortes. Une découverte qu'on doit à Subrahmanyan Chandrasekhar, et qui lui a valu le prix Nobel et de voir son nom imprimé dans tous les livres d'astrophysique. Ce type a prouvé qu'il y avait une vie après la mort, pour les étoiles tout au moins : dans un système à étoiles binaires ou multiples comprenant des géantes rouges, une naine blanche peut, par gravité, attirer à elle des gaz provenant de ses voisines. Quand elle a gobé suffisamment de cette matière pour que sa masse franchisse la limite que monsieur Chandrasekhar a si bien déterminée, alors l'explosion qui se produit émet autant de lumière que quatre cents milliards de soleils, autant que toutes les étoiles d'une galaxie entière ! Tu entends ça, Mira ma Mira, où que tu sois ? Chez nous, les morts sont plus discrets. Et toi, Mira mon amour, franchiras-tu pour moi un jour le mur de Subrahmanyan Chandrasekhar ? Voleras-tu à d'autres cette chaleur qui te manque ? T'exploseras-tu pour m'emporter dans le souffle terrible et torride de quatre cents milliards, d'une myriade de Mira ? Seras-tu ma supernova ? mon étoile éclatée ?

Elle sera bien ce que tu en feras, me dit la voix dans ma tête, cette voix que je déteste parce que c'est moi, moi dans ma plus pure acception, on ne peut plus moi, en fait il n'y a rien de plus moi que cette voix ne répondant plus de moi, cette voix, c'est plus moi que tout le reste, que ma gueule, que mes yeux fuyants, que ma tête inclinée pour passer sous les regards. Cette voix qui sait tout et ne veut rien savoir m'assourdit par son verbiage incessant grouillant de dogmes et de morales. Et elle parle si fort que j'en perds mes mots ; je n'en ai plus pour rien de ce qui compte, plus de mots pour l'amour ni pour la haine, pour la vie ou pour la mort, et lorsque à force il m'en vient quelques-uns malgré tout, ce sont des mots plats, sans relief et sans vie, ternes, sans couleur, sans âme, insipides et aphones, qui ne veulent rien dire, des mots qui me remplissent de vide.

Parfois, Mira fait mine de m'encourager, elle fait sa chatte et vient se blottir pour se faire gratter sous le menton, comme si elle aimait vraiment ça, comme si elle était une vraie chatte. Mais je la connais, ma Mira, depuis le temps que je la regarde tricher, elle ressemble de plus en plus à Stella. Mais j'aurai sa peau de faux jeton, dussé-je la lui arracher de sur les os, sa peau de vache, sa peau de garce, de grâce dévoyée. Mira des Étoiles… J'ai mis mes bas à l'envers, pas grave. Ma chemise aussi, plus ennuyeux, mais qui s'en soucie ? Mes culottes, ce serait plus embêtant, plus encombrant surtout, d'autant que je n'ai personne pour m'en avertir comme Dagobert qui avait saint Éloi, surtout pas Mira, elle s'en fout, je pourrais me promener à poil, ou pire, déguisé en *drag-queen*, elle ne le remarquerait pas. Qu'est-ce que je fais à côté de cette bonne femme, pourquoi m'endure-t-elle d'ailleurs ? Ah ! oui, c'est vrai, me rappeler qu'elle est maso, elle me l'a dit, m'a demandé de me faire à l'idée.

Mais non, mais non. Secoue-toi, mon vieux. Et toi, la voix, tais-toi donc un peu, tu mêles tout ! Tu me rends fou ! Oui, toi ! Non, je ne le suis pas déjà. À cause de toi, je ne m'entends plus penser. C'est de Mira qu'il est question ici, Mira la douce, l'aimante, Mira ta tanière et ton refuge, là où meurent ta rage et tes colères. Mira ta Mira, pas Stella Porrima, cette autre que tu as investie de tous les défauts que Mira n'a pas mais que tu voudrais tant qu'elle ait, admets-le donc, ce serait tellement plus facile de créer si cette femme te faisait souffrir pour de vrai, si elle ne t'aimait pas tant, si elle se moquait de toi, te trompait, te méprisait au lieu de t'aduler, abusait de toi plutôt que de te baiser, comme cette Stella que tu inventes pour te tourmenter. Mais me tourmente-t-elle seulement ? Et l'ai-je bien inventée ? Elle est capable de tout, Mira, même de trafiquer ses photos pour en effacer Stella, pour se convaincre que je suis un affabulateur et qu'elle n'a aucune rivale, n'en a jamais eue, n'en aura jamais. Elle nous fera une belle petite exposition pour entretenir ma légende, le fou sur les murs dans tous les états de sa folie, hurlant à la lune, trépignant, seul comme un chien galeux, ses yeux hagards tournés vers un personnage absent, fuyant.

Algol me surprend en m'ouvrant la porte. Et il m'étonne tout à fait en m'entraînant par la main vers sa maîtresse. Il claudique jusqu'à la cuisine, reniflant, et me jette par-dessus l'épaule de petits coups de son œil. Il grogne, mais sans animosité. On dirait qu'il ronronne, comme un gros matou repu.

Devant la cuisinière, Stella mijote deux ou trois gros plats pour les petites atrocités accrochées à ses mollets, et pour moi, une vacherie bien assaisonnée.

— Tiens, Jérémie ! Tu as un nouvel admirateur. C'est vrai, j'avais oublié de te dire : Algol adore tes romans. Je te jure. Il les dévore.

Elle se trouve très drôle :

— C'est du bon humour, non ? J'apprends vite, tu ne trouves pas ?

Oui, je trouve, mais Algol, lui, n'aime pas faire les frais de l'ironie nouvelle de sa maîtresse. Il rugit, en roulant des mécaniques.

— Du calme, mon démon, fait Stella en lui lançant un bout de barbaque. Tu ne vas pas me faire une scène, non ? Allez, disparais !

Et il file au salon en ronchonnant dans sa barbe de bouc émissaire.

— Qu'est-ce qui lui prend ? Il ne veut plus me bouffer ? Tu as recommencé à lui faire des douceurs ?

Elle hausse les épaules sans lever les yeux de ses chaudrons ni s'arrêter de touiller le magma qui y bout.

— C'est parce que tu as sauvé son frère des flammes, l'autre jour. Il t'en est reconnaissant. Rends-toi à l'évidence, mon cher. Tu t'es fait un ami.

Le menton m'en tombe. Si elle les laissait faire, ces deux-là s'entretueraient. Toujours à se manger la laine sur le dos, à se tanner le cuir, à se taper sur la margoulette, à se foutre le doigt dans leur gros œil de cyclope.

— Voyons, Jérémie. C'est normal, ce sont des démons après tout. Mais ce sont aussi des jumeaux, ne l'oublie pas. Peu importe la qualité de leurs rapports, ils ne peuvent pas se passer l'un de l'autre.

Ça me fait penser à quelqu'un, à quelqu'une surtout, à qui je n'ai justement pas envie de penser.

« Alors, n'y pense pas », l'entends-je me dire dans ma tête.

Elle a délaissé ses casseroles et s'approche de moi, ses yeux bien plantés dans les miens. Elle a un drôle d'air aguicheur que je ne lui connais pas et qui lui convient à peu près autant que des mamelles à un taureau.

— Tu as un drôle d'air.

— Un air de quoi ?

Je ne dis rien, mais n'en pense pas moins. Lascif, un air lascif et vicieux, pervers et libidineux. Elle s'est entraînée, c'est certain.

Maintenant, elle est tout près et me jette un regard entendu en me mettant carrément la main entre les jambes, ce qui est tout à fait étonnant parce qu'atypique et inhabituel, je dirais même anormal. Stella n'a jamais eu ce genre de familiarité, elle n'en voit tout simplement pas l'utilité. Alors, j'en suis tout retourné et confus. Il doit se passer quelque chose de grave, dans sa tête en tout cas.

Voilà, c'est arrivé comme ça. Elle s'est approchée avec son air lubrique et m'a pris les couilles en me susurrant à l'oreille :

— Viens, mon chéri…

« Chéri »… Elle est malade, ça ne fait pas de doute.

— Non, Jérémie. Je m'efforce d'apprendre.

L'émotion me coupe la voix mais pas les jambes. Je la suis jusqu'à sa chambre où elle m'entraîne en me tirant par le pantalon et ce qu'il y a dedans. Quelques-unes de ses bestioles y sont déjà, avachies dans tous les coins, comme des toutous dans leur panier.

— Dehors, les monstruosités ! Foutez-moi le camp, leur lance Stella sans ménagement. Je veux être un peu tranquille avec Jérôme.

« Jérémie, Stella. Pas Jérôme. Avec Jérémie, le personnage. Tu n'es pas réelle toi non plus, souviens-t'en, tu es ma femme de rêve, rêve comme dans illusion, invention, comme dans imaginaire. »

La meute décampe en braillant de dépit pendant que sa robe, pressée, glisse déjà le long de son corps de poupée.

« Je suis bien en train de rêver », me dis-je, absolument ravi à la perspective de jouer avec cette femme, de glace il est vrai, mais absolument soumise dans l'espoir jamais abandonné qu'un jour, peut-être, le fantasme d'un partenaire, fût-ce celui d'un iguane ou d'un bonobo, lui apporte chaleur, voire — ô merveille ! — plaisir et jouissance.

Elle tente bien de mimer les symptômes de l'amour et les signes de l'extase. C'est en forgeant, dit-on, qu'on devient forgeron. Rien n'y fait, évidemment, elle n'a pas encore assez turbiné ; je ne suis pas dupe de ses petits hoquets mal à propos, de ses soubresauts désynchronisés, de ses spasmes qui ressemblent à des crampes, de toutes ses simagrées. J'oublie son manque de naturel le temps qu'il faut pour m'oublier moi-même. Mais je n'y parviens pas, je sens qu'elle est là, bien installée dans ma tête à guetter mon extase pour mieux s'en imprégner, vautour penché sur sa proie et attendant sa dernière crispation pour s'en repaître. Ça me la coupe tout net.

— Je ne peux pas, je regrette.

Je m'assieds au bord du lit. Elle dit :

— Tu es mesquin. Tu te refuses. Tu me fais de la peine.

Voilà qu'elle joue les Vénus éplorées. Cette histoire prend un tour singulier. Et grotesque, pour tout dire.

— Hein ! De la peine ? Voyons, Stella, tu te moques. Tu n'éprouves rien, ne ressens rien. Sinon tu n'aurais pas besoin de t'incarner à tout bout de champ. C'est ce corps emprunté que tu devrais écouter, pas le mien. Tu ne peux pas entrer dans ma tête comme on entre au cinéma. Ce qu'il y a là-dedans n'appartient qu'à moi.

Je la sens au bord de s'énerver. Ses yeux se chargent de ce noir qui remplit le vide intersidéral entre les galaxies. D'un coup de reins, elle se redresse et vient planter son magnifique nombril droit devant mes yeux.

— Tu as la moindre idée du nombre de mecs que je me suis tapés ? Des millions, pauvre minus. Je connais les êtres, je les perce au premier coup d'œil, Jérémie. Tous, sous toutes leurs formes, leurs genres, tous les modèles imaginables. Regarde Algol, il grogne, il est laid et il fait peur. Mais il couve ses petits comme une poule. Sous ses dehors dominateurs se cache un être craintif ; tout l'effraie et c'est pour ça qu'il geint constamment. Et toi, tu lui ressembles comme un frère. Mais comme tu ne fais peur à personne, personne ne te prend au sérieux. Alors, tu as bien raison d'être si parano. Tout le monde se paye ta gueule et te joue dans le dos. Sauf moi. Je suis ta seule amie. Viens, je veux te présenter quelqu'un.

Stella me lance mon slip au visage. Je l'enfile en sautillant. Elle, ne prend même pas la peine de se rhabiller.

— Ce que tu peux être prude, mon petit Jérémie, dit-elle en ondulant abusivement de la croupe pour me narguer.

« Pas prude, me dis-je à son intention. Au bord de l'apoplexie. Tu le fais exprès, maudite éternelle ! »

Je sors de la chambre sur ses talons, obnubilé par sa chute de reins. Nous traversons le petit couloir encombré de boîtes en enjambant deux ou trois bidules endormis. Elle ouvre la porte d'un placard. Par terre, il y a une petite boîte en carton qu'elle a décorée avec de la fausse mignonnette achetée chez Wal-Mart. Je me fige.

— Encore un ?

Stella l'Enfanteresse rigole, elle qui pourtant ne rit jamais. « Seule la maternité parvient à donner des semblants de sentiments à cette femme », me dis-je, mais très très vite, dans l'espoir futile qu'elle ne lira pas cette pensée-là. Elle s'agenouille devant la boîte et me tire par mon caleçon.

— Approche, il ne te mangera pas.

Je me penche à mon tour, non sans entretenir une certaine crainte. Elle a beau dire, avec toutes ces chimères qu'elle accueille dans son lit, on ne peut jamais être certain du résultat. Une bouche de vampire au centre d'une sorte de boule visqueuse, sans doute, avec ses beaux yeux durs… Mais en fin de compte, le chérubin que j'y vois n'est pas encore équipé pour mordre. Il est tout rose, assez beau. Humain surtout, selon toute apparence, avec un petit visage de fouine qui me dit vaguement quelque chose.

— Regarde comme il est joli, dit Stella, presque attendrie, pendant que je tente de voir à qui il peut bien ressembler. Je vais l'appeler Jerri.

— Jerri ? C'est joli, Jerri. C'est un mâle ?

— Mais non, grand dada. Ça se voit tout de suite que ce bébé est une fille. Regarde ses yeux, me répond Stella en me jetant des éclairs en coin.

Puis, avec impatience :

— Elle ne te fait pas penser à quelqu'un ?

— Oui, c'est ce que je me dis, mais j'ai beau chercher...

Alors elle pousse un grand soupir d'insatisfaction, sort si brusquement le poupon de son berceau de carton qu'il se met à pleurer, et me le fout dans les bras avant que j'aie le temps de paniquer.

— C'est ta fille, dit-elle, ton enfant, ton sang, ta progéniture, appelle ça comme tu voudras et tourne les mots dans tous les sens qu'il te plaira, te voilà père.

Voilà, voilà... Instantanément, Jérémie sera secoué de tremblements, et il devra s'asseoir. Maintenant qu'il se rend compte, il est tout chamboulé et la trouille l'a rattrapé. Il demande à Stella de reprendre l'enfant, dit qu'il a peur de l'échapper. Et puis il se met à pleurer, et il est d'autant plus troublé qu'il croit pleurer de joie, ce qui ne lui est jamais arrivé. Il dira quelque chose comme :

— C'est donc ça, l'amour parental ? Il a suffi de quelques mots pour que je sois père et que l'émotion arrive. Juste « c'est ta fille... » et voilà que ma vie vire à l'envers.

Oui, c'est très bon ça. Et puis ça va en boucher un coin à Gaudin ; il dit toujours que les mots n'ont aucune puissance. À force d'insister, il m'a presque convaincu. Mais les mots sont vraiment forts. Ce sont les seules choses, à part la vie elle-même, qui peuvent changer la réalité. Stella, Stella ma Stel des galaxies, enfin je te comprends, mon cher personnage, je comprends pourquoi tu fais tous ces enfants, toi qui ne ressens rien, toi si froide, il n'y a que ces mioches pour te faire fondre, pour te faire battre le cœur.

Quelque chose me fait de l'ombre, je referme mon cahier. De toute façon, j'ai les doigts trop gelés pour écrire. Et le cul aussi. Les marches de béton, l'hiver… Je lève les yeux. C'est Stella, ma femme des étoiles, qui se dresse devant moi et me coupe la lumière du lampadaire. Cette fois, c'est la vraie, la chasseresse de trous noirs singuliers, ses cyclopes à ses flancs, comme de raison.

— Alors, Terrien, je te manque au point que tu sens le besoin de m'inventer ? Suis-moi. Il y a mieux à faire.

Je me lève, déterminé à la suivre jusqu'au fond du plus infâme maelström de la Création. Les monstres sont fébriles, Logla surtout qui glousse et me tourne autour en me foutant des petits coups de corne, sous le regard amusé de Stella.

— Arrête, nabot ! Sinon la prochaine fois je te laisse brûler…

— C'est loin, dit Stella. Il faut emprunter le tunnel dans l'ancien entrepôt des chemins de fer.

Le froid est mordant, mais il ne vente pas. Moins d'une demi-heure plus tard, nous entrons par la porte dérobée derrière le gros orme. Puis nous descendons dans la galerie et le tourbillon nous emporte. La minute d'après, nous émergeons sur une planète toute noire, sans Soleil et sans étoiles, un endroit où la clarté vient du sol. Des champs d'herbe à perte de vue, mais d'une herbe irradiant une douce luminescence blanchâtre, un endroit qui ressemble à ces photos polarisées que Mira fait parfois, un monde à l'envers.

— Que cherchons-nous ici au juste, douce fée des étoiles ?

Mes mots doux ne la font pas broncher. Son visage n'exprime rien.

— Cette planète est un mystère. Elle se trouve dans le cercle d'influence d'une puissante étoile massive. C'est pour cette raison qu'il n'y a pas de lumière dans le ciel, elle l'attire à elle. Cet endroit devrait subir le même sort. Je ne comprends pas qu'elle ne l'ait pas avalé.

Les cyclopes fourragent dans tous les coins, le nez dans l'herbe fluorescente, fébriles et reniflant comme des chiens en chasse. Tout à coup, Algol se dresse sur ses ergots, mugissant et rugissant. Logla rapplique ventre à terre et se braque tout comme son frère. Nous nous approchons. Entre les deux démons déchaînés, une masse gélatineuse semble s'aplatir pour mieux se fondre dans le sol.

— Au pied, les jumeaux ! leur crie Stella.

On dirait une limace mais sans forme définissable. Sitôt affranchie des molosses, la chose gonfle jusqu'à former une sorte de méduse surmontée d'un cou lui-même coiffé de ce qui pourrait être des têtes, enfin, trois protubérances.

Nous nous avançons prudemment. Algol et Logla tournent autour en grognant, mais gardent leurs distances. La chose s'arrête de grossir, puis d'un coup se dresse sur sa gélatine, si tremblotante et chancelante qu'elle nous semble sur le point de s'écrouler. Les jumeaux s'enhardissent, Algol allant jusqu'à toucher la bête, enfin la chose ; elle se recroqueville aussitôt en émettant un cri strident qui nous fait tous reculer. Puis, au milieu du magma redevenu informe, un orifice apparaît qui prend vite la forme d'une bouche tout ce qu'il y a de plus humain, la copie conforme à bien y regarder de celle de Stella, les mêmes lèvres pulpeuses, les mêmes dents blanches et acérées. Et voilà que, mirage ou miracle, la bouche se met à parler, de la voix même de ma sèche déesse :

— Ne me faites pas de mal, qui et quoi que vous soyez !

Nous nous rapprochons encore, cette fois tout à fait intrigués.

— Cette chose parle, dit Stella.

— Et elle a ta voix. Et ta bouche. J'espère que tu l'as remarqué.

Étonnés, nous sommes tous penchés au-dessus. Les grognements des démons se sont transformés en petits couinements craintifs. Secoué de tremblements, l'être flasque parle de nouveau :

— Je lis dans les pensées. Je suis aussi polymorphe, juste un peu pour le moment, et de plus en plus jusqu'à ce que j'atteigne ma pleine maturité. Je ne suis pas un monstre. Je suis un être pensant, comme vous. Sauf pour ces deux-là, peut-être, je ne suis pas certain, je ne lis pas grand-chose.

Algol se met à rugir et le machin, à crier :

— Je suis conscient d'exister ! Je mérite de vivre ! J'invoque la grande loi naturelle et la *universa carta*, toutes vos chartes des droits et toutes les autres que vous ne connaissez pas. Ne me faites pas de mal !

Puis, tout à coup, la bouche disparaît et la masse gélatineuse s'aplatit sur le sol, où elle prend un moment la couleur et la forme de la pierre avant de rejaillir avec la tête des jumeaux de Persée, qui s'enfuient sans demander à voir la suite, leurs deux queues entre les jambes. Nous reculons nous aussi, pris d'étonnement, car la chose s'est maintenant lancée dans une frénésie de métamorphoses où elle prend successivement des formes empruntées à nos corps, un bras de Stella haut de deux mètres, puis fondu enchaîné sur les cornes des démons qui se multiplient jusqu'à la douzaine les unes par-dessus les autres avant de s'effondrer et de se fondre en un petit lac d'un liquide qui ressemble à du sang d'où jaillissent à nouveau pieds, yeux et nombrils, tignasses et nez. Enfin, au bout d'une minute environ de cette gymnastique étonnante, elle se dresse jusqu'à dix mètres et se fige en un long poteau qui nous fait encore reculer tant il en impose. Stella s'esclaffe :

— Peut-être que si tu réussissais à atteindre cette taille, j'arriverais enfin à éprouver du plaisir !

On ne peut pas se tromper sur cette phase finale. C'est bien à moi. Mais ma queue nous réserve encore une surprise. Abandonnant sa rigidité, le phallus se plie en deux jusqu'à s'approcher à dix centimètres du visage de Stella, et se faisant des lèvres de son méat, enfin du mien, il parle :

— Ne me faites pas de mal ! Je suis un être pensant ! Et plus je vieillirai, plus je penserai. Je t'aime, Stella, je t'aime !

Et il s'approche encore jusqu'à lui caresser tendrement la joue du gland, avant de lui déposer un baiser pudique sur les lèvres.

Stella, la déesse frigide, mon étoile froide, mère des mondes, procréatrice éternelle, laisse faire. Cette fille a du cran et ce truc ne sait pas dans quoi il s'embarque. Je dis, cachant mal mon sarcasme :

— Tu viens de faire une autre victime, ma pauvre fille. Mais peut-être que celui-là ne te décevra pas, après tout.

Des deux mains, elle écarte fermement le phallus qui vacille mollement et geint sous la poussée.

— Dis-moi ce que je veux savoir, toi qui lis dans mes pensés et désirs !

— Je n'ai pas cette réponse, j'ai entendu des choses, répond-il d'une voix effrayée. Ce que tu cherches serait le lieu ultime où toutes les consciences s'agglutinent, une singularité d'une si gigantesque densité que la matière y redevient l'énergie première. Certains pensent que c'est en quelque sorte la conscience universelle en devenir, le Dieu de toutes les religions en train de s'accomplir. Ça ne se trouve pas ici.

— Et cette planète où nous sommes, comment peut-elle exister sans être déchiquetée par le trou noir ? que je lui demande à mon tour, toujours aussi peu rassuré par l'endroit.

La verge ramollit jusqu'à s'effondrer sur elle-même. L'instant d'après, le beau visage de Mira me sourit de toutes ses dents et sa voix flûtée me répond en me regardant droit dans les yeux :

— Il y en a deux, deux étoiles massives, mon fou d'amour. J'aurais cru que tu y penserais avec ta grosse cervelle remplie d'étoiles. La planète se trouve dans un minuscule point d'équilibre où les forces d'attraction des deux trous noirs s'annulent. Un accident statistique, un phénomène unique, une réalité qui ne se vérifie qu'ici.

Et je pense : « Un ensemble logique, essentiellement mathématique, comme le Dieu d'Einstein qui, bien que non croyant, s'extasiait devant l'ordre universel qu'il appréhendait derrière ses équations complexes. »

Stella n'a pas aimé se retrouver devant le visage grand format de la femme de ma vie et a mis fin à tout cela d'un simple claquement de doigts. Du coup, je me retrouve fin seul à la brunante, sur le trottoir éclairé par les néons allumés de *La Planète du Sexe*.

Autour, mes grâces habituelles chancellent plus qu'elles ne se dandinent. À deux pas, sur le parvis d'une banque, un sermonneur, encore un autre, harangue quelques passants beaucoup trop soûls pour s'en aller. L'un d'eux, agenouillé devant le saint homme, réclame si fort son pardon qu'il lui répand sur les pieds le contenu puant de son estomac. Furieux, le prédicateur braille comme un âne en regardant ses souliers souillés. Le type s'est relevé et recule en se tapant sur les cuisses.

— Bourne ? C'est bien toi ? Qu'est-ce que tu fous là ?

Il se retourne, flageolant, les yeux brouillés par la gnôle, et met quelques secondes à me reconnaître. Sa bouche est molle, je saisis mal ce qu'il raconte.

— Tiens, mais c'est mon ami doloriste, l'écrivain égrotant et ergotant, le maître de la souffrance !

Le prédicateur, lui, comprend qu'il a un auditeur de plus, un prospect prometteur puisque accro à la douleur, un type à la recherche de rédemption qui vaut bien l'effort d'un petit boniment. Il se met à hurler en me montrant d'un doigt crochu et accusateur.

— Souffrance ! Tout n'est que souffrance !

Ce doigt sur moi, cette voix de crécelle qui me l'enfonce jusqu'au fond du cerveau, sa gueule de vautour, je ne sais pas au juste ce qui m'agresse le plus chez ce type, mais me voilà pris d'une irrépressible rage qui me projette sur lui.

— Tu n'y connais rien, sale escroc ! Je vais t'aider, moi, à souffrir, pourriture ! Tiens, prends ça, et ça et encore ça, ordure !

Je l'ai attrapé par le col. Il glisse dans le vomi de Bourne et s'étale dedans de tout son long en hurlant tandis que je lui tape dessus.

Il n'y a pas que la souffrance, il faut qu'il comprenne : elle n'est qu'un pis-aller. À l'opposé, il y a l'euphorie, la joie qui transporte les monts et merveilles et vient de l'assouvissement de nos désirs les plus ardents. Comme maintenant, celui de molester ce corbeau braillard. Mais ils sont si rares, ces instants d'extase, de bonheur si parfait qui permettent de voir, pour une fois, la vie en face. Des moments où elle s'arrête, la vie, justement, et où le temps lui-même se fige, nos sens ne percevant plus que notre propre existence. Droit dans les yeux, alors, qu'elle se regarde, la vie. Des morceaux de grâce extrême pour chasser la terreur absolue, un îlot salutaire au milieu de l'océan déchiré par les ouragans ; comme le ventre de Mira, ce passage vers la matrice originelle, cet abri anti-souffrance qui me ramène au néant ; comme ce couloir emprunté par Stella pour m'emmener dans tous ces autres mondes prodigieux.

— Arrête, Jérôme ! Il a son compte…

Bourne me tire par le bras. Sous moi, le prêcheur gémit faiblement, la gueule en bouillie. Je me relève.

— Ça va lui donner une leçon. Il va en revenir de la souffrance.

Moi, je n'en reviens pas. C'est par choix, pour que les mots ne me manquent jamais. La liesse, la béatitude, le contentement me mettent tout autant sur la trace des mots. Mais ces états se font rares et ne me laissent guère le choix : le tourment, lui, ne se fait jamais prier pour vous torturer.

Au ciel, les étoiles se cachent. Pas comme mes grâces qui se montrent autant qu'elles le peuvent, en dépit du froid qui les mord et de l'alcool ou de Dieu sait quoi qui les tord. Elles font leur cirque à fond, mais tout ce qu'elles font lever, c'est le nez des éméchés qui passent sans les regarder.

— Allez, quoi ! je te fais tout pour le prix de la pipe…

C'est Maggie. Elle tremble jusque dans sa voix. Elle a faim mais elle l'ignore, ses veines crient plus fort que son estomac. Prête à toutes les saloperies et à tous les salauds pour se payer sa merde.

Je les ai tous embarqués, Bourne, Maggie et ses copines. J'ai refilé vingt dollars au chauffeur de taxi pour qu'il nous entasse à cinq dans sa bagnole et on a mis le cap sur l'atelier de Mira. La neige s'est mise à tomber, fine comme du talc, et le petit vent de la nuit en fait des serpents qui ondulent dans la rue.

Bourne et les filles mènent la rumba sur la banquette arrière. Des jambes et des bras ruent dans tous les sens. Le chauffeur jette des regards de plus en plus inquiets dans le rétroviseur et je force la conversation pour le distraire.

— Alors, toutes ces pannes, ça doit être bon pour votre business ?

Le bonhomme se renfrogne. Sa grosse bouille d'Haïtien oscille entre le oui et le non. Mais son idée est faite.

— Croyez pas ça, m'sieur. Les gens ne sortent plus de chez eux. Même pour le travail. Ça devient trop compliqué lorsque le métro ne fonctionne pas. C'est la famine, m'sieur. D'habitude, je vous aurais jamais pris, vos amis et vous. Vous savez pas ce que c'est de nettoyer du vomi sur une banquette. On perd un temps fou et ça pue pendant des jours. Je ne prends jamais le risque. Mais ces jours-ci…

Un autre coup d'œil inquiet dans le rétroviseur. Mais derrière, personne ne semble avoir l'intention de dégueuler. Bourne tripote les filles l'une après l'autre ou toutes en même temps et elles font semblant de trouver ça drôle en sautant et en poussant de petits cris faussement effarouchés.

Le taxi vient de virer rue Marie-Anne. Au loin, j'aperçois de la lumière derrière la vitrine de l'ancien dépanneur converti en atelier. Tant pis, on verra bien. Tiens, c'est Tracemot, là, sur le trottoir. Il se dirige par là, lui aussi. Mira s'est fait une petite fête. Je sens qu'il va y avoir du monde.

Il marche le nez bien haut, pas du tout gêné d'être là et de ce qu'il est, fier d'une fierté qui paraît. Le pire des paons. Je descends la fenêtre et sors la tête tandis que nous roulons à sa hauteur :

— Je les ai bien vues, tes plumes, Tracemot. Difficile de ne pas les voir, elles dépassent de partout sous tes vêtements qui ne parviennent pas à cacher ta nature de paon, de coq de foire. Enfoiré !

Il m'entend mal, croit que je le salue. Poli, il me répond d'un grand geste de la main, guilleret me semble-t-il, le sourire trop fendu pour quelqu'un qui devrait m'en vouloir au point de passer son chemin. Le cher homme a bu un coup.

Sitôt qu'il nous a déposés, le taxi décampe et manque de renverser Tracemot qui traverse la rue. Il glisse, se retrouve cul par-dessus tête. Mes grâces s'en émeuvent et s'élancent à sa rescousse.

— Mon pauvre monsieur! s'écrie Maggie tandis que ses copines titubantes caquettent en aidant Tracemot à se remettre sur ses jambes.

Ce dernier est plus confus de se retrouver dans les bras de mes drôles de copines, si légèrement vêtues malgré le froid mordant, que d'être recouvert de sloche. Au-dessus de nous, agitées par le vent, les branches se tordent comme des doigts d'arthritiques, nœuds de serpents greffés aux troncs noueux des arbres nus, gardiens du ciel, échelles vers les cieux. Stella, où es-tu, ma divine, ma nixe, ma fantasque éternelle? Viens me chercher, nébuleuse amie, fais-moi sauter dans ton trou noir...

— Arrête de rêver aux corneilles et fais-nous entrer. On se les gèle!

Au bras réticent de Tracemot encore étourdi de sa chute, Maggie confond le rêve et l'ennui qui décroche les mâchoires. Bourne est si occupé à tambouriner sur la porte qu'il oublie de l'ouvrir. Mais elle s'ouvre tout de même, sur Gaudin, contrarié par tout ce bruit. Ses yeux s'agrandissent en allant de Bourne à moi, puis s'écarquillent tout à fait lorsqu'ils se posent finalement sur Tracemot, hagard et dégoulinant au milieu des filles.

— Dieu du ciel! Gilbert, mais que vous arrive-t-il?

Puis, accusateur, il se tourne vers Bourne et moi:

— C'est vous qui l'avez mis dans cet état? Et qui sont ces personnes? fait-il en regardant dédaigneusement mes belles-de-nuit.

— Des admiratrices qui ont besoin de chaleur, Phil. Venez, mes grâces...

Il tourne les talons en hochant la tête pour bien montrer son dégoût et toute la bande le suit en file indienne; Tracemot, désopilant tellement il est piteux, ferme la marche.

Au fond de la grande pièce unique et illuminée, Bérulier et Myrtille discutent avec Mira devant son mur de ma honte, admirant les représentations en noir et blanc de mes délires en couleurs et en vingt dimensions scalaires.

— Dis donc, mon chou ! Toutes ces photos de toi. J'en suis tout étourdie…

Maggie s'extasie, plantée devant la centaine de photos, sous les regards amusé de Myrtille et outré de Bérulier.

— Mon pauvre Jérôme… dit-il, plongeant un œil résolument salace dans les généreux décolletés de mes trois copines.

Son appareil photo à la main, Mira bondit comme une chasseresse et nous mitraille sous tous les angles.

— Mira ! Tu pourrais me dire bonjour, au moins, avant de me voler mon âme pour épater ta galerie !

Elle ne répond pas, juste un sourire envoyé en écartant un instant l'appareil de son visage pour me faire enrager. Elle aime tellement ce petit jeu de picador avec son taureau favori ! Je la laisse faire, je n'ai pas le choix. Cela peut durer longtemps, j'ai le cuir épais, la mise à mort n'est pas pour maintenant.

Les deux copines de Maggie ont entrepris de déculotter Tracemot sous prétexte de nettoyer son pantalon souillé, mais l'ingrat n'apprécie pas leur sollicitude et il gueule. Bourne y met avec plaisir ses quelques grains de sel en essayant d'immobiliser le vieux jésuite. L'affaire tourne au vinaigre quand il se rebiffe et envoie un coup de pied sur le menton de Myrtille venue s'en mêler. La mignonne s'effondre et Bérulier se rue à son tour pour protéger son investissement. Mira a retrouvé ses allures de panthère en chasse, elle tourne autour de l'amas de corps et canarde la scène en prenant bien soin de m'avoir dans ses plans. Elle se délecte, je la connais. Maggie rigole à l'écart en faisant honneur à la bouteille de mousseux ouverte par mes amis pour célébrer je ne sais quoi. Quant à Gaudin, immobile et prostré devant le grand tableau de ma vie de fou, il me sermonne, comme d'habitude.

— C'est ta faute. Pourquoi donc as-tu amené ces gens ici ?

— Ces gens ? Tu parles de mes amies des rues, de mes amies les grues ? Elles te font peur maintenant que tu es devenu respectable, établi, consacré, honorable ? Pourtant, tu les aimais bien dans le temps, non ? Vous en discutez de temps en temps, Mira et toi, du bon vieux temps ? Ne fais pas toujours semblant de ne pas te rappeler votre première rencontre. Mira m'assure qu'elle ne se rappelle rien, le noir total, elle me le jure. Mais toi, toi Phil, tu dois bien en avoir le souvenir, de ta première baise avec cette femme qui t'obsède tant ? Dans l'état où elle était, tu n'as pas dû la payer très cher…

Mira continue de nous tirer le portrait, comme si elle n'avait rien entendu de mes propos. De toute façon, elle sait ce que j'en pense, ce n'est pas la première fois que je remets ça sur notre tapis. Quant à Gaudin, il ne réagit pas à mes provocations, mais il lance quelques regards inquiets du côté de ma douce avant de me relancer :

— Tu n'es pas raisonnable, Jérôme. Vois dans quel état se trouve ce pauvre Gilbert. Et Myrtille. Vous devriez partir !

— Quoi, Phil ? Tu veux me mettre à la porte de chez ma femme ? Tu crois qu'elle ne s'intéresse plus à moi ? Regarde autour, mon vieux, et regarde-la en cet instant immortaliser ce grand moment de vie. Je l'obsède. Tu saisis ? Alors, si quelqu'un doit partir, c'est toi, Phil, avec mon cher éditeur et sa poupée gonflée, et ce foutu paon aux plumes acérées, ce juge autoproclamé du bon goût littéraire.

Tracemot est maintenant sur ses pieds grâce aux bons offices de Bérulier et de Myrtille remise, qui ont écarté les filles sans ménagement. Et il n'est pas d'humeur à se laisser insulter. Le voilà qui s'approche pour mieux m'enguirlander. Chacun leur tour…

— Vous croyez vraiment que les critiques sont de vaniteux imbéciles, qu'ils démolissent par orgueil les mauvaises œuvres, les auteurs sans talent ? Vous avez tout faux, Jérôme. C'est tout le contraire : il faut une énorme dose de modestie pour porter aux nues les livres des autres quand on se sait tout à fait incapable de pondre le moindre petit sonnet malgré une intelligence supérieure et sachant que des œuvres prodigieuses peuvent sortir de cerveaux malades comme le vôtre.

Je ne sais pas comment le prendre. Comme un éloge, sans doute. Mais ça ne change rien : il me retient ce dernier bout d'étoile. Il n'aura pas le dernier mot en plus, celui-là revient à l'écrivain. C'est son lot, le sort que le Dieu du Ciel lui a lancé, un maléfice, un destin d'obsessif : la quête du mot serpent, du mot ouroboros, du mot parfait, qui résume tout et appréhende absolument l'émotion à décrire, le paysage, l'univers ; ce mot complet, tout à fait rond comme le monde, qui englobe le réel et l'imaginé et me vaudra toutes les étoiles de tous les foutus critiques de merde, y compris cette maudite Calamité. Et pourtant, en le cherchant, j'ai eu le sentiment d'en avoir trouvé d'autres par accident qui nous approchaient de la perfection tant souhaitée, éminemment appelée par toute la douleur de mon âme, des mots écrits avec mon sang, mes larmes et mon sperme, des phrases, des pages, des chapitres entiers écrits à l'encre de vie. Le dernier mot…

— Le dernier mot, Tracemot. Jamais je ne vous le laisserai !

Je lui saute dessus. Et je sais très bien ce qui me prend : la rage, la hargne, comme plus tôt avec le prédicateur. Je lui écrase mon poing sur la gueule. Ça me fait mal, mais pas autant qu'à lui, alors ça me fait du bien. Le bien, le mal, la souffrance et le bonheur, encore cette foutue confusion des genres.

Derrière moi, on s'agite, on crie, on se bouscule. Des bras me soulèvent, m'arrachent à ma victime. Les bras de Gaudin, qui s'époumone :

— Tu dépasses les bornes, Jérôme !

Jérôme par-ci, Jérôme par-là. Oui, les bornes, les limites de la bienséance, l'entendement, la vitesse de leur voix et de la lumière aussi, m'annihilant moi-même par la même occasion comme le veut la théorie de monsieur Albert Einstein, génie allumé et illuminé. Que voulez-vous, messieurs dames, je suis habitué à me dépasser, à me laisser derrière, là où maintenant je vous entends vociférer, vos visages tordus par la colère ou la peur, ça dépend de quel tordu vous êtes.

Bourne et les trois grâces se régalent du spectacle. Mais les filles ont du vécu et savent bien que tout ce bordel annonce la fin de leur fiesta. Alors, elles se remplissent la bouche et les poches de tous ces canapés que Mira avait préparés pour recevoir nos amis, avant de replonger dans le froid en gloussant, Bert à leurs trousses, une bouteille de mousseux à la main. Ma mirifique n'a jamais lâché son appareil et tire à balles réelles sur toutes les tronches qui lui tombent sous la lentille. Elle est comme moi, toujours à la recherche de parcelles d'existence pour se faire un monde, bien que son monde à elle soit minuscule au point de se limiter à ma personne.

Et pendant qu'elle me court après dans les rues salies par l'hiver et gelées par la nuit, j'appelle tous ces paysages, ces visages, ces sons, ces gestes, toutes ces choses que j'ai rangées dans les cellules de mon corps, et j'ouvre les yeux bien grand pour y laisser entrer ce qu'il y a d'autre à voir et à entendre, à ressentir. Rien ne doit échapper à mes filets ; mon imagination, mes pensées, ma plume ont besoin de combustible, de matière à réflexion, à ronger mon inépuisable frein. La moue que me fait Mira devant l'inukshuk du lac Cratère, les flamants orange d'Amérique dans les marécages à l'est de Progresso et les filaments roses de la Nébuleuse du Crabe.

Le temps nous empêche de comprendre l'univers, la Création, le cosmos, peu importe le nom qu'on donne à cette chose, le temps nous enferme dans une façon linéaire d'aborder la vie, dans une vision unidimensionnelle du monde. Car dès lors que l'existence a un commencement, il lui faut un créateur. Mira est ma créatrice, celle que j'ai choisie pour me remettre au monde, pour me créer la vie, pour me la remplir et me la pourrir. Elle veut me faire croire qu'elle m'aime, que je suffis à remplir sa vie. Mais elle ment. Ou alors elle est myope et presbyte, ou elle ne m'a pas bien regardé.

— Mira, tu m'as bien regardé ? que je lui crie sans arrêter de cavaler. Malingre, courbé, la tête dans les épaules pour mieux me faire oublier, et fou à lier ? Comment peux-tu dire sans rire que tu m'aimes ? Tu mens, c'est pas possible autrement.

— Arrête de courir, mon fou d'amour ! Tu m'essouffles, c'est mauvais pour une femme enceinte, la course à pied. Pauvre petit bébé, arrête de le brasser, tu vas finir par l'écœurer, il ne voudra plus rien savoir de la vie qui s'en vient…

Je ne m'arrête pas, elle si, mais ça ne l'empêche pas de continuer de me pendre en photo. Ils font des merveilles, ces appareils, ils viennent vous chercher, même à distance. Je sais pourquoi elle fait ça. Pour avoir la dernière image, pour ne pas rater mon dernier moment, mon dernier mouvement. Pour pouvoir dire, voilà, je l'ai connu jusqu'à la toute fin de cette incarnation-ci. Un sacré fou c'était, mon fou d'amour. À cet instant précis, il était, l'instant d'après, il n'était plus. Voici, le voilà au bord du gouffre, s'apprêtant à faire le grand plongeon. On ne l'a pas revu depuis, on l'attend encore et on l'attendra longtemps. Il est parti pour de bon élargir ses horizons avec une autre qui parcourt les galaxies et marche sur les étoiles, une « hère » glaciale elle aussi, mais qui ne sait pas jouer la chaleur comme j'ai toujours su le faire pour lui. À chacun sa singularité…

J'ai cessé de courir, elle n'est plus derrière, pas devant non plus. Les voix sont revenues, les jumeaux de Persée ne sont pas loin. Les lumières vacillent, les aurores apparaissent dans le ciel noir.

— Stella, tu es là ?

En tout cas, moi, je n'y suis plus.

Chapitre 8

Objet de Hoag. Galaxie formée d'un anneau de jeunes étoiles bleues entourant un noyau de soleils jaunes plus évolués. Son diamètre d'environ 120 000 années-lumière dépasse de peu celui de la Voie lactée.

Mira m'embrasse sans sourire, à peine m'effleure-t-elle la joue. Puis elle me tourne le dos. Ce soir, elle ne jouera pas. Il faut dire que je l'ai un peu poussée, presque hors d'elle et hors du lit en fait. Mais elle reprend son calme là où j'éteins mes ardeurs et mes chaleurs : dans ce pergélisol intérieur que sa belle façon ne sait plus me masquer.

« L'heure est venue d'aller au fond des choses, Mira. Il faut que je sache, une fois pour toutes ! »

J'ai fait un fou de moi, ce n'est pas nouveau. Le fond des choses ! Avec cette fille insondable qui joue tout le temps, ne m'aime pas, ne m'a jamais aimé, n'a jamais éprouvé quoi que ce soit pour moi ni personne. Elle a pris son air ennuyé : « Arrête ! Tu sais déjà tout ce qu'il y a à savoir de moi. Je t'aime, t'ai toujours aimé, t'aimerai toujours, mon amour. » Elle parle comme la conjugaison du verbe aimer à tous les temps, sur tous les tons. On dirait une chanson de Cabrel.

Elle est venue se blottir contre moi, le temps d'une bise sur la joue, aussi froide qu'une banquise, comme d'habitude, peut-être plus, tout en raison, sans passion. Cela fait partie des gestes qu'il faut faire chaque jour pour éviter que le quotidien nous échappe : passer le balai, donner de l'eau fraîche au chat, faire les courses, flatter l'*ego* cyclopéen de cet emmerdeur de Jérôme chéri et lui bisouter le blaireau pour le rassurer. Elle fait tout ce qu'elle peut pour me prouver son attachement et qu'elle n'est pas frigide ni froide ; qu'elle n'est pas le monstre que je devine derrière le visage souriant ; pas le vilain reptile, réfugié dans ce corps de femme, qui se creuse un trou dans mon giron ; que son affection n'est pas une maladie, sa tendresse, pas un vernis. Que me veut-elle ? Pourquoi ce cinéma gigantesque dont elle s'est fait une vie, une mission ? Se sent-elle obligée envers moi par la vénération que je lui voue ? parce qu'un jour, il y a longtemps, je l'ai sortie du tourbillon qui l'entraînait vers la mort ? Non, tu rêves, mon vieux. C'est plus simple et pire à la fois. Cette fille est un vampire et toi, sa pinte de bon sang. Tu es son souffre-douleur secret, son caniche consort qu'elle montre dans les endroits où ta gloire et ton génie font encore leur effet.

Mira ne peut aimer. Tout mon génie ne parviendra jamais à décrire la beauté de cette femme d'une gracilité parfaite que tout le monde voudrait dans son lit, sur l'autel de sa vie. D'ailleurs, la garce en profite bien dès que j'ai le dos tourné. Ça va de soi, le monde ne saurait être privé de pareil joyau. Elle sait s'y prendre pour tirer le meilleur de moi-même, pour me sucer la moelle, pour me mettre à mal, à feu et à sang, chaque jour que Dieu amène, elle prouve qu'elle peut faire cracher sa prose au génie d'un peuple, au monstre de la littérature. Elle est à la fois Polymnie et Thalie, Calliope et Melpomène, bien équipées des attributs nécessaires à l'envoûtement et de tous les instruments qu'il faut pour la torture, mes Muses fouettardes devenues sado-macho pour les besoins de ma cause.

— Que veux-tu donc, Mira ?

— Ton amour, plus que jamais.

— Mais pourquoi le mien ? Je ne suis rien.

— Arrête de te rabaisser, ça te détruit. Tu es Jérôme, l'homme que j'aime, et un grand écrivain. Et tu seras le père de notre enfant.

Elle s'est mise à pleurer, en silence. Je connais ça. C'est son arme ultime pour me convaincre qu'elle n'est pas cette salope. Quand elle est à court d'arguments, à court de mièvreries, en manque de miel, elle chiale. Et moi, comme un imbécile, je tombe chaque fois dans le piège. Ses larmes me mettent en déroute, m'emportent comme un torrent. Lorsqu'ils pleurent, ces yeux-planètes parcourus par les bises océanes, c'est moi qui saigne. Ses larmes, pourtant, viennent de loin et de force, tellement ce n'est pas naturel chez elle. On sent qu'elle y met toute sa volonté et tous ses efforts. Quand je lui en fais la remarque, elle dit que c'est tout le contraire, qu'elle se retient et ne veut pas afficher sa faiblesse. C'est toujours n'importe quoi. Mais elle m'a quand même. Cela prouve bien ma faiblesse, puisque je m'émeus de tous ces efforts qu'elle fait pour me tromper. Elle est irrésistible.

La journée avait mal commencé. Par un café trop fort et un retour sur la veille, c'était incontournable.

— Mais tu lui as cassé une dent, Jérôme ! Tu n'es plus tenable, mon fou d'amour. Ça finira mal si tu ne fais pas un peu attention. Et tes amis vont finir par te laisser tomber. D'ailleurs, je pense que Gilbert ne te pardonnera pas celle-là de sitôt.

— Rien à foutre. Je ne peux plus le blairer de toute façon, c'est devenu épidermique. Il me hérisse dès qu'il ouvre la bouche. C'est un connard et tous nos autres bons amis aussi, à commencer par Gaudin, ce faux frère, ce faux ami qui attend le moment propice pour te ressauter. Il y a tellement longtemps qu'il ronge son frein, qu'il pense à cette fois où il t'a possédée, qu'il regrette ne pas t'avoir achetée pour de bon à l'époque où tu t'offrais pour si peu. Une aubaine, j'en sais quelque chose, moi qui ai osé investir en toi. Un bon coup, oui, un sacré bon coup.

— Ça suffit, cesse de remuer ces vieilles histoires. Vas-tu me remettre sur le nez mes années de désespérance jusqu'à la fin de mes jours ? Reviens-en, j'en suis bien revenue, moi. Il y a si longtemps et nous étions tous si gris la plupart du temps que personne, tu m'entends ? personne, toi, moi ou Gaudin, n'a pu garder de souvenir précis de notre vie d'alors. Oui, j'étais droguée, oui, je dansais et me vendais — pour pas cher comme tu dis —, oui, j'étais perdue et tu m'as aidée à me retrouver. Mais ne me demande pas de détails, il n'y a aucune chance que je me les rappelle. Du Gaudin d'alors, celui dont tu ne cesses de me parler, avec qui tu faisais tes quatre cents coups au pays des culs nus, je me souviens à peine, quelques images et c'est tout. Vous n'étiez pas très sobres, vous non plus, alors, pour la mémoire, tu peux toujours repasser, d'autant que tu ne t'es pas gêné pour tremper ta plume dans ce beau vécu quand tu écrivais tes premiers romans, avec le résultat que la moitié au moins de ce que tu crois savoir n'est jamais arrivé que dans tes livres. Et tous ces sous-entendus et ces bêtises à propos de Phil, tu sais bien que c'est faux ! Cesse de te torturer. Tu n'es plus toi-même quand tu écris. C'est ton ami, Jérôme, et Tracemot aussi. Tu as toujours eu de l'affection pour lui…

J'inventerais alors ? Je me ferais des idées ? Comment serait-ce possible ? Je ne suis donc plus capable de distinguer le vrai du faux, le réel de l'inventé ? de délimiter le monde dans lequel j'évolue ? Mira ma Mira pense que je suis con comme une valise, c'est sûrement ça. Quant à cette affection pour Tracemot, elle ne signifie rien, puisqu'elle relève de l'instinct de survie, d'un opportunisme de mauvais aloi hérité de la crainte que nos ancêtres primates entretenaient les uns envers les autres, du rapport complexe de domination établi entre les mâles pour éviter les combats inutiles qui auraient pu affaiblir le clan ; rien à voir, en passant, avec l'affection pour une femme, ce mélange complexe de connexité avec la mère et de volonté d'affranchissement par la conquête d'une autre femelle ; tandis que l'affection pour un autre homme se fonde d'abord sur la soumission d'un des deux éléments du rapport ou d'une soumission réciproque par laquelle s'impose un certain respect ; en tout cas, l'insoumission, elle, indispose l'amitié, la rend impossible parce que génératrice de conflits perpétuels ; oui, Mira a raison, je dois l'admettre, j'aime bien Tracemot, je crois que c'est un ami, mais l'affection entre deux mâles n'est jamais acquise, car la sujétion n'est jamais complète et, lorsque l'un ou l'autre montre des signes de faiblesse, le jeu de la domination reprend jusqu'à ce qu'un des protagonistes se soumette à nouveau...

— Tu comprends, Mira ? Avec Tracemot, ce n'est pas fini, il manque un morceau d'étoile à notre relation. Et entre Gaudin et moi, il y a toi. Je t'épargne les subtilités des relations dominant-dominé qui reposent par essence sur l'intérêt du dominant pour ce que le dominé peut lui apporter malgré sa faiblesse, et sur celui du dominé à se rendre utile au dominant ; il y a donc dans l'amitié entre deux mâles beaucoup d'opportunisme ; quant aux liens entre deux dominants...

— Arrête, Jérôme ! Assez de ce verbiage ! Ça suffit, je ne veux plus rien entendre de tes foutus délires ! Tu appelles Gilbert et tu t'excuses. Maudit fou tout court...

J'allais m'exécuter. On ne résiste pas aux injonctions de Mira, encore moins lorsqu'elle est en colère. Mais les flics ont débarqué avant que j'aie le temps de penser à décrocher le téléphone. Tracemot avait déposé une plainte en bonne et due forme. On allait m'accuser de voies de fait pour lui avoir pété sa foutue dent.

— Vous ne pouvez pas faire ça, colonel ! Vous allez commettre une grave bavure judiciaire sur ma personne. Je n'ai pas pu faire ce que vous me reprochez, j'ai un alibi, j'étais à l'autre bout de la galaxie avec une hallucinée de ma connaissance…

Cela ne les a pas convaincus et ils ont insisté pour m'embarquer. Mira s'est énervée, son cœur battait dans tous les sens, ça se voyait à son sein gauche qui secouait les pétales de sa robe à fleurs. Et sitôt que les deux malabars m'ont passé les menottes, elle s'est lancée par terre devant moi en hurlant qu'ils n'avaient pas le droit : elle avait tout vu, Tracemot avait glissé sur le plancher fraîchement ciré — Mira adore l'odeur de la cire, c'est pour ça qu'elle en met partout, sur les armoires de la cuisine, sur les rampes d'escalier, sur les meubles, sur le bois de nos planchers, sur le carrelage en céramique de son atelier et sur son cœur pour qu'il me glisse bien entre les mains — et en tombant il s'était frappé la gueule sur le coin d'une table — celle qui fait l'angle de la pièce tout près de l'entrée et où elle dépose ses cartes professionnelles pour que les visiteurs puissent les prendre en partant. Elle pouvait le jurer sur tout ce qu'ils voulaient et passer le polygraphe ou l'épreuve du feu, ça lui était égal, car c'était la stricte vérité toute nue.

Évidemment, ils n'ont rien voulu entendre.

— Votre cire à plancher n'a rien à y voir, ma petite madame, dit le plus gros des deux. Et il y a trois témoins. Je regrette, mais on doit l'emmener, c'est la procédure. Il va passer quelques heures au poste et dans l'après-midi un juge va l'entendre. Si vous connaissez un avocat, appelez-le et dites-lui que votre mari est au poste 31. Sinon, on lui en commettra un d'office. Il devrait être sorti pour souper.

— Vous en faites pas, on a déjà vu pire, c'est pas très grave, dit l'autre pour tenter de convaincre Mira, à genoux et s'agrippant à mes jambes, de se relever.

— Attendez, général, attendez ! Tracemot est édenté. Je suis bien prêt à la rigueur à reconnaître que j'ai cassé un morceau de son dentier et à lui en payer la réparation. Mais voies de fait, c'est pour les gens, pas pour les choses, que j'ai plaidé. Un dentier, c'est pas vivant.

— Et le dentier, qu'il m'a répondu en tirant doucement Mira par le bras, il était par terre ou dans la bouche de monsieur Tracemot lorsque vous avez brisé cette fausse dent ?

C'était un petit malin, celui-là. Mais il n'arrivait quand même à rien avec Mira, qui voyait là une belle occasion de me faire son cinéma d'amoureuse éplorée.

— Va falloir que vous me passiez sur le corps…

Interloqués et perplexes, les deux flics commençaient à perdre leur flegme et leur gentillesse.

— Ça suffit, ma petite madame ! Laissez-nous faire notre travail, a aboyé le premier.

— Sinon, on vous embarque, vous aussi, d'ajouter son collègue en fronçant les sourcils pour faire plus sérieux.

J'ai jeté l'éponge. Pour moi et pour elle.

— Ça va, Mira, arrête ton cirque, que je lui ai dit. Ce n'est pas le moment. Tu me prouveras ton grand amour une autre fois.

Du coup, la revoilà sur ses pieds, retrouvant sur-le-champ sa grâce et son port de princesse sibérienne :

— Maudit que t'es chien des fois, Jérôme Letendre. J't'haïs…

Elle m'avait si peu habitué à ce genre d'éclat que j'ai reçu celui-là comme un coup de poing dans les parties. Elle m'aimerait donc vraiment ? À d'autres.

— Allez, emmenez-moi qu'on en finisse, ai-je fait en leur tendant les mains pour qu'ils me passent les menottes.

Le plus gros a haussé les épaules, son collègue a levé les yeux au ciel.

— Ce ne sera pas nécessaire, a-t-il dit.

J'ai mis mon manteau et mes bottes et nous sommes partis tandis que, sur le pas de la porte, Mira, les bras croisés sur ses petits seins, le menton bas, m'envoyait des regards par en dessous en boudant de toutes ses forces. Ils m'ont fait monter dans leur grosse bagnole, heureusement banalisée ; avec un peu de chance, les voisins n'auront rien remarqué, pour une fois.

Arrivés au poste, ils ont pris ma déposition. Mais plutôt que de m'amener devant le juge, ils m'ont laissé repartir.

— Monsieur Tracemot a appelé pour retirer sa plainte, m'a expliqué le gros flic. On n'a pas insisté. On est débordés avec ces pannes. Les gens deviennent fous. On ne le crie pas sur les toits mais, depuis une semaine, les cas de pillage ont explosé. Franchement, on a d'autres chats à fouetter que le dentier de votre ami. Vous pouvez partir. Mais si vous voulez un conseil, modérez quand même vos transports. Et puis, soyez plus gentil avec votre petite femme, qu'elle ait moins l'occasion d'inviter tout un chacun à lui passer sur le corps pour vous protéger. On ne sait jamais, quelqu'un pourrait la prendre au mot.

Il m'a envoyé une œillade en gouaillant. Gros épais. Je suis sorti sans le saluer. Sur le trottoir, Mira m'attendait, l'air piteux. J'ai tout de suite compris :

— C'est toi qui as appelé Tracemot ? Tu l'as supplié, c'est ça ? Qu'est-ce que tu lui as promis en échange ? Une pipe ? Deux ? Une séance de lecture à poil ? Tiens, du

Bernanos ! Je suis certain que ça lui plairait, à ce vieil hypocrite. *Le journal d'un curé de campagne* au milieu de tes déhanchements déments, tu lui ferais oublier sec toutes les histoires qu'il se raconte en se tournant dans la tête la belle et charnue Myrtille.

Elle n'a rien dit, ne m'a pas regardé non plus, ça nous changeait de ses faux-fuyants et de ses détours habituels. Alors, je me la suis fermée, moi aussi. Qu'y avait-il tant à dire de toute façon ? Qu'elle m'avait sorti de la mer où je me naufrageais ? sauvé le cul une fois de plus ? Chacun son tour…

— Allez, arrête de perdre ton temps, sors ton appareil et prends tes photos de merde pour bien montrer le moment où tu as sauvé l'écrivain psychotique de la geôle infâme où on allait le jeter.

Ses beaux yeux ne m'en ont pas voulu, elle a fini par me les montrer, ils étaient sans tristesse ni pitié, pleins d'amour, mais secs comme la Vallée de la Mort. Je ne me suis pas laissé avoir.

— J'ai à faire, ai-je dit en inclinant la tête vers la rue.

— Oui, moi aussi. À ce soir, j'imagine.

« C'est ça. Imagine. Et tant qu'à faire, imagine donc pour deux, ma chérie sur glace. Il me semble que ça me reposerait la psyché. »

Le monde était encore en panne sèche. On avait beau n'être qu'en milieu d'après-midi, cela sautait aux yeux : les autobus ne circulaient pas ; la plupart des commerçants guettaient le retour du courant, barricadés derrière leur porte, l'arme à la main sans doute, jetant à la ronde des regards suspicieux aux rares passants qui peinaient sur les trottoirs enneigés que la ville ne déblayait plus.

J'ai marché péniblement jusque chez Stella. Elle m'a accueilli les jambes ouvertes et le cœur fermé, fidèle à elle-même.

— Tu as encore de l'énergie et le cœur à essayer, Terrien ? Quelle appréciable persévérance !

Alors on a remis ça, pour rien, évidemment. J'ai eu beau la caresser, la flatter, la tripoter, la pétrir et la tourner dans tous les sens pour les lui réveiller, justement : rien, pas même un soupir.

— Stella, nom de Dieu ! Mais j'ai l'impression de baiser avec une morte !

D'un coup de reins, elle m'a repoussé.

— L'éternité a son prix, nabot : la désincarnation, c'est presque la mort. Un esprit sans corps, c'est une entité qui peut concevoir mais n'éprouve rien, ne ressens rien. Je squatte des organismes, mais je n'ai pas le mode d'emploi. Je suis rarement en symbiose avec les peaux que j'emprunte.

Je ne lui ai pas dit que les êtres de chair sont parfois tellement mal dans la leur, de peau, qu'ils préféreraient s'en défaire, peu importe si l'esprit survit ou pas à la disparition de « l'enveloppe charnelle », comme disent les curés de toutes les religions. Ni que le corps a ses raisons que le cœur ignore. J'en savais quelque chose à cet instant même où elle me laissait seul dans son lit miteux avec mon érection mécanique, sans désir, sans amour, sans engagement, vide de tout.

Je ne le lui ai pas dit parce qu'elle me lisait en permanence de toute façon, penchée sur ma cervelle, fiévreuse et excitée comme un voyeur qui attend de voir la belle de l'autre côté de la fenêtre tomber la robe négligemment ouverte sur sa chute de reins. Elle a mis fin à mes ruminations par son impatience habituelle.

— Arrête de te ronger, ce n'est pas possible ! Je n'ose pas imaginer mon existence si je devais sans cesse gérer toutes ces angoisses qui t'habitent.

— Moi non plus. Un calvaire perpétuel... Ça explique sans doute ton insensibilité, ton détachement extrême. Que tu sois si froide, quoi. Quand on vit sans espoir que ça s'arrête, j'imagine qu'il faut trouver le moyen de l'indifférence.

— Disons qu'on ne s'intéresse pas aux mêmes choses que vous, pauvres mortels : apprendre, gagner sa vie, s'accoupler, s'accomplir, s'accrocher. Tout ça m'apparaît tellement… insignifiant.

— N'empêche que tu t'encanailles aux quatre coins de l'univers et cherches dans des corps mortels les frissons que ta pureté d'esprit ne sait plus concevoir.

Elle s'est rembrunie. Les purs esprits n'aiment pas se faire remettre leurs travers sur leur nez virtuel ni se faire renvoyer à leurs limites.

— La chair n'est qu'une exquise distraction, a-t-elle répondu sèchement en évitant mon regard, tout de suite sur la défensive. Ses nombreux plaisirs et ses affres nous détournent de l'essentiel.

— L'essentiel ?

— Le primordial : le début, la fin, ce qu'il y a entre les deux ; pourquoi nous sommes, nous qui sommes.

— Et pourquoi il y a quelque chose plutôt que rien du tout ? Cette fameuse et universelle question. Et pourquoi je suis moi plutôt qu'autre chose ? ici plutôt qu'ailleurs et à une autre époque ? Je te vois venir, espèce d'obsédée du trou noir. Tu vas encore me parler de ta foutue singularité. Ton Graal, ton interminable quête d'immortelle. Tu crois vraiment que ça va te mener quelque part ?

Question idiote, vraiment. Elle m'a regardé dans les yeux en haussant les sourcils. Peu importe où ça la mène, ça l'occupe, ça meuble son interminable éternité. J'ai pensé à ses congénères paumés qui se laissent dériver dans le cosmos, tous phares éteints, pendant des millénaires. Elle n'a pas aimé :

— Pour nous, c'est ce qui s'approche le plus de la mort. Une forme de suicide, si tu veux, une espèce de coma volontaire. Tous, nous craignons de finir ainsi. Façon de parler, puisque nous ne disparaissons jamais. C'est très semblable à l'état de dépression profonde dans laquelle sombrent certains d'entre vous. Ou aux enfers de vos religions.

Des esprits patraques, absolument abattus, des dieux infiniment dépressifs, c'est à désespérer du cosmos ! Et moi qui m'étais toujours demandé comment on pouvait bien conserver le goût de vivre tout en sachant la fin inévitable, pourquoi cette connaissance ne nous empoisonnait pas la vie au point que nous ne puissions plus trouver dans l'alcool la griserie et l'ignorance qui la rendent supportable, ni dans l'air du jour le parfum qui masque l'odeur de la mort. Et voilà que je découvrais pire, par l'office de cette déité hyperbolique.

— Il faut vivre, Jérémie. C'est la seule voie.

Elle a levé son merveilleux cul du lit et enfilé sa jupette de guerrière en me lançant mes vêtements.

— Couvre ton corps. On va faire une virée...

Et sans me laisser le temps d'y penser, elle filait déjà vers la porte en gueulant après ses démons de Persée pour qu'ils s'amènent.

— Logla ! Algol ! Debout, les monstres !

Dehors, le courant n'était toujours pas revenu. Le soir d'hiver s'abattait sur la ville, sans opposition. Dans les rues résignées, pas un chat, pas de passants non plus. L'humanité payait cher les vacances sur Terre de ma divinité itinérante. Nous avons couru vers le passage sous la voie ferrée et plongé illico par le trou de ver dans un bouillon sans fin de galaxies inconnues, elliptiques vertes, ovales jaunes ou annulaires violettes ; nous voltigions à des vitesses insensées autour de spirales si parfaites qu'elles semblaient tracées par quelque Chagall cosmique ; sous nos yeux goulus, le Grand Tout déroulait ses toiles, des lenticulaires, des géantes chamarrées et des naines spectrales, des dévergondées qui avalaient leurs voisines, des amas d'astres qu'on aurait cru pouvoir tenir dans le creux de la main.

— Admire ces milliards d'îles univers, Terrien ! Tu ne verras jamais rien d'aussi magnifique de toute ton illusoire existence !

Elle attendait que je m'extasie à grands coups d'éclats, mais je pleurais en silence. Qu'y avait-il à dire ? Elle a repris :

— Pourtant, je t'assure qu'on arrive à s'en lasser. Question d'opportunités, et de temps, surtout...

Je comprenais maintenant, la vie éternelle était une prison pour ma froide Stella. Elle luttait à chaque instant contre l'alanguissement qui finissait par emporter ses semblables. Et pas seulement par sa quête du tourbillon originel. Dans les heures qui venaient, j'allais voir à quel genre de distractions elle était prête à s'adonner pour briser l'ennui.

Nous avons dégringolé à sa suite vers une pouponnière d'étoiles dans la ceinture d'une belle nébuleuse, jusqu'à une petite planète dont le vert scintillait sous les rayons de son Soleil orange. Une boule d'eau percée d'innombrables petites îles surmontées de montagnes crépues, cerclées de rochers rouges et de plages de sable noir. Dessus, un peuple alangui, des créatures avachies, des êtres longilignes d'une beauté stupéfiante par l'harmonie de leurs membres, la souplesse de leur peau, la délicatesse de leurs traits, une planète d'éphèbes et de vénus presque humains à quelques ajouts près.

— Bienvenue sur Mollasse, Terrien, la planète des pusillanimes...

La foule s'ouvrait devant nous, indifférente à notre passage, même lorsque les jumeaux mordaient des fesses en rigolant. À peine un soubresaut, un sautillement des mordus, un pas de côté qui se répercutait à tout le troupeau en une sorte d'oscillation, de sursaut collectif, comme la réponse d'un banc de poissons à la présence du prédateur.

— Ne t'y trompe pas, dit Stella en balayant la colline du regard. Ces êtres sont d'une intelligence extrême, l'évolution les a menés beaucoup plus loin que vous, Humains. Mais ils en sont revenus, abandonnant toute la technologie qui leur avait permis de dominer cette galaxie, pour fonder sur cette boule enchanteresse une civilisation minimaliste, sans maison, sans raison, sans structure organisée, libertaire et anarchiste, la société utopiste et sans foi ni loi qui a fait rêver tous vos philosophes matérialistes.

— Tu connais Marx et ses copains ?

Je n'ai pas eu de réponse ; de toute manière, la question n'était pas pertinente. On ne s'étonne pas de ce que savent les dieux.

Elle nous a entraînés vers le bas, jusqu'à l'océan. Sur la plage et sur les récifs, plutôt que les corps élancés et souples, d'énormes sacs de graisse à la peau graveleuse et tombante, des baudruches au sexe pendant ronflaient au soleil.

— C'est ainsi qu'ils se transforment, au bout de deux ou trois milliers d'années terriennes, dit-elle pour répondre à mon étonnement. Ils perdent leur capacité reproductrice et se mettent à gonfler et à se détériorer. Ils en ont pour quelques siècles. Après, ils meurent. Leurs cellules s'éteignent. Juste comme ça. Ces gens-là ont vaincu la maladie alors que vos ancêtres à branchies commençaient à peine à ramper hors de l'eau.

Ils se tenaient à l'écart des « jeunes », on aurait dit deux peuples se côtoyant et s'excluant à la fois. Mais une chose les unissait :

— Ils ont perdu le goût de tout à force de vivre si longtemps. C'est drôle, non ? Après un si court instant. Ils ne font plus rien, ne parlent plus que pour exprimer leur indifférence. La fatalité les anime. C'est un peuple qui se laisse aller…

Et qui se laissait faire. Les démons s'en donnaient à cœur joie. Ils les frappaient, leur montaient sur le dos, leur sautaient dessus en hurlant de rire sans provoquer la moindre réaction. Stella ne s'en formalisait pas. Ces bestioles étaient indolentes jusqu'à l'inconscience. On aurait dit des éléphants de mer échoués pour la vie.

— Viens. On retourne là-haut, le coup d'œil est plus intéressant.

Et de siffler ses deux nabots qui se ramènent en quatrième vitesse.

— Qu'est-ce qu'on fait ici, Stella ?

— On s'amuse, mon petit Jérémie, on s'amuse, dit-elle. Contente-toi de suivre et d'observer.

Ses beaux yeux, turquoise comme le lac Moraine, s'étaient figés. Algol et son frère gloussaient nerveusement en me jetant de petits sourires sardoniques alors que nous remontions d'un pas rapide le sentier qui nous avait conduits vers les vieux de Mollasse. On les aurait dit anxieux de ce qui allait arriver.

Au bout du raidillon, la clairière où nous avions atterri et son éblouissant grouillement de peaux argentées. Stella a ralenti le pas jusqu'à s'arrêter. Imperceptiblement, les créatures ont formé un cercle autour de nous et se sont rapprochées, mais sans chercher notre regard, sans même nous voir, aurait-on dit.

— Dégage, Terrien ! Chacun pour soi. Et vous aussi, avortons ! On se reverra…

Les démons n'ont pas attendu de recevoir ses coups de pied avant de déguerpir, chargeant les Mollassons la tête la première et la corne en avant. J'ai reculé, suffisamment pour me dégager de la masse, et me suis assis à l'écart pour observer, intrigué.

Maintenant, Stella a fermé les yeux et se frotte contre les êtres. Elle les flaire, renifle leur odeur et commence à se toucher le corps aussi langoureusement que les filles de *La Planète du Sexe*. Puis elle se défait de ses vêtements et bientôt les plus fantasques de ses nouveaux potes lui tâtent le terrain. Après un temps, les autres s'en mêlent et la troussent. Toujours l'air d'être ailleurs, mais très appliqués, ils la lèchent et la flattent sur tout le corps, glissant leurs appendices partout où ils trouvent à les abriter. Entre les échasses qui s'entrelacent, j'aperçois les ogres qui se sont ramenés en douce et qui se mêlent à l'orgie, enivrés par l'odeur de musc qui s'élève de la foule excitée. Soudain, on dirait que l'exaltation a gagné toute l'île, qui geint à l'unisson. Et là, sous mes yeux ahuris, je la vois fondre, s'amollir et se répandre, puis se tordre de plaisir. Stella mon insensible maîtresse, qui a besoin de toute une planète pour se réchauffer, des caresses de tout un peuple pour s'enflammer !

Puis, après quelques minutes de cet étonnant abandon, d'un coup de reins brusque et puissant, elle se redresse, l'épée à la main, son corps d'amazone ruisselant de sueur et de toutes sortes d'autres trucs visqueux laissés par ses indifférents partenaires. Les premières têtes tombent sous ses coups de glaive. Elle hurle et gesticule, le visage distordu par l'abjection qui l'habite :

— Avec moi, les monstres !

Mais les échassiers s'effondrent déjà comme des blés sous la faux des bessons maudits. Le temps de le dire, les corps s'accumulent en un monceau frémissant. Stella se dresse dessus, hachant et bûchant à grands moulinets. Étrangement, les Mollassons ne fuient pas, au contraire, on croirait qu'ils se mettent en rang, implorant presque leur bourreau de se tourner vers eux, courant au massacre sans rouspéter, réclamant la mort comme si elle leur était due. L'effarement devrait me précipiter dans tous les sens, mais la nausée qui m'a gagné me cloue au sol où je me suis effondré.

Cent fois, ses sbires et elle refont le chemin entre la colline et l'océan, décimant la plage, égorgeant et découpant des milliers de ces êtres velléitaires. Ce n'est qu'après quelques heures que Stella s'arrête, son corps nu dégoulinant du sang rose des Mollassons.

— Cet organisme est affaibli, Terrien.

Elle chancelle, mais son visage ne trahit rien d'autre que la fatigue. Et un certain contentement.

— Pourquoi ?

— Ils veulent mourir, répond-elle en haussant les épaules. Je leur donne un coup de main. Et moi, je veux égayer ma vie, dussé-je tuer pour y parvenir.

— Tu parles à l'imparfait du subjonctif, ça ne te ressemble pas. D'ailleurs, rien ne te ressemble. Tu me vires à l'envers.

— Tu ne comprends donc rien, épais d'amour…

Épais d'amour… Non non, ça ne va pas, c'est Stella qui parle, pas Mira, et toi, tu es Jérémie, pas Jérôme. Enfin oui, tu es Jérôme, mais là, c'est Jérémie, ce type avec Stella. Jérôme, c'est à Mira qu'il appartient, l'épais d'amour. Pour l'autre, la déesse démente, c'est Terrien, larve, mauviette, fétide insignifiance…

Qu'importe. Ma guerrière éternelle venait d'accomplir un des plus grands carnages de tous les temps universels, digne d'une inscription immédiate dans le grand livre cosmique des records Guinness. Simplement pour pimenter son interminable existence. Pour rire, quoi. Je comprenais trop bien. Je comprenais surtout que j'avais été très chanceux de ne jamais avoir pu lui faire prendre son pied.

— Tu n'avais rien à craindre, pauvre imbécile. Je ne tue jamais que ceux qui souhaitent mourir, ou alors des espèces malfaisantes.

— Et le caractère sacré de la vie ? Qu'en fais-tu ?

— Sacré ? Qu'est-ce que ça veut dire ? Tu m'en reparleras dans trois millions d'années, dérisoire limace.

— On n'a plus les dieux qu'on avait…

— Minable larve que tu es ! Bien au contraire ! Je ne suis pas différente de tous ces dieux qui décorent vos panthéons. Ne fais pas semblant d'ignorer qu'ils se sont toujours amusés de cette manière.

Je n'ai pas insisté, je n'avais pas envie de finir comme les entités mollassonnes découpées avec tant d'adresse.

— Ramène-moi chez moi, Stella. Je ne me sens pas très bien.

— Plus tard. La virée n'est pas terminée.

Stella des Étoiles, déité de pacotille, névrosée, colérique, naïade au bord de la noyade, siphonnée en quête de l'ultime siphon, nous a sortis de ce bourbier en un claquement de langue. Nous sommes repartis comme nous étions venus, avalant les parsecs dans ce continuum qui m'était désormais familier. Elle n'avait même pas pris le temps de se rhabiller ni de se laver. Ses cyclopes et elle puaient la mort et le sexe.

— Dis-moi, folle éternelle, simple curiosité : quel âge as-tu ? lui ai-je demandé alors que défilaient les galaxies autour de nous.

— Je ne compte plus.

— Allez…

— Quelques dizaines.

— Tu pourrais être plus précise…

— Tu épuises ta chance, Terrien. Une centaine de millions de tes années…

— Et depuis combien de temps cherches-tu ?

— Une centaine de millions.

— Et pourquoi cherches-tu ?

— Arrête ! Tu connais déjà la réponse. Mais toi ? Qu'est-ce qui pousse des gens comme vous, mortels, à gaspiller du temps à écrire des futilités ?

Futilités ? Non, mais... Ça m'a piqué.

— Tu te prends pour mon éditeur avec ce fin commentaire ? Ce qui me pousse, moi, c'est la même chose que vous : la grandeur et l'insignifiance du vivant, surtout de celui qui pense. Le besoin de savoir. Vous avez beau être des dieux tout-puissants, vous ne savez rien de plus que les vers que nous sommes. Vous avez tout vu, tout entendu, et malgré tout, vous ne comprenez rien à cet immense machin, dis-je en désignant du menton ces sphères où nous évoluions. Désespérant.

— Et s'il n'y avait rien à comprendre ?

— Tu n'as pas de raison de douter, déesse. S'il y a quelque chose plutôt que rien, c'est qu'il y a quelque chose à comprendre.

— Oui, je sais...

Nous avons abouti dans un drôle de lieu. Je ne saurais même pas dire s'il s'agissait d'une planète, en fait, car je n'y ai vu ni ciel ni mer : que des murs blancs fermant de grandes pièces nues et hautes, avec dedans des gens de toutes les formes qui erraient, qui devisaient en groupe, discutaient à deux. Plusieurs soliloquaient, ne semblant avoir d'autre interlocuteur qu'eux-mêmes. Nous circulions parmi eux, mais on aurait dit qu'ils ne nous voyaient pas. Étrange, même les coups de trique des deux démons les laissaient sans réaction. Ils parlaient sans arrêt, avec un effort évident. Et dans de nombreuses langues que je comprenais aisément grâce aux bons soins de mon omnipotente amie. Il y avait là des êtres de toutes les races de la Terre et d'ailleurs, et de toutes les époques.

— Les penseurs, dit-elle en se rhabillant finalement, comme si cela devait tout expliquer. Ils ne sont pas vraiment vivants, mais ils l'ignorent. Ils s'imaginent dans une espèce d'au-delà. Ce sont en quelque sorte leurs empreintes que nous recréons.

Une planète-zoo, ou dans le genre. Stella et ses semblables y stockaient les spécimens les plus remarquables de toutes les formes de vie pensantes et les faisaient réfléchir en permanence. Je m'extasiais devant tant de science.

— C'est merveilleux. Tu veux dire que vous pouvez ressusciter et accorder l'immortalité aux êtres charnels ?

— D'une certaine façon, oui. Mais tout ça n'est qu'un gigantesque laboratoire. Nous espérons qu'un jour, à force de faire s'entrechoquer les théories, les hypothèses et les délires de tous ces grands cerveaux, la vérité finira par apparaître.

— La vérité ?

— Oui, tu sais bien, a-t-elle répondu avec son impatience habituelle. Celle que nous cherchons tous les deux, celle que tu imagines, celle que je devine à l'autre bout de cette singularité.

Mais j'avais autre chose en tête.

— Tu pourrais me rendre immortel, Stella ? me faire venir ici après ma mort ? Fais-le ! Tu n'auras qu'à donner un coup de baguette.

Elle ne disait rien, ennuyée. Ses yeux fuyaient vers l'assemblée des sages.

— Quoi ? Tu hésites ? Je mettrais certainement un peu d'animation chez tous ces grands cérébraux.

Elle m'a carrément tourné le dos avant de lancer, avec dédain :

— Désolé, tu n'as pas ce qu'il faut.

— Quoi ?! ai-je fait, sincèrement étonné. Mais je suis un grand écrivain !

— Ça ne suffit pas. Il faut plus que du génie. Avoir été le premier, avoir innové, inventé. Ça ne t'enlève rien.

Elle s'est immiscée dans ma tête pour sentir mon dépit. Je la devinais, assise au bord de ma cervelle. Elle a ajouté :

— Ne désespère pas, il te reste encore du temps pour te dépasser et trouver cette moitié d'étoile que tu souhaites tant. Au moins, maintenant, tu sais ce qu'elle pourrait te rapporter, ta Calamité.

Je n'ai pas insisté. Parce que, à force de regarder autour de moi, je commençais à me rendre compte que j'étais bien loin du paradis. Ces gens n'avaient manifestement aucune idée de ce qui leur arrivait ni de ce qu'ils faisaient là. À vrai dire, on se serait cru dans une vaste maison de fous avec, à la clé, des êtres sortis tout droit du bestiaire des pensionnaires les plus atteints : des créatures dont on ne savait distinguer le cul de la tête, le bras du pied, limaçons géants, reptiliens maussades, calmars roulant des mécaniques… Et d'autres monstres, plus familiers ceux-là, et beaucoup plus inquiétants.

— Dis-moi que je rêve, Stella ! C'est Staline, là ? Vous avez réincarné ce fou furieux ? Ne viens pas me dire que la dialectique de cet assassin vous fascine !

— Calme-toi, Terrien ! Bien sûr qu'elle nous intéresse. Tu ne l'as jamais lu, le petit père du peuple ? Tu devrais. Tu le comprendrais mieux. Regarde attentivement autour de toi, tu en reconnaîtras plusieurs du même acabit : Hitler, Gengis Khān, Amin Dada, Pol Pot… Ce sont des éléments instables, des facteurs d'incertitude qu'on jette dans l'équation, des catalyseurs de débat, si on peut dire.

Nous nous sommes mêlés à cette étonnante assemblée, attentifs aux conversations et monologues qui emplissaient l'espace d'un bourdonnement sourd. De temps à autre, Stella me glissait un nom à l'oreille en me désignant un des types.

— Regarde, c'est Platon. Et celui qui lui crie après, c'est Sartre.

— Arrête, Platon ! Fous-moi la paix avec le bien et ta morale universelle. Tu n'es qu'un judéo-chrétien avant la lettre. Tu ne trouveras pas la vérité en cherchant le bien. Si elle existe, elle se trouve dans le nœud qui attache tous les êtres pensants les uns aux autres. Le monde nous définit, Platon. Pas le contraire…

— Rhétorique ! répliquait le vieux Grec. Ce n'est pas un argument, ce ne sont que des mots vides de sens.

Sartre a haussé les épaules.

— Ce que tu peux être archaïque ! a-t-il lancé avant de passer son chemin.

Tout près de nous, un vieux type déambulait en parlant dans sa longue barbe blanche, ouvrant de temps à autre une des petites cages attachées à sa ceinture pour en libérer une colombe qui partait tournoyer dans le ciel fermé de la pièce, chiant allégrement sur l'aréopage indifférent.

Sur son chemin, une petite femme en tunique de laine s'était dressée. Ses cheveux noirs en balai tombaient dru sur ses sourcils broussailleux, ses mains potelées reposaient, résolues, sur ses hanches rebondies :

— Moi, vieillard, ce sont des faucons qui pendraient à ma taille !

Elle cria si fort que les conversations cessèrent, mais pas plus d'une seconde. L'homme l'ignora, et elle reprit son chemin en grommelant, poursuivie par les jumeaux qui ricanaient en lui pinçant les fesses sous sa cotte de mailles.

— Jeanne d'Arc, dit simplement Stella. Elle gueule tout le temps.

— Quoi, cette boulotte ?

Mes fantasmes venaient d'en prendre un coup. Stella-qui-sait-tout m'a jeté un œil franchement malicieux, mais elle n'a rien dit. Pas besoin. Pour une fois, c'était moi qui lisais dans sa tête.

Nous sommes arrivés dans une pièce plus petite où tout le monde était assis par terre en cercle, même les spécimens d'espèces qui n'avaient pas de cul pour s'asseoir dessus. Eux, m'expliquait Stella, ne s'intéressent qu'à la cosmologie.

— On peut s'arrêter un peu? ai-je demandé. Ça m'intéresse.

Nous nous sommes assis derrière celui qui parlait, une sorte de poulpe à tête de cheval qui gesticulait de tous ses tentacules. Celui-là prétendait que la perfection n'existait pas, puisque le monde était en perpétuel mouvement, que l'univers évoluait, se transformait, et que par conséquent l'idéal était un leurre. En face de lui, un macaque gros comme un gorille lui répondait que le changement était illusoire, que si les choses se transformaient, leur matière première ne changeait pas, et que la perfection par conséquent se trouvait dans le figé, dans l'immobilisme, l'immuable...

Plus loin dans le cercle, un truc rond et visqueux couvert de boursouflures et monté sur une sorte de cerceau ondulatoire abondait en rappelant que tout commençait et finissait par le carbone.

La discussion ne m'impressionnait guère. « Des robots, me dis-je, ce ne sont que des machines à parler. » Mon regard se promenait sur cette foule, cherchant une étincelle de vie dans tous ces visages ou ce qui en tenait lieu.

— Ce ne sont que des empreintes, Terrien, je te le rappelle. Mais parfois, il se produit quelque chose.

Au milieu du groupe, un vieil humain chauve s'agitait sur ses fesses, rouge de colère. Interrompant la méduse, il bondit sur ses pieds et se mit à parler sans s'arrêter, s'adressant au vide au-dessus des têtes :

— Il y a le tout, dont nous ne percevons qu'une infime partie malgré nos sens et tous nos instruments, et il y a nous qui, parce que nous le percevons, le déduisons, tentons de nous mesurer à lui.

Et il poursuivit ainsi pendant de longues minutes, crachant ses mots sans faire de pause, les yeux révulsés :

— L'Homme ne pourra jamais échapper au temps parce que sa pensée est linéaire ; or l'espace-temps n'est sans doute qu'un des éléments de la Création ; il ne dicte les règles que de notre univers particulier où tous les événements se produisent l'un après l'autre ; nous en sommes donc prisonniers : une explosion à la suite de l'autre, la première engendrant les phénomènes qui mènent à la suivante, une pensée après l'autre, la seconde découlant du raisonnement engendré par la première et ainsi de suite jusqu'à ce qu'il n'y ait plus de suite ; serions-nous viables dans un univers où le temps n'existerait pas, nous, êtres de chair conçue pour durer un certain laps ? Dans cet univers au temps suspendu, comment saurions-nous être autrement qu'inanimés, puisque pour fonctionner la machine humaine doit consommer et se consumer, ce qui ne se conçoit que dans un univers temporel ? Pourrions-nous évoluer librement et toujours vieillissant dans un univers qui, lui, ne vieillit pas, une sphère immobile où rien n'a de passé ni d'avenir ? Cette vision des choses était encore acceptable lorsque les philosophes croyaient que le monde créé par les dieux était fixe, le Soleil, les planètes et les étoiles accrochés à la voûte fermée du ciel, couvercle impérissable et construit autour de l'Homme et pour lui seul, mais maintenant…

Il s'était tu, puis rassis, son regard désormais sans expression, comme si sa diatribe n'avait été que le bref sursaut de conscience d'un cerveau autrement éteint.

Nous sommes passés dans une autre pièce, puis dans une autre encore. Des gens circulaient dans tous les sens, s'apostrophant au passage. Un Humain noir en djellaba clamait qu'il n'aimait pas les femmes, encore moins les hommes et guère plus les autres formes de vie. Pour lui, elles étaient viles, incomplètes. Un grand insecte aux multiples pattes déambulait, la tête bien haute, en soutenant que les mortels étaient des êtres enfermés dans la discontinuité par leur volonté de durer, qu'ils étaient pour cette raison abominablement seuls de leur début à leur fin. Plus loin, un pygmée jaune et fébrile comme un coq de combat harcelait un vieux Terrien en lui gueulant dans les oreilles :

— Aristote est un mammifère ; l'âne est un mammifère ; donc Aristote est un âne. Aristote est surtout un vieux con, un vieux con qui pense comme une machine…

— Un vieux con ? Une machine ? répétait le vieillard, l'air de ne pas voir le gnome qui lui collait au train. Je pense, donc je suis… Un syllogisme, ça aussi, dont il manque une proposition. Un enthymème…

« Aristote ! » ai-je pensé, encore plein d'émerveillement terrifié.

— Arrête de t'exciter, impressionnable nullité ! Je te l'ai dit : ils sont tous ici, tous ceux qui ont réfléchi un tant soit peu sur et dans cet univers. Que des empreintes, je te le répète, pas les vrais…

Nous passâmes ainsi de pièce en pièce, moi épiant les conversations pour le plaisir, elle fouinant dans les têtes, avide d'y trouver quelque chose, un indice, un signe…

— Je suis venue ici des milliers de fois et je n'y ai jamais trouvé que des bêtises.

Ma Stella stellaire semblait déçue. Pour une fois, je percevais quelque chose qui ressemblait à une émotion au cœur de cette montagne de glace. Son interminable vie m'apparaissait si vide tout à coup, si… superflue.

Son regard est soudain devenu si mauvais que j'ai cru un instant me faire pulvériser sur-le-champ.

— Quoi ! Arrête de me terroriser ! On ne contrôle pas notre cerveau, nous les Humains. Je ne suis pas responsable de mes pensés, juste de mes actes.

Elle s'apprêtait à répliquer quand un grand type blond bâti comme une statue grecque a fait irruption devant elle. Il la toisait, frondeur. Puis il s'est tourné vers moi en m'observant jusque sous le nez.

— Tiens donc. Un être véritable…

Ensuite, retournant à Stella, il s'en approche et soulève doucement sa jupe de guerrière pour lui caresser malicieusement les cuisses qu'elle a toujours poisseuses du sang des gens de Mollasse.

— Tu as chassé, Esprit, constate-t-il en humant mon étonnante déesse qui ne dit mot, ni ne bouge.

Elle a fermé les yeux. L'autre s'en amuse.

— Tu t'es choisi un corps, je dirais, appréciable, Esprit. Mais pourquoi donc t'incarnes-tu toujours dans des entités femelles ? Enfin… crache-t-il, la bouche tordue par une moue de mépris. Il y a longtemps que je ne t'ai croisée. Que fais-tu ? Tu cherches toujours cette chose ? Tu y crois encore ?

C'est pour moi qu'il parle. Pour elle, il n'a pas besoin. Alors, je réponds à sa place à cette question inutile.

— Bien sûr qu'elle y croit. Sinon, à quoi donc croirait-elle ?

— Mais à rien, Terrien, me répond-il avec condescendance tandis qu'il la tripote sans qu'elle s'y oppose.

Elle est froide, comme avec moi, mais lui, il continue. Ses mains courent partout et il se rapproche encore, faisant dévaler son souffle sur son cou pendant qu'il me parle.

— Pourquoi faudrait-il croire, Terrien ? Il y a tant de théories, d'hypothèses, de croyances. Et elles changent tout le temps, parfois jusqu'à se transformer en leur contraire.

Il se moule, en parlant, au corps de Stella, et elle le suit ; on dirait deux boas qui s'enserrent. Cela ne l'empêche pas de poursuivre son sorite. Les dieux peuvent faire plus d'une chose en même temps.

— J'ai fouillé, comme elle, l'univers dans tous ses recoins et je n'y ai trouvé que mécanique et chimie. Oh ! bien sûr, des splendeurs et des merveilles qui dépassent l'entendement, des miracles et bien des mystères, mais rien qu'on ne saura expliquer un jour ! Sauf l'essentiel, car l'origine de tout ça demeure aussi nébuleux ; je n'y ai pas encore trouvé Dieu et, franchement, je ne crois pas que je le trouverai jamais dans cette masse, ni moi ni personne. Et un jour, on finira bien par accepter qu'il n'y a pas de réponse, pas d'origine ni de fin, que le temps lui-même n'est qu'un phénomène induit par ce monde, si démesuré soit-il, où s'appliquent un nombre limité de lois. Alors, être réel, moi je te dis qu'il n'y a que la baise et les plaisirs de ta chair, rien d'autre. Nous, les esprits, ne sommes que des êtres manqués, des abominations. T'es-tu déjà demandé comment nous parvenons à nous reproduire ? Y as-tu songé ?

« Tiens, c'est vrai. Comment font-ils ? »

— Tu dois bien en avoir une petite idée, Terrien. Pourquoi crois-tu qu'elle fabrique tous ces rejetons ?

— Elle me l'a dit. Pour se semer à tout vent. Pour laisser sa trace.

— Oui, dit-il, toujours câlinant ma déesse de glace qui, ma foi, paraît se réchauffer sous ces préliminaires longs et incongrus. Mais aussi dans l'espoir de créer des êtres parfaits, des éternels, comme elle et moi. Elle cherche cette aberration chromosomique qui survient de temps à autre, la bonne mutation qui permet à un enfant sur un quatrillion de dissocier son esprit de son corps. C'est comme ça que nous faisons.

Et moi qui me l'étais imaginée garce cosmique affranchie de ses inhibitions par le temps et la toute-puissance, sybarite avaleuse de corps célestes et croqueuse de monstres ouverte à toutes les expériences dans sa recherche effrénée du plaisir. Tous ces avortons qu'elle fabrique, c'est donc ça !

— Ta commisération me répugne, Terrien ! fait-elle soudain en repoussant l'adonis. Qui es-tu pour vomir ta pitié à mes pieds ? Je suis un esprit, pas une de vos bonnes sœurs. Je m'arrange toujours pour prendre mon pied. Pas envie de finir givrée à jamais comme mes congénères neurasthéniques.

Puis elle éconduit son divin collègue.

— Va-t'en, Esprit.

Il s'écarte, mais ne part pas. Il reste autour à traîner parmi les grands cerveaux requinqués. Les jumeaux l'ont suivi, ils se collent à lui comme deux toutous dociles.

— Ils se connaissent, lance Stella en guise d'explication.

Je m'étonne de percevoir de la crainte dans sa voix pendant qu'elle suit des yeux son bellâtre de congénère qui s'est ravisé et revient vers nous en grattant fermement l'occiput des démons ravis.

— Méfie-toi de lui, mon petit Jérémie, me dit-elle, sans se soucier qu'il l'entende. Il est vicieux, et il adore jouer.

Stella inquiète, c'est nouveau. Et inquiète pour moi, « c'est pour le moins… inquiétant ! » me dis-je, imaginant avec épouvante tout ce qu'un dieu peut vous faire quand il vous a de travers. Pourtant, l'autre éternel a plutôt l'air avenant lorsqu'il me demande :

— Dis-moi, Terrien. Ton avis m'importe. Réponds à ceci : comment pouvons-nous être raisonnables, nous qui sommes le fruit de la déraison, comme ce Nietzsche se plaisait à me le répéter ?

— Nietzsche ? Vous connaissez Nietzsche ?

Il a bombé le torse et haussé le sourcil, posant un œil amusé autant que dédaigneux sur ma candeur.

— Je l'ai fréquenté un peu de son vivant et, bien sûr, vous trouverez certainement son empreinte quelque part dans le coin. Mais j'ai lu tout ce qu'il a écrit. Je connais tous les philosophes de toutes les civilisations pensantes de l'univers connu. Tous. Même ceux qui pensent faiblement, comme vous.

— Vous m'avez lu ?!

Stella trépigne.

— Ça suffit ! Il se moque de toi, crétin nombriliste ! Nous n'avons pas besoin de lire, nous savons tout.

Mais l'autre l'ignore et il marche autour de moi d'un pas excessif, presque militaire, ponctuant son verbe de grands gestes cadencés :

— Bon, je reprends le raisonnement : comment, nous, êtres dotés de l'entendement, pourrions-nous trouver un ordre dans l'évolution qui nous a produits, alors que nous sommes le fruit du hasard ? Serait-il possible que cet univers perceptible et tous ceux que nous devinons existent uniquement pour créer la possibilité de ce hasard ? Le macrocosme dans cette hypothèse serait une incommensurable loterie dont nous serions des combinaisons gagnantes ? Certains de vos physiciens croyants appellent ça le principe anthropique. Mais alors, qui est le joueur ? Qui lance les dés ?

« Quoi ? C'est tout ? me dis-je, envahi d'une sourde colère, sachant très bien qu'ils me lisaient comme un grand livre. Tout ce dont peut accoucher le génie infus, l'intelligence absolue, la science infinie et universelle ? Cette maigre métaphysique ? Et dire qu'il y a cinq minutes à peine il me demandait pourquoi il fallait croire… »

— Si vous l'ignorez, vous, potentat si puissant, éternel et omniscient, comment le saurais-je, moi, vermine insignifiante, comme me le rappelle avec tant d'amabilité et de persévérance votre impérissable copine ? Et Nietzsche lui-même, comment pourrait-il ne serait-ce qu'entrevoir un début de vérité ? Je crois que nous ne sommes bons qu'à poser des questions, et c'est justement pour cette raison que, lorsque nous ne trouvons pas la réponse, nous inventons des hypothèses rassurantes comme celle que vous suggérez. Ce n'est pas la curiosité qui mène le conscient, le pousse à chercher des vérités, mais la peur. Notez, vous n'êtes pas le premier à supposer l'existence d'une force suprême en dépit de la science et du bon sens. Sur Terre, de nos jours, ils appellent ça le « destin intelligent ». Mais j'aurais cru que des dieux pouvaient se passer du besoin de s'inventer plus puissants qu'eux. Je vous trouve, comment dire, un brin limités, vous, Stella et vos semblables...

La suite a viré au cauchemar. La statue grecque s'est transformée subito en monstre xiphodyme, son beau corps, parangon d'harmonie, avalé par la montagne de chair d'un immense géryon dont les trois têtes mugissantes se penchaient sur moi.

— Et toi, pourquoi désires-tu tant ce morceau de feu ? hurlait la première.

— Pour te rendre encore plus célèbre sur le misérable caillou que vous habitez ? reprenait la deuxième.

— Vous n'êtes que des microbes ! concluait la dernière.

Stella a disparu, mais pas les démons de Persée qui mordent les mollets du géant et lui tranchent les orteils à grands coups de glaive. Gênée par sa taille, trop lente pour se défendre, l'hydre bat l'air de tous ses membres en hurlant de rage et de douleur. Les jumeaux lui grimpent dessus, plus vifs que leur ombre, agiles comme des araignées, et la découpent avec méthode. Bientôt, les têtes de la chimère roulent entre les jambes des philosophes indifférents et le tronc, affaissé sur les membres sectionnés, trépide en crachant ses boyaux.

La pièce s'est obscurcie, le plafond a fait place à un ciel d'encre troué d'étoiles inconnues et flagellé de stries jaunes et roses. Les penseurs se sont évaporés, seuls restent dans cette nuit flamboyante les jumeaux qui jouent au foot avec les têtes du monstre. Elles s'en plaignent, d'ailleurs, à chaque coup de pied reçu. Logla ricane sur ses crocs découverts en m'apportant une des caboches qu'il tient par la chevelure. Mon cœur bondit: c'est Tracemot, sa Mont-Blanc enfoncée dans l'œil droit. Son autre œil, lui, roule dans tous les sens avant de se fixer sur moi lorsqu'il me repère:

— Jérôme ? Qu'est-ce que vous m'avez fait là ? Je ne me sens pas très bien.

— Je n'ai rien à y voir, Gilbert. Nous sommes dans les limbes, je suppose. Je ne suis pas sûr que nous existions encore.

— J'ai l'impression que je suis mort, non ?

— Ça se pourrait.

— Toi, tu as tous tes morceaux. Tu m'as l'air bien vivant en tout cas. Qu'est-ce que tu fais ici ?

Je n'ai pas le temps d'ouvrir la bouche, la réponse vient sur ma gauche d'une des deux autres têtes qu'Algol tient sous ses bras.

— Il cherche sa maudite étoile, dit la voix de Bérulier.

— Toujours cette obsession ! C'est d'un ridicule ! Une vie gaspillée à pourchasser des mirages, ce désir maladif de reconnaissance et de célébrité… crache la bouche de Tracemot avec sa morgue habituelle.

Une troisième voix, cependant, se porte à ma défense au milieu d'une cascade de flashs, une voix amie et belle comme le chant d'un merle:

— Ne les écoute pas, mon fou d'amour. Tout le monde a droit à ses rêves…

C'est Mira, ma Mira dont le beau visage repose sous l'aisselle d'Algol.

C'en est trop. J'ai beau fermer les yeux, rien n'y fait, ils restent là tous les trois, portés par les frères démons qui me tournent autour dans une méchante farandole.

« Assez ! me dis-je. Je sais que j'ai le droit de rêver, que la vie et ma vie ne sont pas parfaites, ne l'ont jamais été, ne le seront jamais. C'est précisément pour ça que j'écris, pour transformer cette merde en grandeur et ma médiocrité ordinaire en génie, pour que mon existence devienne source d'inspiration, et ma nullité, terreau fertile en quelque chose de grandiose. Pour me persuader juste une seconde que j'ai une chance d'accéder à la gloire éternelle. Je n'ai pas des milliards d'années devant moi comme ces astres dont je réclame une miette et qui, même éteints, font partie de nos vies, encore moins cette éternité dont Stella n'a rien à faire, elle qui trompe l'ennui dans ce ciel où Tracemot voit vide, néant et noir infini, alors qu'il ouvre pour moi la seule porte capable de me projeter loin de la souffrance originelle et des tortures que m'infligent la vue de Mira, sa froideur, sa duperie. »

— Stella, ne me laisse pas ici !

J'ouvre les yeux. Elle réapparaît, flanquée de ses deux cabots à corne. Il n'y a plus de murs, plus de philosophes, plus de têtes. Qu'un immense désert de sable rouge sous la nuit bariolée et, à mes pieds, le corps inerte de Tracemot surmonté de sa tête, sa plume acérée de critique acerbe toujours émergeant de son œil sanglant.

— Tu joues avec moi, déesse.

— Je réponds à tes souhaits, Terrien. Toutes tes pensées réclament son sacrifice.

— Je veux ce truc qui me revient, c'est tout !

— Oui, je sais. Mais il ne te la donnera jamais, cette étoile qui manque à ton cahier, petit écolier braillard. Et maintenant, dit-elle en montrant le cadavre raidi du vieux critique, il est trop tard.

Un frisson me parcourt. Mort, Tracemot ? Vraiment ?

— Reviens sur Terre, pitoyable névrosé !

L'instant d'après, nous sommes chez elle au milieu de sa progéniture puante et grouillante, couchés nus au bord de sa couche.

— Tu m'as fait voir des choses qui dépassent l'entendement, Stella, des objets d'une inimaginable beauté, d'une insoutenable harmonie, et pourtant, rien ne m'émerveille autant que ce cul emprunté. Tu saisis ? Le corps est une prison, ma folle des astres, et le désir, sous toutes ses formes, ses barreaux.

Elle m'a regardé avec une intensité que je ne lui connaissais pas.

— Oui, je comprends, a-t-elle dit, d'une voix étonnante de douceur. Comme pour certains plaisirs, il y a des blessures que seul le corps peut infliger à l'esprit. Un instrument que même les dieux ne savent maîtriser. Une belle distraction tout de même…

Et, disant cela, elle se tourne vers moi et me plaque sur les lèvres un baiser long, douloureux et maladroit.

— Stella, vipère cosmique, écarte tes jambes d'immuable cinglée !

Mais cette fois encore, c'est moi qui n'ai pas été à la hauteur et toute sa magie n'y a rien fait.

— Ton équipement est encore en panne, Terrien ? Tu fais un bien piètre étalon…

Elle se moque de moi, mais sans méchanceté, me semble-t-il. Pour une fois.

— Quel intérêt peux-tu trouver à ma personne, Stella ? Toi, oréade qui perçoit plein de trucs dont je ne soupçonne même pas l'existence, des longueurs d'onde, des lumières, des sons, des radiations, des dimensions, des voix que je ne saisirai jamais, qui prend des voies que je ne pourrai jamais emprunter ? Déjà, j'ai l'ouïe qui faiblit, mes oreilles perdent de leur acuité dans les hautes fréquences, je n'entends plus les oiseaux piailler le matin, ni la cigale chanter, ni les grillons striduler. Toi, je t'entends trop, parce que tu forces ma tête, t'immisces partout, je n'ai même pas besoin de mes tympans. Ce n'est pas comme Mira que je n'entendrai jamais assez et me chanterai sur tous les tons, sur tous les toits et à tue-tête, même si elle se fait champ de glace plutôt que chanson. Et je te vois trop aussi, car quand je te vois, Mira ma Mira ne m'éblouit plus, tu me l'éclipses, l'obscurcis, me la noircis, elle pourtant ma lumière et ma nuit. Serais-tu toi-même ce siphon obscur et vorace que tu cherches depuis le début des temps ?

— Dégage, minable vermine, avant que je te donne à bouffer à mes petits !

Je l'ai laissée volontiers à ses incarnations criardes et à son humeur habituelle, pas mécontent de l'effet de mes remarques. Dehors, la nuit de l'hiver s'abandonnait aux aurores.

Quand je suis rentré, Mira était déjà couchée. Je l'ai rejointe et j'ai voulu savoir, encore une fois.

— Il faut que je sache, Mira…

— Arrête…

Un baiser froid sur la joue, plus froid que jamais, une froideur méritée sans doute. Elle pleure en silence. Nous nous tournons le dos, c'est devenu une habitude.

En attendant le sommeil qui ne vient pas, je revois ma dernière équipée aux côtés de Stella, toutes ces immensités silencieuses, et je ressens cette absence de sons absolument incongrue dans ces ciels infinis, ce silence impossible parce qu'il suppose l'immobilité alors que bouillonnent des essaims d'univers dans la casserole extravagante. Quelque chose dans le silence nous renvoie au néant. J'avais le sentiment de dériver sur un océan d'huile. J'en suis certain maintenant : au bout de cette myriade de mondes se cache un trou noir insensé qui attend sa proie ultime depuis le matin de la vie, la nuit des temps, et tire son existence même de cette attente, une douleur aphone, une souffrance inouïe.

Chapitre 9

Virgo A. Galaxie de l'Amas de la Vierge auquel appartient aussi la nôtre, la Voie lactée. Source de la plus forte émission d'ondes radio de cette région du ciel. Son centre abrite un trou noir dont la masse atteint trois milliards de fois celle du Soleil.

Stella ne dérange pas que moi. Les satellites de communications tombent comme des mouches, jusqu'à Internet qui ne fonctionne plus. La planète ne s'entend plus parler. C'est devenu un sacré foutoir, chez nous comme partout. Ici, les courants telluriques bousillent les compensateurs voltampères réactifs des lignes de transport à sept cent trente-cinq kilovolts qui descendent du Grand Nord. Les réseaux plantent à répétition. Par trente au-dessous de zéro, les gens n'ont plus de courant la plupart du temps. Ailleurs, c'est le même bordel. En Europe, en Asie, jusqu'en Afrique. La moitié des centrales nucléaires du globe ont fermé par crainte des explosions, leurs transformateurs flambaient les uns après les autres. À Salem, dans le New Jersey, le cœur d'un réacteur nucléaire a fondu lorsque les coupe-circuits ne se sont pas déclenchés. La garde nationale a évacué la région sur cinquante kilomètres, mais des millions de personnes ont été exposées aux radiations qui se sont répandues sur toute la planète. Tchernobyl à deux pas de New York. Au début de la semaine, deux trains bourrés de produits chimiques sont entrés en collision au beau milieu de la ville de Meerut, dans l'Uttar Pradesh, quand de fortes tensions induites par les variations du flux électromagnétique ont déclenché plusieurs signaux ferroviaires ; l'explosion et l'incendie qui a suivi ont tué trois mille personnes et contaminé toute la région. Hindous et musulmans y ont vu un attentat dont ils se rendent mutuellement responsables ; le pillage fait rage depuis une semaine, les émeutes et les pogroms y font des morts par dizaines de milliers. La planète ne veut plus rien entendre.

Le rare transport aérien qui subsiste est constamment perturbé, les avions volent le plus souvent à vue. Les sursauts solaires se font sentir jusque sous les tropiques. Plongées dans le noir, des contrées entières sont paralysées. L'économie dégringole, les bourses s'écroulent, les sociétés s'effondrent. Il n'y a que la presse jaune pour atteindre des sommets, de tirage et de bêtise ; les extraterrestres en font le plus souvent la une, on parle de complots cosmiques, on voit leur main partout, à supposer qu'ils en aient. Le public ignore à quel point ils ont raison. Les plus furieux des leaders d'opinion voudraient qu'on remette le Soleil d'aplomb et à sa place en lui envoyant des bombes H dans la gueule. Une sorte d'électrochoc, qu'ils disent. Le ridicule est en train de nous tuer, mieux que les orages de Stella et tout ce qui fait la bêtise de l'Homme. Quand ils ne sont pas devenus complètement fous, les gens se font à l'idée que notre étoile est en phase terminale et que le monde approche de sa fin. Plus personne ne s'amuse du spectacle des tempêtes magnétiques. La planète en a assez vu.

Avec les pannes qui se prolongent, les amis se réfugient chez nous. Je ne me rappelais pas que nous en avions autant. Le sous-sol est un dortoir, la salle à manger et le salon servent de réfectoire. Il y a quelques années, après la grande tempête de verglas qui avait plongé durant des semaines tout le sud du Québec dans le froid et la glace, Mira avait eu la bonne idée de nous équiper en appoint d'un poêle à bois à combustion lente et d'un petit système autonome au mazout. Mais il y a maintenant pénurie de ces combustibles. Les propriétaires de voitures qui tournent au diesel montent la garde devant, et la police surveille tant bien que mal les grands parcs de la ville, celui du mont Royal surtout, aux prises avec les « braconniers du bois », comme on les a surnommés dans ceux des médias qui publient ou diffusent encore de temps en temps. Quand ils quittent leurs beaux appartements tout électriques et qu'ils débarquent, les copains sont priés d'apporter couvertures, mazout, matière ligneuse, bouffe et boisson. Mira s'accommode assez de cette promiscuité, moi de moins en moins. Alors, quand je suis là, Gaudin m'accuse de ne pas y être assez souvent et de laisser Mira, ma Mira de plus en plus enceinte, se débrouiller avec tout ce monde.

— Elle n'a qu'à les foutre dehors ! Et puis, tu es là, toi, la plupart du temps. Ça t'arrange bien, non ? Tu as toujours été très fort dans le rôle de chevalier servant. Moi, c'est plutôt Cervantes, tu vois ? Dans le genre chevalier à la triste mine, chasseur de fragments célestes et, par les temps qui détalent, d'aspirateurs galactiques pour les besoins d'une divinité fugace et ténébreuse.

Ceux qui sont autour font semblant de n'avoir rien entendu et vont discrètement fouiner dans une autre pièce. Gaudin me regarde avec mépris. Il n'en revient pas de mon égoïsme, de mon nombrilisme, de mon insensibilité, de ma froideur.

— Froideur ? Ah ! non ! La froideur dans cette maison, tu sais où elle se trouve. Ça l'arrange très bien, tous ces gens dans notre vie. Il y a tant à faire pour nourrir et torcher toute cette troupe qu'elle peut m'oublier et sortir pour une fois de son rôle de femme chaude et aimante, se laisser dériver sans à-coups dans sa mer du Nord du dedans. Prends bien garde à toi, mon ami. Si jamais tu réussis à me la voler comme tu en rêves secrètement, tu te casseras les dents sur toute cette glace. Cette femme est un iceberg, un astre froid et désert comme la Lune, prends bien garde à sa partie immergée, à sa face cachée. Tous les chaos du monde n'y changeront rien et toi non plus.

Gaudin n'insiste pas. Pour éviter l'esclandre. Il file à la cuisine aider Mira qui fait griller du pain et bouillir du café au percolateur sur la fonte du poêle à bois. Le petit-déjeuner s'éternise. Les chaises sont toujours occupées autour de la grande table de la salle à manger. Ce matin, il y a bien une quinzaine de personnes. C'est comme ça depuis des jours. Ils vont et viennent, passent et reviennent. Ils sont tous là, les habituels et souvent leurs habituels à eux. Le seul absent : Tracemot, qu'on n'a pas revu depuis l'incident du dentier.

La maison est enfumée. C'est à cause de Bérulier qui nous a apporté du bois vert.

— C'est tout ce que j'ai pu trouver, se défend-il en bougonnant. Je l'ai payé le gros prix. Vous croyez que c'est facile de trouver du bois de chauffage en ville ?

— Ouais ! mais tu l'as regardé un peu, ton bois ? lui répond Bourne qui s'est amené la nuit dernière, soûl et à moitié mort de froid. Il est si vert qu'il en dégoûte. Et regarde un peu l'écorce. C'est du platane, mon vieux. Le type qui t'a vendu ça, il a certainement pillé les serres du Jardin botanique.

Tout le monde se scandalise, pour la forme bien sûr, parce qu'en vrai, on s'en fout un peu dans les circonstances.

— Vous n'allez pas me faire chier pour un baobab ? De toute façon, il serait mort de froid. C'était lui ou nous, non ?

Myrtille le calme en lui flattant le crâne et on finit par en rire. Mais pas Mira. Elle, se cache derrière les assiettes qu'elle essuie. Et justement, elle n'a pas l'air dans la sienne. Ce n'est pas d'aujourd'hui, ni même d'hier. Ça dure depuis ma dernière virée avec Stella. Sèche et distante, pas seulement avec moi. Sa vraie nature remonte à la surface ; c'est peut-être cette chose qui lui pousse dans les entrailles : cette petite abomination lui sucerait toute l'énergie qu'elle met d'habitude à nous faire son plat d'amie chaleureuse et d'épouse parfaite.

Gaudin m'en reveut et tient à me le redire. Il me prend à part : je dois me secouer le cocotier, m'occuper de Mira, oublier mon foutu roman — ce n'est vraiment pas le moment de jouer les sombres lunatiques en quête d'inspiration —, revenir sur Terre et chez moi, auprès de cette pauvre femme.

— Descends un peu de tes galaxies, elle a besoin de toi, Jérôme...

Il m'engueule, à voix basse cette fois, pour ne pas prendre toute la maisonnée à témoin. Se demande comment je peux en même temps être génial et taré. Variation connue sur le thème de mon irresponsabilité. C'est qu'il m'admire, le Gaudin. Il serait plus juste de dire qu'il me jalouse. Il aurait tant voulu coucher mes romans sur son papier et, par-dessus tout, ma Mira dans son lit.

— Le monde n'est pas monochrome, mon cher Phil. Il peut être à la fois chaotique et ordonné, et ses soubresauts chimiques sont susceptibles de produire la conscience et le divin. Sinon, comment le ventre de cette femme iglou pourrait-il enfanter ? On ne croirait pas que la vie puisse naître à si basse température. De quoi accouchera-t-il, d'ailleurs, ce ventre ? Et je devrais d'ores et déjà éprouver de l'amour pour cette chose qui pousse là en dépit du bon sens et des lois de la biologie ?

Gaudin me regarde vraiment de travers. Il n'ose pas s'emporter, ne sait pas trop comment me prendre. Je lui explique que je dois m'endurcir. Pour protéger ma sensibilité qui s'étiole avec le temps. Ma sensibilité de fou raide à lier, de maniaque au bord des armes.

— Pour écrire, tu saisis ? Pour créer, inventir, comme dans inventer et mentir, l'un découlant de l'autre et vice versa.

Gaudin rend les armes, il n'est pas tenace.

— Les choses sont pourtant simples, dit-il.

— Tu crois ça, toi ? Sans rire ? T'es un foutu connard alors…

De lassitude, il hausse les épaules pour mieux baisser les bras, comme il le fait souvent. J'ajoute, le plus sèchement possible :

— Si tu continues de faire du plat à ma femme, tu pourras oublier notre amitié…

Nouveau haussement des épaules. Il n'a pas besoin de répondre. Je sais bien où elle irait, son amitié, s'il avait à choisir. D'ailleurs, il a déjà choisi. Comment lui en vouloir ? Il en rêve depuis si longtemps et doit se maudire de m'avoir laissé le champ libre jadis, d'avoir craint qu'elle ne nuise à son ascension sociale, à cette belle carrière qui l'obnubilait. Mais il se rattrape, ça ne fait pas de doute, il fait tout pour me la ravir, il la travaille au corps et à l'âme, ça se voit, se sent, s'entend. Si je n'écris pas ce roman au plus vite, il pourrait bien réussir. Elle se lassera, c'est certain, elle pensera au petit d'abord, elles sont comme ça, les femmes enceintes, elles protègent le fruit de leurs entrailles.

Son ventre se gonfle. Parfois, lorsqu'il bouge, elle voudrait que j'y appuie la main pour sentir les coups que la petite chose lui donne, que j'y pose l'oreille pour entendre les borborygmes de ce qui pousse là. J'y consens de mauvaise grâce. Je ne veux pas être père, pas plus de celui-là que de l'autre sorti de la cuisse de Stella Porrima. Femme ou déesse, elles ne m'auront pas et elles n'auront rien de moi. Le soir, dans l'intimité de notre chambre, elle vient se blottir dans mes bras. Je la laisse faire et sa fausse ardeur me réchauffe réellement.

Elle n'a pas de mérite, même le profil vaguement cambré de la lampe de chevet réussit à m'arracher une érection, alors l'appétence dans laquelle me précipite le contact de sa chair, même à travers la flanelle épaisse du pyjama doublé qu'elle porte pour freiner mes transports, m'emporte tout à fait. Mira, ma Mira, devient alors cet âtre où je plonge mon tisonnier, ce brasier dans lequel je m'immole. Alors, père, jamais. Vipère peut-être, pour m'insinuer, venin en bouche, jusqu'à l'étranger qui voudrait m'arracher ma vipérine, cette fine sœur d'héliotrope tournée vers les lumières folles de ma nuit bariolée…

Mais cette Mira-là s'éloigne, l'imaginée qui joue son rôle d'idéale. Maudite Mira qui n'en a plus pour moi, se tient loin mais ne me quitte pas du regard. On dirait qu'elle me surveille. Mira plus parlable et muette, plus regardable tellement elle fixe le plancher de notre auberge espagnole du Plateau Mont-Royal. Elle longe les murs de sa propre maison, servante affairée, elle tient avec Gaudin des messes basses et graves, où des éclats percent parfois, et s'imagine que je ne vois rien, fait des efforts considérables pour ne pas tomber sur Bérulier et sa jeune poupée, se réserve pour des gens qui ne sont pas de notre cercle ordinaire.

Elle est peut-être lasse de tous ces amis qui n'en sont pas tellement, je me tue à le lui répéter ; de Philippe qui rêve de la sauter, j'ai bien le droit de rêver ; de ce con d'éditeur fier comme un paon de s'exhiber au bras d'une fille dont il pourrait être l'aïeul. Ces deux-là s'affichent sans pudeur depuis qu'ils ont débarqué il y a quatre jours, surtout lorsque Mira est dans le coin. Bérulier voudrait la narguer ? Mira, ma Mira, lui aurait emballé le cœur à lui aussi, et le vieux chnoque voudrait se venger ? L'autre jour, je l'ai surpris à lui glisser quelque chose à l'oreille et elle a eu ce geste sec de l'épaule qui trahit toujours son exaspération. Et Gaudin ne manque rien de ce ballet saugrenu. Mira Mira, dans quel parallélépipède nous as-tu engagés ? Où nous conduis-tu, sur quel terrain glissant m'emportes-tu, par quel sentier maudit ? Ton sein tremblant sous les mains de Gaudin, ton corps fondant sous l'étreinte perverse de cette vieille bête de Bérulier et le regard gourmand de sa poupée rustre. Tu as bien raison de te cacher, sale garce !

— Va te faire enculer, salope !

Je ne croyais pas l'avoir dit tout haut. Parfois, je ne distingue plus le dedans du dehors, le vrai du faux. Mira me tient rarement rigueur de ce qui n'est, lui ai-je assuré cent fois, que sursauts de mon intellection hyperactive. Elle pense me connaître, elle s'est laissé convaincre que je dis plus souvent ce que j'imagine que ce que je pense, que parfois mon cerveau parle tout seul, sans qu'on le sollicite. N'empêche, ça produit toujours un effet bœuf. Tout le monde se regarde, personne n'ose réagir. Sauf Gaudin qui s'enflamme pour se faire porte-parole sans mesure de l'indignation collective.

— Comment peux-tu être aussi odieux ? !

Oui, comment ? vraiment. Cela semble si simple et facile pourtant. Mes yeux implorent Mira au fond de sa cuisine, mais les siens ne quittent pas ses chaudrons. Elle ne volera pas à ma rescousse.

— Calme-moi, Philippe. Ça ne s'adressait à personne. C'est mon syndrome de Tourette qui refait surface. Ça m'arrive de temps en temps, tu le sais bien.

— Mon cul, oui ! Foutu cinglé…

Il ne me lâche pas, voudrait me casser les couilles au sens propre. Il se retient, tant mieux pour moi, mais m'engueule encore, ça devient une habitude. Je devrais me calmer, me dit-il, me boucher le nez et respirer par les deux oreilles. Me reprendre en main pour me remettre sur pied, soigner mon corps mais surtout mon esprit, parce que je suis dans un état général d'excitation exaltée très mauvais pour moi et encore plus pour Mira, ma Mira enceinte, il n'arrête pas de le répéter.

— Je sais, je sais…

Et tout à coup, pendant qu'il continue de s'énerver, le courant revient. Dans l'effervescence générale, ma dernière incartade passe au second plan. On se secoue, on donne un coup pour le ménage, on range, on balaie, on nettoie, on remet les meubles en place et on remballe, tout le monde est pressé de reprendre possession de ses lieux, en espérant sans y croire que cette panne-là était la dernière. Salut salut, bonjour, merci, je ne vous souhaite pas à la prochaine. Bourne me fait une accolade qui pue l'alcool de mes meilleures bouteilles avant de déguerpir à la suite des autres. Myrtille m'embrasse avec un air de reproche, Bérulier m'ignore tout à fait et se contente pour Mira, qui prend acte d'un court et las clignement des yeux, d'un « fais attention » plutôt lourd de sous-entendus, me semble-t-il. Gaudin, lui, traîne comme de raison.

J'ouvre la porte pour accélérer leur départ et me retrouve face à face avec les deux flics qui m'ont arrêté la semaine dernière.

— Quoi encore ? Ne me dites pas que ce vieux con de Tracemot s'est ravisé ? Il peut faire ça ?

Le plus gros répond, imperturbable.

— Non, il ne peut pas. Et c'est justement pour vous en parler qu'on est là.

Je les fais entrer sans comprendre, pas le choix, et je referme vite la porte pour ne pas gaspiller la précieuse chaleur de l'appartement. Moins pressés de partir tout à coup, Bérulier, Myrtille et Gaudin retraitent vers le salon. Malgré sa lassitude, Mira, tout de suite agitée, replonge illico dans son grand rôle de gardienne de mon corps et s'interpose, bedaine en avant, entre les policiers et moi.

— Laissez-le, il n'a rien fait !

Gaudin s'approche pour la calmer, mais Bérulier, soudainement bien empressé, l'a précédé. Il la prend par les épaules et la regarde droit dans les yeux.

— Allons, Mira, dit-il, viens t'asseoir. Attends au moins d'entendre ce que ces messieurs ont à dire.

Il est très insistant, plus bourru que d'habitude, presque brusque. Mira l'écarte sans ménagement et m'entraîne par le bras vers le divan où nous nous asseyons. Elle me colle au corps et m'enlace comme pour empêcher que je m'envole. Elle est mon ancre, Mira, et elle tient à me le rappeler. En ce qui me concerne, ce théâtre ridicule est plus pathétique que touchant. Bérulier nous regarde de travers, et Gaudin a l'air déçu d'avoir dû céder à l'éditeur son rôle de consolateur patenté de ma banquise éplorée. Elle est pourtant si vive et ardente sur ma peau. Aurais-je enfin brisé sa glace ? Ou est-ce sa froidure extrême qui me brûle et me consume ? Ou alors elle se tape mon éditeur par-dessus Gaudin et je ne sais qui encore, peut-être ces types, ces quidams sur les photos prises dans la rue ; et tous ces yeux durs et subreptices, ce cache-cache hypocrite et furtif qui dure depuis des jours avec Bérulier, un angle de plus dans ce triangle mouvant qui se suffit maintenant à lui-même ? Mon esprit n'arrête pas de se répéter. Les femmes, c'est comme l'absinthe. C'est bon, mais ça rend fou.

Les flics sont plantés au milieu de la pièce comme des pitbulls de faïence, les bras ballants et les yeux vitreux, sans se décider à parler. Finalement, c'est encore le plus gros qui rompt le silence :

— On est venus vous annoncer une très mauvaise nouvelle. Et vous poser quelques questions. C'est à propos de monsieur Tracemot…

Il s'arrête et surveille nos réactions. Gaudin s'énerve.

— Tracemot ? Oui, et alors ?

— Il est mort, dit le flic.

— Hein !

— Quoi ?

— Quand ?

— Comment ?

Tout le monde se regarde et parle en même temps. Sauf Mira qui ne dit rien et me serre encore plus fort.

Les flics restent là à attendre, laissent l'annonce produire son effet. Puis, celui qui n'avait pas encore parlé sort un calepin de sa poche et y jette un bref coup d'œil avant de préciser, très mécanique :

— On l'a trouvé enfoui dans un banc de neige, au fond d'une ruelle du centre-ville. Quelqu'un l'a poignardé dans l'œil avec sa plume en or. On ne sait pas exactement à quand remonte sa mort, le froid a retardé la décomposition. Mais on pense qu'il était là depuis plusieurs jours.

— Le pauvre homme ! Mais c'est horrible ! s'exclame Myrtille en se réfugiant dans les bras de Bérulier, qui a l'air plus contrarié qu'ému.

Gaudin est effondré comme nous devrions tous l'être. Moi plus que les autres sans doute, mais je suis le seul à le savoir. À cause de la Mont-Blanc dans son œil, comme la dernière fois que j'ai vu sa tête de faux jeton sur la planète des philosophes se balancer par les cheveux au bout du bras d'un Logla ricanant.

Personne ne dit mot, les flics nous laissent mijoter. Mira a posé sa tête sur mon épaule et sa main sur mon cœur pour l'empêcher d'éclater. Ses beaux yeux, verts aujourd'hui, regardent par la fenêtre la rue s'ébrouer. Bérulier s'occupe en épongeant de son vieux mouchoir crasseux les yeux mouillés de Myrtille, et Gaudin fixe le plancher en dodelinant de la tête.

Tracemot est mort, je suis probablement son assassin et tout ce qui m'importe en cet instant, c'est ce débris de nova disparu avec lui dans l'au-delà et qui m'échappe à jamais. Qu'il aille au diable ! Vite, que passe le cercueil sous nos regards pressés de voir disparaître en terre ce cadavre plus fat qu'exquis, qu'il se soustraie une fois pour toutes à nos pensées. Vœu pieux, bien sûr, espoir futile, car l'âme n'a que faire de ce blindage dans lequel on voudrait l'enfermer, elle aussi.

Et celle de Tracemot est quelque part là-haut, sous une forme ou une autre, comme me l'a si bien montré Stella, avec mon étoile qu'elle est allée rejoindre. Et qu'importe que ce soit à des trillions d'années-lumière, elle est tout à côté ou tout autour dans cette immensité embrassée d'un simple regard et où rien n'existe d'aussi extraordinaire que l'être pensant, rien dans toute cette mécanique absurde que cette prose qui se cherche, cette gnose inlassable qui ne sait rien mais veut tout expliquer.

Et pourtant, dans ces galaxies, ces nébuleuses, dans tous ces univers et tout ce bataclan, nous ne comptons pas. Notre existence est si précaire ! Ignorée sans doute du Grand Mécanicien. Qu'est-ce que vous croyez ? Il ne s'est rendu compte de rien, Dieu ou qui que ce soit, peu importe, l'auteur de l'existence, celui qui est responsable. Il s'en fout, bien sûr. Dieu n'est pas imputable. Au mieux, nous sommes un accident dont il ne s'est jamais rendu compte.

Qui cela intéresse-t-il de toute façon, hormis quelques obsédés du télescope, ou quelques poètes abscons dans mon genre, qui veulent voir plus haut, croire plus loin? Quelle prétention! Et quelle importance? Qui veut d'une barbaque qui pense? Quelle en est l'utilité, sinon d'arriver à s'en affranchir? Peut-être en viendra-t-on à squatter les étoiles, qu'elles seront un jour le refuge de l'intelligence quand, comme Stella et les siens, nous n'aurons plus de corps et plus de planète, quand le Soleil se sera éteint et que l'univers aura brûlé tout son combustible. L'intelligence réfugiée au sein d'une naine blanche, répartie dans la poussière froide d'une galaxie morte, apprenant à structurer l'inerte, à le recombiner jusqu'à ce qu'il recommence à s'exciter sous la gravité, à se réchauffer jusqu'à un nouveau Gros Boum. Ou cachée sournoisement dans cette matière noire jamais vue mais devinée, déduite, et qui compte pour les trois quarts de la masse de l'univers. Sans parler des antiparticules obligatoires selon la théorie. Alors elle sera où, la conscience, quand tout repartira? Dans tout? Comme le sable dans le sable, l'eau dans l'eau, l'air dans le vent…

Et notre mauvaise conscience, elle, où loge-t-elle qui se charge de nous rappeler au bon souvenir des défunts? Voyeuse cupide inexorablement attardée sur eux, comme nos yeux pervers sur les cuisses d'une belle dévoilées par le vent…

— Vous ne l'aimiez pas beaucoup, pas vrai?

Encore le gros. Ce doit être l'intellectuel des deux. Un fin limier en tout cas.

— On ne vous cache rien, vous. Impressionnant. C'est à cause de la fausse dent que vous dites ça?

Mira me balance son coude dans les côtes, mais le flic choisit de le prendre en riant. Gaudin sort de sa torpeur pour voler à ma rescousse. C'est si généreux.

— Tracemot était notre ami, inspecteur. Nous le connaissions tous depuis vingt ans au moins. Écrivains, éditeurs, professeurs, artistes et, lui, critique. Un mélange explosif de gros orgueils et de grandes gueules. Jérôme travaille à un roman et il n'est pas lui-même lorsqu'il écrit. Mais il n'était pas le seul à s'emporter contre Tracemot : cet homme trempait sa plume dans le fiel, je vous l'assure, et il maniait le verbe comme d'autres manient le sabre. Nous avons tous eu notre lot de différends, d'engueulades et de rancœurs avec lui. Je suis un universitaire, j'enseigne la littérature et j'ai déjà commis quelques essais. Tracemot les a démolis. J'étais furieux, mais pas autant que Maurice, qui les avait publiés. La seule façon de rentabiliser ce genre d'ouvrages, c'est de les faire entrer dans le réseau scolaire. Mais les critiques assassines de Gilbert nous privaient de notre unique marché. Maurice en a pilonné des milliers.

On dirait que Gaudin le fait exprès de porter les soupçons sur Bérulier. L'éditeur hausse les épaules en lui jetant un œil noir.

— Ce vieux connard m'a fait perdre une fortune…

Les flics ne manifestent aucune émotion ; ils se contentent d'écouter, toujours plantés au milieu du salon. On ne les a pas invités à s'asseoir, ils ne s'en formalisent pas.

— Si je comprends bien, vous aviez tous de bonnes raisons de lui en vouloir, fait remarquer le gros flic, un petit sourire aux lèvres. Vous, peut-être un peu plus que les autres, monsieur Bérulier, non ?

Les yeux de mon éditeur roulent dans tous les sens. Il est furieux.

— Ne sautez pas trop vite aux conclusions. Les critiques, ça fait partie de la vie d'un éditeur. Il arrivait aussi que Gilbert louange certains ouvrages. Ça compensait. Plusieurs de mes auteurs en ont profité. Jérôme le premier, d'ailleurs. Tracemot lui a toujours fait des critiques très élogieuses. Mais ça n'était jamais assez pour Monsieur le Grand Homme. Il lui en a toujours voulu de ne pas accorder la note parfaite à ses ouvrages, de ne pas crier au génie à chacune de ses lignes. L'autre jour, c'est pour ça qu'il lui a pété la gueule. Vingt ans qu'il nous fait suer avec cette maudite obsession !

Tout contre moi, je sens bouillir Mira. Soudain, elle jaillit du fauteuil et retombe devant les inspecteurs, les poings sur les hanches, le ventre saillant, bien campée sur ses pieds, prête à les affronter :

— Bon, maintenant ça suffit ! Si vous avez d'autres questions, vous les poserez un autre jour. Nous sommes tous secoués. Laissez-nous tranquilles.

Ils n'insistent pas et partent. Ils ont à peine mis le pied dehors que Bérulier tombe sur le dos de Gaudin.

— Qu'est-ce qui te prend de leur raconter nos histoires ? Tu es malade ! Maintenant, ils ne vont pas arrêter de m'emmerder !

— Ne les prends pas pour des imbéciles, ils savaient déjà tout ça, j'en suis sûr.

Gaudin n'a pas le temps d'en dire plus, Mira les pousse tous vers la porte en leur foutant manteaux et bottes dans les bras, Myrtille comprise, laquelle trébuche en pleurant dans l'indifférence générale. Au moment de franchir le seuil, Bérulier se tourne vers Mira et lui plante son gros index sous le nez :

— Prends bien soin de toi !

Un conseil qui sonne mal vu le ton sur lequel il est donné. Mon éditeur a toujours été une brute.

Ils sont partis. Mira a mis du Mozart et retourne s'installer sur le divan. Le châle noir sur ses épaules souligne la blancheur de son visage et lui donne des airs de Madone. Ses yeux sont rouges de lassitude et de tristesse.

— Viens t'asseoir, mon fou d'amour.

Je la rejoins, l'entoure de mes bras, la presse sur ma poitrine. J'aimerais tant l'emmener dans mon autre monde, celui de Stella, lui montrer tout ce que j'y ai découvert par sa magie, lui faire partager cette angoisse extrême qui me gagne à l'idée que tout n'a pas, comme nous, de fin dans cet univers et les autres.

Je n'arrête pas d'arpenter la nuit et je ne l'ai pas encore trouvé. Mais il finira bien par jaillir, Tracemot ou pas, ce morceau d'étoile qui sera ma victoire et ma survie. Ou alors, il sera la colère du ciel, la vengeance du vieux censeur, sa pluie de grenouilles, sa boule de feu, et son explosion me réduira à néant.

— Mira, j'ai peur que ce soit moi. À cause de la Mont-Blanc dans son œil. Je l'ai vu. Nous étions dans un endroit où les penseurs célèbres sont ressuscités, au cas où ils arriveraient à comprendre le monde qu'ils n'ont jamais réussi à expliquer de leur vivant, par une tribu de purs esprits éternels et désabusés qui s'incarnent pour s'amuser et massacrent pour se distraire. Logla lui a tranché la tête. Un gnome de ma connaissance…

— Mais non, mon fou. C'est ton livre, tu le sais bien. Ce monde n'existe que dans ta tête, dans ta tête…

J'aimerais bien qu'elle ait raison. Mais je lui dis que j'en doute. On n'invente pas des choses pareilles.

— Les pannes, tu sais, c'est Stella. Les orages magnétiques et tout ce qui s'ensuit.

— Stella, c'est joli…

— Arrête ! Elle est réelle !

Mira se défait de mon étreinte et se penche vers la petite commode à côté du fauteuil. Elle ouvre le tiroir et en tire trois ou quatre feuilles qu'elle me tend.

— Tiens. Lis.

J'y reconnais la graphie, impatiente, maladroite, difficile, qui s'accroche aux aspérités et ne réussit que les courbes, plate parfois, ronde le mot d'après, qui bouffe des lettres, un griffonnage maladif. C'est bien mon écriture. Un truc rempli de ratures et de biffures, trituré, torturé, avec des notes, des flèches et des renvois :

Pourquoi donc est-ce que je m'accroche à cette folle finie ? à cette ordure de déesse qui me traite comme de la merde ?

*— Tu n'es pas la seule femelle au monde, Stella Porrima, la seule éternelle dans l'univers, je pourrais trouver quelqu'un demain matin, de beaucoup mieux que toi, tu sauras, quelqu'un d'aimant, une fille gentille et belle, il y en a plein qui voudraient vivre avec un génie. Tu ne me crois pas ? * (Ajouter un élément d'incertitude sur son appartenance sexuelle. Quel est le sexe des anges ?)*

Il sort son calepin d'écrivain, celui qu'il traîne toujours pour noter ce qui lui passe par la tête dans les moments d'inspiration. Et il lui montre la dernière page avec trois ou quatre noms dessus. Des noms de femmes qu'il lui met sous le nez et dont elle se détourne comme d'un vieux fromage.

— Regarde, regarde donc ! Celles-là m'ont donné leur numéro de téléphone. Juste aujourd'hui, tu vois ? Et je ne parle pas des autres, celles d'hier et d'avant, elles m'arrêtent tout le temps dans la rue, pas moyen de marcher tranquille, elles en ont toutes après mon style et mon stylo, après moi et après moi le déluge, ma vieille, ma très vieille Stella. Et puis, qui donc a envie d'une antiquité dans ton genre ? Tu sauras que je n'ai qu'à claquer les doigts pour te remplacer par une qui me porte aux nues et baise pour de vrai, pas par espoir qu'un jour, à force d'essayer et de se faire tourner et tripoter dans tous les sens par toutes sortes de bestioles et d'insectes pensants, quelqu'un ou quelque chose finira bien par toucher le fameux bouton qui déclenchera tout.

Elle s'est réfugiée à l'autre bout du divan en montant le son de la télé. Elle ne l'écoute pas, comme d'habitude. Ses petites horreurs courent, rampent ou roulent à travers la pièce, Algol et Logla à leur trousse.

— Tu entends ce que je te dis ? Je vais foutre le camp. Ou plutôt, c'est toi qui vas déguerpir. Nous sommes chez moi ici, non ? On est bien chez moi ?

— Le bail est à mon nom, répond Stella sans détourner son regard de la télé où des crétins se pâment pour une petite chanteuse aux gibbosités exubérantes.

— Ah ! bon ? C'est vrai ? Je ne me rappelais pas… Je croyais. Ça complique beaucoup les choses, évidemment. Mais je pourrais partir quand même… Et les meubles, ce sont bien mes meubles ?

— Tu as deux ou trois trucs.

** (Une déesse qui écoute la télé et qui signe un bail ? À revoir. Et puis la vraie Stella n'a pas tant de meubles.)*

Jérémie se gratte le crâne. Une manie chez lui. En fait, il se l'est gratté si souvent et il le fait depuis si longtemps que plus un poil ne pousse sur l'arrière de sa tête. Ça lui donne l'air d'un moine mal tonsuré.

— Deux ou trois ? Embêtant. Bien embêtant…

Je n'ai aucun souvenir d'avoir écrit cette chose. Mira me dit qu'il y en a comme ça dans tous les coins de la maison, ébauches, descriptions, réflexions, dialogues, toutes sortes de notes ; elle en trouve même sous notre matelas ou au fond des penderies.

— C'est toujours comme ça quand tu écris, Jérôme. Et tu es le seul à ne jamais te le rappeler, dit-elle sur le ton du reproche.

Quand Mira se veut sérieuse et solennelle, elle me donne du Jérôme. On fait la même chose avec les enfants qu'on veut gronder ou calmer. Fini les « petit chou », les « bichette », les « petit oiseau du paradis », les « fou d'amour »…

— Jérôme, reviens un peu sur terre. Fais un effort. Ça devient dangereux.

Qu'est-ce qu'ils ont tous avec la Terre ? Cela s'entend qu'ils ne l'ont jamais quittée. Elle dit ça à cause de Tracemot, bien sûr. Et parce que notre vie commune se mêle à ma seconde existence, celle qu'elle croit fictive, inventée pour être écrite, que je rêverais, imaginerais, mais où je me perds et m'égare, où je ne m'appartiens plus, suis possédé par cette obsession, cette Stella, déesse démente, avide de vivre et si lasse d'exister, cette entité dans ma vie, mon Europa et ma Io, froide flamme de pierre et de glace.

— Gilbert est mort, Jérôme…

— Je sais bien qu'il est mort ! Tu ne m'écoutes pas ? Je viens de te dire que je crois l'avoir tué ! Je lui ai fait son affaire, à ce vieux salaud…

— Non !

Ma Mira, qui n'élève jamais la voix, a crié. La voilà sur ses pieds qui m'enguirlande en chialant :

— Je ne veux plus jamais que tu dises ça ! Compris ? Jamais ! Sinon les flics vont t'embarquer. Tu diras que tu étais avec moi.

— Mais Mira, ils ne savent même pas quand il est mort ! Et moi, j'ai vu sa tête avec la plume enfoncée dedans !

Elle se lance sur moi en me foutant des baffes à répétition. Ça lui fait du bien et à moi aussi, qui ne sais plus trop où j'en suis ni quoi penser, ce n'est pas nouveau, mais c'est plus inquiétant que d'habitude dans le contexte.

Il suffit de si peu pour qu'elle déclenche le désir, Mira, ma petite Mira, Mira ma femme après tout. De rien, en fait, juste qu'on l'évoque en image quand on est loin d'elle, qu'on l'aperçoive quand elle est à portée. Alors, imaginez le choc, lorsque, animée par la rage de vous savoir en péril mais impuissante à vous protéger, elle fond sur vous, son feu enfin libéré de sa gangue gelée.

Sa terreur devient mon salut, puis ma félicité, sa ferveur, mon chemin vers l'extase. Comment puis-je douter de cette femme qui tremble sous moi de toute son âme ? qui m'inspire et m'aspire jusqu'au plus profond d'elle-même, dans cet endroit étrange de sérénité où le temps s'étire et ne veut pas finir, où nous nous émerveillons d'être et d'être là, les choses étant, le temps passant tout simplement, en dehors de nous, comme il se déroulera et continuera de passer quand nous ne serons plus, perception d'outre-tombe avant le temps en quelque sorte, une vision ; non, un point de vue ; non, un point de vie sur l'existence, celle des hommes en l'occurrence, une vie comme il pourrait y en avoir eu des milliards certainement, la conscience que nous sommes mais que nous ne sommes rien, que nous sommes tout puisque nous pouvons imaginer, deviner ; une sorte de projection extracorporelle, de regard par-dessus, ou par en dessous. Nous irons loin ou nous n'irons nulle part, nous sommes arrivés ou pas encore partis, nous ne savons rien, mais nous sentons tout…

— Mira !

Quel frisson fou dans ce bref éblouissement, révélation soudaine de notre capacité d'entrevoir, d'observer de haut avec détachement les lumières du monde comme celle d'un phare réfléchie la nuit par l'océan, des lueurs miroitantes, fragiles parce que ne devant leur existence qu'à l'obscurité, néanmoins capables de faire reculer un instant les ténèbres…

— Mira ! Mira ! Je t'aime !

Non ! Non ! Pas encore ! Déjà… Déjà…

— Mon fou d'amour…

Le soleil est tombé. Enfin, il s'est couché. Mira s'est endormie, recroquevillée autour de son ventre précieux, sur notre divan de la Méduse. J'ai pris l'édredon de notre lit pour le poser sur elle; je ne suis pas pressé que se reforme sa peau de glace.

J'ai suivi le chemin de mon quartier de détresse. Les néons rallumés effacent la souffrance sur les visages labourés de mes pauvres diablesses. Maggie et ses copines vacillent sur leur trottoir habituel recouvert de sloche gelée. Devant chaque passant, comme les portes automatiques des magasins, leurs manteaux miteux s'ouvrent sur leurs pattes enfermées dans des bas résille noirs et pleins d'accrocs. À ma vue, un vague sourire s'accroche aux lèvres crevassées de Maggie qui s'approche, chancelante. Je connais la suite.

— Emmène-moi…

Je la prends sur mon dos. Elle est chaque fois plus légère. Pauvre sac d'os qui se consume de l'intérieur. La ville a retrouvé sa lumière et ses promeneurs pour lutter contre la nuit. Les étoiles se refont discrètes, il n'y a pas d'aurores. Je porte mon fardeau chez Stella, cette cosmique maîtresse qui n'existerait pas mais que je retrouve pourtant au milieu de sa ruche. Algol se précipite sur Maggie en grognant pour écarter l'essaim gélatiniforme et chitineux qui lui tourne déjà autour.

— Algol, mon gentil petit nabot…

Elle lui flatte la corne tandis qu'il la conduit vers l'arrière, à l'abri de l'inquiétante progéniture de Stella qui n'en finit pas de se multiplier. Logla, lui, le bébé humain dans les bras, est venu tout de suite à ma rencontre et ne me laisse pas d'une semelle. Il a l'air au désespoir avec ce petit qui lui braille dans les oreilles et que je fais semblant de ne pas voir. Je trouve qu'il ne me ressemble pas du tout en fin de compte, mais comme c'est le seul représentant homo sapiens de tout le cheptel de Stella, je devrais croire que j'en suis le père. Difficile pourtant d'imaginer que cette génitrice sexuellement hyperactive se serait contentée de s'envoyer un seul spécimen de l'espèce humaine.

— Pourquoi donc te mentirais-je, ineffable abjection ? Quel avantage pourrais-je tirer de pareil mensonge ? Après tout ce temps à mes côtés, n'as-tu rien compris de ce que je suis ? Cet être est bien ton fils. Faible comme tous les rejetons de ta race. Il ne doit qu'à Logla de ne pas avoir été dévoré par ses frères.

Le démon de Persée émet quelques geignements en me tendant l'enfant que je ne veux toujours pas regarder.

— Et qu'es-tu donc, Stella ? Que voudrais-tu me faire croire ? Tu n'es qu'un esprit prisonnier de l'éternité et d'un monde, si grand soit-il, dont tu ne comprends toujours pas la nature ni le dessein. As-tu jamais rencontré plus grand que les tiens dans cet espace où tu délires et dérives à force de chercher cette singularité source de tout ? Il faudra bien que tu l'admettes. Il n'y a pas d'origine et pas d'explication. Dieu n'existe pas, sauf dans la tête de quelques hallucinés qui en font une maladie puis une religion, comme tu n'existes que dans la mienne pour alimenter ma plume. Tu es ma dernière obsession, une lueur dans ma vie de fou, un coup de tonnerre sur mes neurones, une illumination momentanée, une tache passagère sur mon cerveau. Je suis venu te dire adieu.

Elle ricane, mais je la sens se remplir de colère et cela l'enrage encore plus que je puisse ainsi la deviner. Stella Porrima, alias Gamma de la Vierge, mère en série, boulimique de la procréation, garce des étoiles et déesse solitaire hurle si fort que ses enfants, pris de frénésie, se déchaînent, bondissant dans tous les sens. Stella maintient la note. Ses petites atrocités, tout à fait hystériques, s'entredéchirent avec tous les moyens dont leur mère, dans sa grande malice, les a dotées. Je me précipite derrière une pile de boîtes pour me protéger des harpies. Bientôt, il n'y a plus autour que fièvre et douleur, et l'antre se décore comme une toile de Pollock tellement giclent dans tous les sens des sangs multicolores. Très vite, le sol est jonché de morceaux de chair et de membres hétéroclites à l'utilité invérifiable. Stella s'égosille jusqu'à ce que plus rien ne bouge dans tout ce margouillis, mais lorsqu'elle se tait, on entend monter de l'arrière du repaire une longue plainte, comme un hululement aux accents d'Algol. Je sors de ma cachette, mais je n'ai pas le courage d'aller voir. À vrai dire, si le carnage qui s'offre à mes yeux ne m'émeut guère tant m'indispose la descendance de ma folle déesse, l'idée de cette pauvre Maggie gisant déchiquetée devant son démon éploré me donne la nausée.

Logla, quant à lui, se relève péniblement, le corps lacéré, dégoulinant. Et sous lui, le bébé dont il a pris la défense, mon fils qui gazouille et dont les yeux vont dans tous les sens. Quant à ma déesse, elle a, apparemment, retrouvé son calme.

— Je devais faire le ménage avant de partir, dit-elle en balayant du geste ce qui reste de sa lignée automassacrée. Tout ce qui vit ne mérite pas d'exister.

Tiens, c'est nouveau, ça. Hier, pourtant, elle n'en avait que pour la dissémination des gènes et leur prolifération sous toutes ses formes afin que la vie, dans son grand jeu, fît son chemin coûte que coûte vers le sublime et la lumière. Les dieux ont l'humeur changeante.

— Tu réfléchis trop, humain. Tu m'énerves. Ce n'est pas bon pour toi.

Elle se tourne vers le petit homme qui gazouille par terre en s'amusant avec les débris poisseux de ses frères cosmiques.

— J'emmènerai celui-là, dit-elle. Il a le mérite d'avoir su se faire protéger.

Puis, s'approchant de moi, et tout à coup mielleuse :

— J'en ai fini avec cette incarnation. Tu souhaites en profiter une dernière fois, Terrien ?

— Sans façon, Stella. Je suis heureux que tu sois venue et heureux que tu partes. Tu auras été ma pierre de touche, tu m'auras rendu moins gélif. Dorénavant, je lèverai les yeux plutôt que de les baisser.

L'éternelle n'aime pas qu'on la refuse. Je joue avec le feu, le sien, le pire de tous, aussi puissant qu'un milliard de soleils.

— Assez de ce galimatias, Terrien ! Ce n'est pas ainsi que se termine notre histoire, sur cette conclusion bonbon, cette fin heureuse et cucul. Tu appartiens au sol, le ciel te donnera toujours le vertige. Tu ne seras jamais qu'un déplorable timoré, un être aux incommensurables limites miné par les gélivures. Tu n'es pas fait pour porter cinq étoiles, petit caporal !

Sa voix redevient caverneuse à mesure que sa colère renaît et qu'elle reprend ses distances. Pas envie de finir comme sa dernière progéniture. Mais j'ai encore une chose à lui demander :

— Arrête, Stella ! Tu me figes le sang ! Comment peux-tu croire que j'ai envie de baiser au milieu de ce foutu carnage ? En plus, je ne suis pas d'humeur à batifoler. Dis-moi plutôt si c'est bien moi qui ai fait la peau à Tracemot dans ces limbes à l'autre bout de l'univers, là où les tiens réveillent les penseurs pour les faire turbiner. Il faut que je sache. Je perds la boule dès que tu entres dans mon champ de vision.

Elle se calme, ses grands yeux bleus vacillent, me semble-t-il, et une sorte de moue se dessine sur sa bouche.

— Tu dois croire à ce que tu vois, Terrien, à ce que tu entends, sens et ressens, dit-elle en se palpant les seins et le ventre comme si elle se découvrait pour la première fois.

Je pense : « Elle est folle », et elle ne relève pas. J'en profite pour prendre congé avant qu'elle change d'humeur.

— Bon, alors je file. Salut, ma vieille, heureux de t'avoir connue, dis-je en me dirigeant vers la porte sur la pointe des pieds. Logla, Algol, à un ces quatre...

Je ne sais pas comment j'ai fait : je suis dehors et bien vivant. Mais autour, c'est tout sauf là où je devrais me trouver, au bout de cette ruelle où ma folle enfanteresse a creusé sa tanière. Au lieu du grand parc Jeanne-Mance au pied du mont Royal, c'est la plaine de Saint-Cyrille-de-Wendover, cet horizon plat où se confondent les clochers des presque cathédrales et les silos des fermes et qui se répète à des centaines d'exemplaires au Québec, vert ou doré l'été, noir comme la terre l'automne, l'hiver, blanc comme le froid. Un regard plus loin, c'est Orion qui plane au-dessus et sa belle nébuleuse à fleur d'étoiles. Je flotte sur ces images, elles m'enveloppent et chaque fois que je bouge ou pense à bouger, je suis emporté ailleurs et dans d'autres moments : un effort pour prendre pied et me voilà sous l'océan, entouré de bêtes aussi difformes et variées que les enfants de Stella ; un battement de cils et c'est l'éblouissement d'un monde brûlé et sans odeur, irradié et stérile. Ces paysages gigognes me donnent le vertige et quand j'ouvre les yeux pour le chasser, je suis de retour dans mes quartiers, marchant sur les trottoirs ordinaires du monde réel. Mais où se trouve la réalité ?

— Viens, mon fou d'amour. Il faut que je te montre quelque chose...

C'est Mira, sortie de nulle part, qui me prend par la main et me guide au milieu de la petite foule heureuse de renouer avec les lumières de la ville. Au fil des rues, je reconnais le chemin de son atelier. Je lui dis :

— Tu veux me montrer la suite de ton grand œuvre, ma Mira ? Les derniers moments de mon chemin de Compostelle ?

La fin approche, si tu veux le savoir. Mon astre écervelé m'a quitté pour aller s'accoupler avec des formes de vie moins névrosées. Je n'ai pas réussi à la faire vibrer. Quelle idée aussi d'avoir choisi de s'incarner dans un corps de femme, elle ne savait pas dans quoi elle s'embarquait. Toute déesse qu'elle soit, elle ignorait qu'il faut être élevé dedans pour savoir s'en servir, et encore. En tout cas, il n'y aura plus d'orages magnétiques, c'est toujours ça de gagné et…

— La ferme !

— Quoi ?

Ma Mira qui me gueule après, c'est de l'inédit. Je l'arrête et la force à me regarder. Elle fuit mon regard, mais son souffle est court et je vois bien qu'elle serre les mâchoires. Je me rends compte tout à coup qu'elle est au bord de la crise de nerfs. Elle me tire par le bras.

— Viens donc ! C'est important…

Il n'y a plus long à marcher. Deux coins de rue et on y est. L'atelier est plongé dans le noir. Mira sort ses clés d'une poche de sa vareuse. Ses mains tremblent et le trousseau tombe dans la gadoue.

— Saloperie de merde !

— Laisse…

J'ouvre et j'allume. La grande pièce s'éclaire et sur son mur d'exposition apparaissent les innombrables photos de moi dans toutes mes dispositions, humeurs et complexions. Mira me pousse vers cet écran où elle projette les délires dont elle a fait son œuvre et qui deviendront la mienne.

— Qu'y a-t-il, Mira ? J'ai déjà vu tout ça.

— Pas tout, maudit fou. Pas tout…

Je la sens si fiévreuse que je fais l'effort de parcourir encore cette triste mosaïque dédiée à ma folie qu'elle voudrait créatrice. Je m'y vois, seul ou entouré de gens aussi exaltés ou prostrés que j'y parais; des passants bousculent des filles chancelantes qui leur font du rentre-dedans sous les néons fluo, de petits anges déchus tombés en disgrâce au milieu d'un dépotoir. Parfois, je reconnais des visages: Maggie et ses copines, la plupart du temps, au milieu de leur cour des miracles, et moi encore dans des bouges enfumés, entre de mauvais poètes de ma connaissance. Et sur tous mes visages, ce regard d'halluciné auquel je me suis habitué.

Mira trépigne derrière mon dos.

— Celles-là, tu les connais. Va plus loin!

— Arrête! Montre-moi donc ce que tu veux que je regarde! Qu'est-ce qui se passe, Mira, ma Mira qui ne se possède plus?

Elle me pousse plus loin vers les dernières planches qu'elle a affichées, jusqu'à ce que je sois bien planté devant.

— Là!

Il y en a quatre. Sur la première, on me voit de dos, au fond d'une ruelle étroite, entre deux immeubles hauts. Manifestement, on ne l'a pas déneigée de l'hiver. Je ne suis pas seul. Par terre, à l'avant-plan, à côté d'un conteneur à déchets à demi enfoui, Maggie et une autre fille ont l'air de cuver leur vin. Devant moi, à un mètre environ, Tracemot, échevelé, plutôt guilleret à bien y regarder, semble tituber. Sur la scène d'après, rien n'a changé à ceci près qu'un bras apparaît dans le cadre, par la droite. Dans la main refermée, quelque chose brille sous la lumière venue de la rue. La séquence suivante me montre tourné vers la moitié d'un personnage qui s'ajoute au bras maintenant tendu vers le visage d'un Tracemot aussi étonné qu'amusé.

Lorsque je pose les yeux sur le dernier cliché, j'ai déjà compris que cette main tient la Mont-Blanc qui a tué le vieux critique. Et quand je vois qui l'enfonce dans l'œil du vieil homme, je suis aussi stupéfait que mon image sur le mur, mais jamais autant que le vieux plumitif dont le dernier œil valide s'ouvre aussi grand que sa bouche bée.

— Bérulier ! Bérulier a tué Tracemot…

Je me tourne pour chercher refuge dans le beau visage de ma douce, mais je ne trouve que celui tordu de rage de mon éditeur sorti tout droit de sa photo, l'œil exorbité, les dents serrées. Le monde explose dans un éclair fulgurant de frayeur, et une vive douleur me traverse de la tête aux pieds quand Bérulier me frappe le crâne avec quelque chose de dur. La lumière disparaît et l'obscurité s'empare de nouveau du studio, de la ville et de ma vie.

Je suis étendu par terre. De petites mains courent sur mon corps, des doigts râpeux forcent mes paupières. Ça pue très fort le musc et ça couine. À travers un voile lancinant, je devine les jumeaux de mon fol esprit qui me tirent, me poussent, me remettent sur mes fesses. Je chancelle, mais ils me soutiennent. Et j'aperçois dans le noir, qui gît sur le sol, ma douce, ma tendre Mira, immobile, le grand Bérulier au-dessus d'elle, les clichés qui l'accablent dans une main, dans l'autre un grand couteau dégoulinant.

— Miraaaaa !

Mon traître d'éditeur, mon faux ami, se lance sur moi en hurlant comme un dément, le poignard levé. Un rictus lui déchire le visage. Il va me tuer, me découper, et je le laisserai faire parce qu'il a déjà pris le meilleur de moi, la beauté, la bonté, la grâce et la joie de Mira, ma Mira, mon amour, ma tourmente et ma paix…

Je ferme les yeux pour la ressusciter en attendant qu'il tue le mauvais Roméo dont il a pris la triste Juliette. Mais le coup ne vient pas.

« Stella, Stella ! Donne-lui la force d'aller jusqu'au bout. Tout est si compliqué. Et je suis si las… »

— Tu n'es qu'une immense mauviette, Terrien !

Je rouvre les yeux. Elle est là, bien sûr, derrière Bérulier gargouillant sous le bras refermé sur sa gorge pendant que les deux nains lui frappent les cuisses à coups de glaive.

— Tu ne peux donc pas me laisser tranquille, même au moment de ma mort, folle de déesse ?

— Ce n'est pas ce soir ni ainsi que prendra fin ta négligeable existence. Tu as si vite oublié cette apothéose que tu cherches et qui t'attend ? Ce bout d'étoile essentiel à ta félicité ?

Elle a pris le couteau de la main de Bérulier, qui n'a plus la force de battre l'air, et elle me le tend. Je dois donc prendre cette lame et en faire l'objet de ma vengeance ? boire ce vin fou jusqu'à la lie ? L'hallali…

— Ça, c'est pour ma pauvre Mira, espèce d'ordure !

J'enfonce le poignard au beau milieu de ses tripes et je tourne lentement, promène la lame pour qu'il la sente bien se tracer un chemin dans tous ses boyaux qui éclatent.

— Et ça, c'est pour m'avoir privé du plaisir de voir Tracemot, que le diable l'emporte, m'accorder cette reconnaissance ultime.

Cette fois, le couteau a trouvé le chemin de son cœur. Je ne suis pas si cruel. Il va mourir rapidement. Un peu de bonté pour cet homme qui a tout de même contribué à ma gloire, à mon avènement.

— Crève, Bérulier ! Et ne reviens plus !

Stella a relâché son étreinte et Bérulier s'affaisse lentement en me regardant dans les yeux, méchamment. Je soutiens son regard jusqu'au bout. Puis, un dernier raidissement et il s'affale.

Je sens ma déesse assise au bord de mon désespoir, penché sur le puits sans fond de ma détresse. Elle est curieuse, Stella, elle ne rate jamais une occasion de s'instruire.

« Je t'en prie, laisse-moi… »

Elle s'approche, pose une main sur mon épaule. Je me rends compte qu'elle porte le bébé sur son dos, mon enfant présumé. Le petit roule des yeux avides dans tous les sens, indifférent au drame qui se joue.

— Tu l'emmènes ?

— Il y a une planète où je conserve tous ceux de mes rejetons qui en valent la peine, dit-elle sur le ton de la confidence.

Je sens de la gêne dans sa voix, elle ne m'a jamais vraiment parlé d'elle auparavant :

— C'est un peu ma maison et eux, ma famille. Un port d'attache, si tu préfères, que je partage avec quelques-uns des miens. Comme cet éternel que nous avons croisé chez les philosophes. Tu te le rappelles ?

C'était donc ça ! Cette statue grecque incarnée qui réussissait à lui virer les sangs et m'aurait bouffé cru. Je l'avais bien saisi : jaloux, il était jaloux...

— Nous sommes liés depuis très longtemps...

Elle hésite un peu, puis :

— Tu es certain de ne pas vouloir essayer une dernière fois, Terrien ?

C'est sa façon de faire du sentiment. Les dieux n'ont pas de cœur, celui qu'ils empruntent n'est qu'un corps étranger. Je n'ai pas eu besoin de répondre. Pour une fois, je perçois son malaise.

— Bon. Alors, bonne chance avec cette étoile, dit-elle, pour dire quelque chose. Venez, les démons. On s'en va maintenant...

Algol et Logla me saluent en hochant de la corne, Stella me regarde encore, puis ils disparaissent dans un souffle de poussière.

La lumière est revenue. Le sang de Bérulier n'arrête pas de lui sortir du cœur et il a déjà salopé la moitié de la pièce. À l'autre bout, Mira a gardé le sien malgré le trou dans sa gorge. À peine un filet lui dessine-t-il un collier grenat qui coule jusqu'au creux de ses seins. Ma douce repose sur le côté, ses grands yeux verts contemplent ce mur qui nous réunissait autant qu'il nous séparait, ce pont entre nos vies.

Je m'étends près d'elle et la serre dans mes bras. Elle n'a jamais été si chaude. Je prends ses mains, de glace autrefois lorsqu'elles glissaient sur mon corps, si froides alors qu'elles sont brûlantes comme l'azote, ses mains de fée qui me faisaient tomber en pâmoison pendant des heures et me laissaient à un pas de l'extase lorsque nous pratiquions ce sport extrême consistant à surfer le plus longtemps possible sur la lame de l'infinie tendresse, à se tenir en équilibre sur la fine fleur du désir. Mira, ma Mira, que de grâce perdue…

Épilogue

Roue de Charrette. Galaxie annulaire de la constellation du Sculpteur visible dans le ciel austral. Son anneau d'étoiles jeunes et très brillantes fait 100 000 années-lumière de diamètre.

Ils m'ont enfermé dans une petite cage avec vue sur la nuit, une fenêtre de rien qui regarde le ciel du Sud, là où s'installent en leur temps la Baleine et la Vierge. S'ils savaient le bien qu'ils me font, ils me jetteraient dehors : la prison n'est pas le lieu du bonheur. Chaque automne, Mira revient se glisser entre les barreaux de ma lucarne et Stella y apparaît autour des ides de mars. C'est tout ce qu'il me faut pour les remettre en scène, en selle, enceintes, Mira Ceti, mon céleste corps, mon fatum, ma star, et Gamma de la Vierge, dite Stella Porrima, ma mauvaise étoile filante.

Je les réinvente chaque jour et chaque nuit, l'une après l'autre ou ensemble. Je les laisse se confondre dans le flot de ma déraison. Mira ne s'est pas dissoute dans le néant, elle est de tout ce que je pense et fais ; Stella n'est pas repartie pour des cieux plus déments : elle l'ignore, mais je lui ai volé son âme, aussi bien dire que je l'ai enlevée, puisque l'âme du pur esprit, c'est l'esprit lui-même. Dorénavant, c'est en moi qu'elle parcourra l'éther à la recherche de cette singularité qui la branche tant. Je suis son univers, sa geôle et son geôlier. Je l'ai eue, bel et bien eue, elle ne me quittera plus.

Je les improvise sur mes obsessions habituelles, les remodèle selon mes humeurs et mes goûts. Stella, aimante et empressée, m'interpelle :

« Je voudrais avoir ton cœur, l'emporter avec moi au delà des aurores, dans mon avenir nébuleux. »

Et je lui réponds :

« Qu'en ferais-tu donc, ma glaciale éternelle ? Tu le garderais au congélateur pendant quelques milliards d'années dans ta galerie de chasseresse avec tes autres trophées ? Je suis désolé, je l'ai déjà donné, à Mira ma Mira qui en avait bien besoin. Si tu le veux à ce point, il te faudra le lui prendre et elle ne te laissera pas faire, toute-puissante sois-tu. Elle est farouche, ma Mira, il ne faut pas se fier à ses allures graciles, elle pourrait même t'arracher le tien, de cœur, si tu en avais un. »

Alors Mira s'éveille :

« Viens, mon fou d'amour, viens, mon conquérant, oublie tous ces univers inconnus et viens explorer le petit monde de ta femme, viens renaître et mourir encore une fois, remets-moi au monde, viens t'exploser en moi, mon kamikaze adoré… »

Alors, je l'enfourne. Elle geint pour me laisser croire qu'elle en tire quelque chose. Je ne sais pas pourquoi, mais maintenant, je suis touché qu'elle fasse l'effort de feindre. Peut-être parce qu'elle devient chaque fois plus irréelle à force d'être réinventée.

Car le fantasme et l'illusion remplacent peu à peu mes souvenirs. Je revisite les enfers d'Ulysse et de Dante, je parcours des saisons étranges sous des soleils extravagants, des mondes où je serai à jamais le seul à voyager ou alors avec Stella, qui voltige à mes côtés comme une hirondelle dans des ciels écarlates, accompagnés d'êtres de plumes et de vent.

Le mirage et la fantaisie occupent bien mes jours, mais le rêve ne fait pas bon ménage avec mes nuits ; il y est plutôt cauchemar, toujours le même : je suis dehors, au beau milieu du noir, sous un ciel absolument sans nuages, mais il n'y a pas d'étoiles, pas une seule. Il n'y a, penché sur moi, que l'énorme visage d'un Dieu bouffi et chauve à l'image de Tracemot, et je lui gueule après pour qu'il rende à la nue ses constellations et me donne une fois pour toutes ce bout d'astre, cette Calamité qui devrait me guider vers la gloire et tracer ma route, m'indiquer le sens de la vie.

« Jamais ! Jamais ! » crache en riant le vieux juge de mon œuvre, tout cramoisi du plaisir qu'il prend à me torturer.

Alors, je me réveille, et Mira est allongée près de moi, ses yeux verts grands comme des lacs me recouvrent tout entier pour que je m'y noie.

« Quand donc vas-tu comprendre que le seul sens de la vie, c'est la vie elle-même, épais d'amour ? La grande mission cosmique que s'est donnée ta déesse, la réponse qu'elle cherche dans les astres, et cette moitié d'étoile que tu réclames à cor et à cri ne vous apporteront jamais ni à l'un ni à l'autre la compréhension et la paix. Tu es le sens de la vie, nous le sommes tous, nous qui sommes et savons que nous sommes… »

Bourne m'écrit de temps en temps pour me raconter ces îles remplies de filles et de fruits où il fait le plein de vie et d'histoires à écrire, des endroits si extraordinaires qu'ils pourraient très bien ne pas exister. Mais qui s'en soucie ? Tant qu'ils font rêver, comme mes étoiles et mes nébuleuses.

Les savants se sont mis d'accord : le Soleil a connu un court accès de folie, un malaise passager qui se produit une fois par million d'années. Il fallait bien les rassurer, tous ces gens affolés, leur offrir un monde pérenne, solide et fonctionnel, ne pas les angoisser avec la fragilité de la vie et les dangers infinis de l'espace. S'ils savaient, s'ils se rendaient compte, ils ne s'en remettraient pas.

J'ai lu quelque part que l'univers, en fin de compte, pourrait être beaucoup plus petit qu'on ne l'imagine et le voit, qu'en raison des effets de masse et des courbures de l'espace l'image des galaxies est démultipliée par une sorte d'effet miroir. Ainsi, cet univers chiffonné serait en réalité très différent de celui que nous percevons et ne contiendrait qu'une infime partie des milliards de galaxies observées. Un monde d'images fantômes et de mirages, d'illusions, un monde imaginé…

Les photos avaient disparu, la séquence de quatre images où l'on voyait Bérulier enfoncer la plume dans l'œil de Tracemot. Gaudin, sans doute. Je n'ai plus jamais eu de ses nouvelles. Il devait savoir, Mira le lui aura dit, mais il se sera vengé de toutes ces années de jalousie. Je tenais Mira dans mes bras, le couteau à la main, quand les flics sont arrivés. Ils n'ont pas cru mon histoire, personne n'y a cru. Mon avocat a plaidé la folie, mais le juge m'a trouvé plutôt sain d'esprit, alors il a conclu au crime passionnel. C'est quand même drôle, non ? Mira et Bérulier… Ça m'avait bien effleuré l'esprit, à moi, alors le magistrat y a pensé lui aussi. J'ai pris quinze ans fermes.

Au moins, ici, j'ai tout mon temps pour écrire, pour devenir un écrivain cinq étoiles. Je leur ponds un roman par mois, alors ça finira bien par arriver. Des romans pour embellir la vie, qui n'est pas parfaite, pour que ma nullité serve de terreau fertile à quelque chose de grand, des histoires pour exister.

— Tu entends, Gaudin ? Un chieur de mots qu'on ne surpassera pas de sitôt, un fou d'écrire, un cadavre inoubliable, un mort parfait !

Dans quelques milliers d'années, la Grande Ourse aura perdu sa forme, ses étoiles se seront écartées considérablement. Des étoiles mourront, d'autres naîtront, des galaxies entreront en collision. Il n'y a qu'à lever les yeux vers le ciel pour voir le passé. Mais on ne peut jamais se projeter dans l'avenir, on ne peut que le deviner ou, mieux, l'inventer.

Un jour, Mira ne reviendra pas, je ne saurai plus la recréer ; Stella finira par se jeter dans une monstruosité des confins de l'univers, un avaleur de galaxies dont l'effondrement gravitationnel sera si outrancier que sa singularité ne sera plus qu'énergie pure. Je ne suis pas certain de ce qui lui arrivera, de toute façon ça ne se passera pas avant quelques millions d'années, le temps qu'elle trouve.

En attendant, elle apparaît de l'autre côté de ma fenêtre, étendue sur le ciel comme jadis sur ce qui lui servait de lit dans son antre terrestre, constellation lubrique offrant à ma plume paresseuse au milieu de la nuit son sexe insolent, une galaxie annulaire qui s'ouvre tout grand sur une nuit plus noire encore, un gouffre plus profond où les ténèbres elles-mêmes se laissent aspirer.

— Alors, misérable nullité, tu te sens d'attaque ?

Dans la même collection

Donald Alarie, *Tu crois que ça va durer ?*
Émilie Andrewes, *Eldon d'or.*
Émilie Andrewes, *Les mouches pauvres d'Ésope.*
J. P. April, *Les ensauvagés.*
Aude, *Chrysalide.*
Aude, *L'homme au complet.*
Aude, *Quelqu'un.*
Noël Audet, *Les bonheurs d'un héros incertain.*
Noël Audet, *Le roi des planeurs.*
Marie Auger, *L'excision.*
Marie Auger, *J'ai froid aux yeux.*
Marie Auger, *Tombeau.*
Marie Auger, *Le ventre en tête.*
Robert Baillie, *Boulevard Raspail.*
André Berthiaume, *Les petits caractères.*
André Brochu, *Les Épervières.*
André Brochu, *Le maître rêveur.*
André Brochu, *La vie aux trousses.*
Serge Bruneau, *L'enterrement de Lénine.*
Serge Bruneau, *Hot Blues.*
Serge Bruneau, *Rosa-Lux et la baie des Anges.*
Roch Carrier, *Les moines dans la tour.*
Daniel Castillo Durante, *La passion des nomades.*
Normand Cazelais, *Ring.*
Denys Chabot, *La tête des eaux.*
Anne Élaine Cliche, *Rien et autres souvenirs.*
Hugues Corriveau, *La maison rouge du bord de mer.*
Hugues Corriveau, *Parc univers.*
Esther Croft, *De belles paroles.*
Esther Croft, *Le reste du temps.*
Claire Dé, *Sourdes amours.*
Guy Demers, *L'intime.*
Guy Demers, *Sabines.*
Jean Désy, *Le coureur de froid.*
Jean Désy, *L'île de Tayara.*
Danielle Dubé, *Le carnet de Léo.*
Danielle Dubé et Yvon Paré, *Un été en Provence.*
Louise Dupré, *La Voie lactée.*
Sophie Frisson, *Le vieux fantôme qui dansait sous la lune.*
Jacques Garneau, *Lettres de Russie.*
Bertrand Gervais, *Gazole.*
Bertrand Gervais, *L'île des Pas perdus.*
Bertrand Gervais, *Oslo.*
Bertrand Gervais, *Tessons.*
Mario Girard, *L'abîmetière.*
Sylvie Grégoire, *Gare Belle-Étoile.*
Hélène Guy, *Amours au noir.*
Louis Hamelin, *Betsi Larousse.*
Julie Hivon, *Ce qu'il en reste.*
Young-Moon Jung, *Pour ne pas rater ma dernière seconde.*
Sergio Kokis, *Les amants de l'Alfama.*
Sergio Kokis, *L'amour du lointain.*
Sergio Kokis, *L'art du maquillage.*
Sergio Kokis, *Errances.*
Sergio Kokis, *Le fou de Bosch.*
Sergio Kokis, *La gare.*
Sergio Kokis, *Kaléidoscope brisé.*
Sergio Kokis, *Le magicien.*
Sergio Kokis, *Le maître de jeu.*
Sergio Kokis, *Negão et Doralice.*
Sergio Kokis, *Saltimbanques.*
Sergio Kokis, *Un sourire blindé.*
Andrée Laberge, *La rivière du loup.*
Micheline La France, *Le don d'Auguste.*
Andrée Laurier, *Horizons navigables.*
Andrée Laurier, *Le jardin d'attente.*
Andrée Laurier, *Mer intérieure.*
Claude Marceau, *Le viol de Marie-France O'Connor.*
Véronique Marcotte, *Les revolvers sont des choses qui arrivent.*
Felicia Mihali, *Luc, le Chinois et moi.*
Felicia Mihali, *Le pays du fromage.*
Pascal Millet, *L'Iroquois.*
Marcel Moussette, *L'hiver du Chinois.*
Clara Ness, *Ainsi font-elles toutes.*
Clara Ness, *Genèse de l'oubli.*
Paule Noyart, *Vigie.*
Madeleine Ouellette-Michalska, *L'apprentissage.*
Yvon Paré, *Les plus belles années.*
Jean Pelchat, *La survie de Vincent Van Gogh.*
Jean Pelchat, *Un cheval métaphysique.*
Michèle Péloquin, *Les yeux des autres.*
Daniel Pigeon, *Ceux qui partent.*
Daniel Pigeon, *Dépossession.*
Daniel Pigeon, *La proie des autres.*
Hélène Rioux, *Le cimetière des éléphants.*
Hélène Rioux, *Mercredi soir au Bout du monde.*
Hélène Rioux, *Traductrice de sentiments.*
Martyne Rondeau, *Ultimes battements d'eau.*
Jocelyne Saucier, *Les héritiers de la mine.*
Jocelyne Saucier, *Jeanne sur les routes.*
Jocelyne Saucier, *La vie comme une image.*
Denis Thériault, *Le facteur émotif.*
Denis Thériault, *L'iguane.*
Adrien Thério, *Ceux du Chemin-Taché.*
Adrien Thério, *Marie-Ève ! Marie-Ève !*
Adrien Thério, *Mes beaux meurtres.*
Gérald Tougas, *La clef de sol et autres récits.*
Pierre Tourangeau, *La dot de la Mère Missel.*
Pierre Tourangeau, *Le retour d'Ariane.*
André Vanasse, *Avenue De Lorimier.*
France Vézina, *Léonie Imbeault.*

Cet ouvrage
composé en Palatino corps 11,5 sur 14,5
a été achevé d'imprimer
en août deux mille sept
sur les presses de

MARQUIS

(Québec), Canada.